FERNANDO MORAIS

OS ÚLTIMOS SOLDADOS DA GUERRA FRIA

A HISTÓRIA DOS AGENTES SECRETOS INFILTRADOS POR CUBA EM ORGANIZAÇÕES DE EXTREMA DIREITA NOS ESTADOS UNIDOS

2ª reimpressão

COMPANHIA DAS LETRAS

Grafia atualizada segundo o Acordo Ortográfico da Língua Portuguesa de 1990, que entrou em vigor no Brasil em 2009.

Projeto gráfico e capa
Hélio de Almeida

Preparação
Márcia Copola

Índice onomástico
Luciano Marchiori

Revisão
Huendel Viana
Ana Maria Barbosa

Dados Internacionais de Catalogação na Publicação (CIP)
(Câmara Brasileira do Livro, SP, Brasil)

Morais, Fernando
Os últimos soldados da Guerra Fria / Fernando Morais. — São Paulo : Companhia das Letras, 2011.

Bibliografia.
ISBN 978-85-359-1934-9

1. Conspiração 2. Cuba - Política e governo 3. Espionagem - Estados Unidos 4. Estados Unidos - Política e governo 5. Guerra Fria 6. Julgamentos (Espionagem) - Estados Unidos 7. Presos cubanos - Estados Unidos I. Título.

11-07176 CDD-070.44

Índice para catálogo sistemático:
1. Cubanos presos nos Estados Unidos acusados de espionagem : Reportagens : Jornalismo 070.44

[2011]

EDITORA SCHWARCZ LTDA.
Rua Bandeira Paulista, 702, cj. 32
04532-002 — São Paulo — SP
Telefone (11) 3707-3500
Fax (11) 3707-3501
www.companhiadasletras.com.br
www.blogdacompanhia.com.br

Para Helena e Clarisse, luzes dos meus olhos

SUMÁRIO

1

VETERANO DA GUERRA DE ANGOLA, RENÉ ROUBA UM AVIÃO EM CUBA, POUSA EM MIAMI E É RECEBIDO COMO HERÓI

Fazia muito calor em Havana naquele fim de outono de 1990. A única bênção da natureza, nessa época do ano, é que a noite cai mais cedo, antes das seis da tarde, varrendo a cidade com uma leve e fresca aragem vinda das ondas do Caribe. Embora fosse um sábado — 8 de dezembro de 1990, ela jamais esqueceria esse dia —, Olga decidira gastar a folga fazendo trabalho voluntário na Tenerías Habana, empresa estatal da qual era engenheira. Por volta das sete horas, noite fechada, desceu do ônibus na arborizada Quinta Avenida e caminhou uma quadra até o modesto apartamento em que vivia com o marido, René, e a filha, Irmita, no outrora elegante bairro de Miramar, a meia hora do centro da capital. Ao sair de casa, no final da manhã, Olga propusera a René que deixassem a menina de seis anos com a avó e aproveitassem para assistir a um filme brasileiro dirigido por Miguel Faria Jr., *Estelinha*, que naquela noite abriria o Festival de Cinema Latino-Americano no cine Yara, no centro da cidade.

Quando voltou para casa, Olga percebeu que as luzes do apartamento estavam apagadas — sinal de que René se atrasara e que o festival de cinema ia ficar para outro dia. Ao entrar e acender as luzes, viu que Dândi, o cachorrinho da filha, rasgara com os dentes uma pilha de jornais velhos, espalhando pedaços de papel por todos os lados. Quando foi à cozinha pegar uma vassoura, ouviu a vizinha falar com alguém:

— Olhem, acenderam as luzes. Ela chegou.

Segundos depois bateram à porta. Abriu e deu com dois homens de ar grave. Um deles se adiantou:

— A senhora é Olga Salanueva, esposa de René González? Podemos entrar?

A reação foi imediata: o marido, piloto e instrutor de paraquedismo, sofrera um acidente aéreo.

— Quem são vocês? Onde está René? O que aconteceu com ele?

O homem tentou acalmá-la:

— Somos do Ministério do Interior. Por favor, sente-se, nós vamos lhe explicar.

— Explicar o quê? Meu marido! O que aconteceu com meu marido? Ele está ferido? Está vivo?

— A senhora sabia que seu marido ia voar hoje?

— Sim, sabia. O que aconteceu com ele?

A resposta, ela se lembraria depois, teve o efeito de uma pancada com um taco de beisebol na cabeça:

— Seu marido desertou.

— René? Imagine! René é um veterano de Angola, um militante do Partido! De onde vocês tiraram isso?

— René roubou um avião no aeroporto de San Nicolás e fugiu para Miami.

— Não acredito! Não acredito! Isso é uma infâmia!

A despeito do transtorno dela, o homem continuou seco, imperturbável:

— A senhora tem rádio em casa? Se tiver, ligue na Radio Martí.

Criada em maio de 1985 pelo presidente norte-americano Ronald Reagan para difundir propaganda anticastrista junto à população cubana, a estação podia ser sintonizada em ondas curtas até no pequeno rádio de pilhas de Olga. Com o coração acelerado ela localizou o sinal no aparelho e a voz do marido se espalhou pela casa, cristalina, na entrevista que vinha sendo repetida o tempo todo, desde o meio da tarde:

— Tive que fugir. Em Cuba falta luz, falta comida, até a batata e o arroz estão racionados. O combustível para nossos aviões é contado gota a gota. Para mim, Cuba acabou.

O estarrecimento de Olga era mais que justificado. René, 34 anos, mais de 1,80 metro de estatura, magro, rosto seco, nariz pronunciado e olhos claros rodeados por discretas olheiras, era um herói de guerra condecorado pelo governo cubano. Formava um belo par com Olga, um palmo mais baixa e três anos mais jovem que o marido, atraente, ar decidido, sobrancelhas marcadas e farta cabeleira. Além de filhos de operários, os dois tinham em comum a militância no Partido Comunista, no qual haviam sido admitidos fazia poucos meses, e o fato de gostarem de crianças e de cachorros. A principal diferença entre eles estava na origem: Olga era *habanera* legítima, de pai e mãe, e René cidadão norte-americano, nascido em Chicago. Também comunista de carteirinha, o pai dele, o metalúrgico Cándido, emigrara para o Texas em 1952 na esperança de se profissionalizar como jogador de beisebol — já naquela época o esporte nacional tanto de Cuba como dos Estados Unidos. A sonhada carreira de *pitcher*, porém, nunca passaria de raros treinos nos campos de times das grandes ligas. Entre voltar a Cuba, onde o esperava a repressora ditadura de Fulgencio Batista (1933-59), e tentar a vida como trabalhador braçal, optou pela segunda alternativa. Mudou-se para Chicago, voltou a ser operário, e lá se casou com Irma Sehwerert, neta de alemães e filha de cubanos emigrados, com quem teve dois filhos — René, nascido em 1956, e Roberto, em 1958. E foi em Chicago que a família recebeu a notícia de que Fidel Castro havia posto a pique a ditadura de Batista. Em abril de 1961, quando os Estados Unidos tentaram invadir Cuba pela baía dos Porcos, Cándido decidiu que estava na hora de voltar para a terra natal com a mulher e os filhos.

René nunca mais tinha posto os pés no país em que nascera. Quando Olga o conheceu, em 1983, trabalhava como instrutor de pilotagem em aeroclubes pelo interior do país. E, embora tivesse

Acima, René González durante
a Guerra de Angola, quando pilotava
tanques soviéticos armados com
canhões de 120 milímetros.
Abaixo, com a mulher, Olga, e a filha,
Irmita, em Havana, antes de roubar
um avião cubano e fugir para Miami.

apenas 27 anos, era um veterano da Guerra de Angola — nada muito espantoso em Cuba, onde mais de meio milhão de pessoas, ou 5% da população masculina adulta, haviam participado de missões militares no exterior. Mas René não era um anônimo entre os cerca de 300 mil cubanos que lutaram ao lado do Movimento Popular de Libertação de Angola, MPLA, apoiado pela URSS, que combatia a Frente Nacional de Libertação de Angola, FNLA, e a União Nacional para a Independência Total de Angola, Unita, a primeira patrocinada pelos Estados Unidos, China e Zaire, e a segunda pela África do Sul. Ao dar baixa, depois de dois anos nas selvas africanas, período em que realizou 54 missões de combate pilotando tanques soviéticos armados com canhões de 120 milímetros, trazia no peito a medalha do que o governo de Havana denomina oficialmente Combatente Internacionalista.

O dia 8 de dezembro de 1990 começou para ele igual a todos os outros. Acordou às cinco horas e correu oito quilômetros pelas alamedas de Miramar. De novo em casa — um apartamento tão pequeno que o único lugar onde dava para se esticar e fazer quinze minutos de flexões e abdominais era o minúsculo espaço ao lado da cama do casal —, tomou um banho frio, despertou Olga e juntos compartilharam um rápido café da manhã. Não tiveram tempo para muita conversa, porque às sete em ponto passava pela Quinta Avenida o micro-ônibus que recolhia em Havana os funcionários do aeroporto civil de San Nicolás de Bari, a cinquenta quilômetros da capital, onde René trabalhava fazia dois anos como instrutor. Ao se despedirem, ela o lembrou do compromisso noturno que haviam combinado:

— Não se atrase porque às oito temos cinema.

— Às seis estarei de volta, não se preocupe.

Ainda mortificada com o que ouvira no rádio, Olga nem percebeu quando os homens foram embora. Aquilo não parecia uma gravação forjada, nem René aparentava ter sido obrigado a falar aquele monte de asneiras. Desligou o rádio e telefonou para o cunhado Roberto, advogado que também tinha passado sua temporada em Angola. Sem coragem de dar a notícia por telefone, disse apenas que alguma coisa acontecera com o marido e pediu que ele viesse com urgência a sua casa. Roberto não se assustou. Sabia que o irmão era um exímio piloto, e que as aeronaves de San Nicolás eram revisadas regularmente — às vezes pelo próprio René. Os aviões do aeroclube eram tão seguros que, se quisesse ou precisasse, o piloto poderia até cortar o motor em pleno voo, planar e depois descer em alguma pastagem ou praia. Na pior das hipóteses ele teria sido forçado a um pouso de emergência. Não havia motivo para preocupações. A tranquilidade durou somente até a hora em que ele abriu a porta e deu com uma Olga desfeita, com os olhos inchados. A cunhada o abraçou, chorando:

— René desertou, fugiu para Miami.

Ele arregalou os olhos:

— Você está louca, quem lhe disse isso?

— Ouça a Radio Martí.

Ligou o rádio e o ar foi tomado pela entrevista, repetida pela enésima vez. Com a voz inconfundível, René reclamava das mazelas que o tinham convertido no que em Cuba se considera ser um traidor da Revolução: falta comida, falta dinheiro para comprar comida, falta transporte, falta isso, falta aquilo. Roberto deu um grito:

— Desligue esse rádio! Não quero ouvir esse sujeito falando merda! Esse cara não é meu irmão!

— Esse também não é o René com quem eu me casei, não é o pai da minha filha. Roberto, isso deve ser alguma armação dos gringos!

Não era. Ao meio-dia, depois de lançar do ar o jovem Michel Marín, o último aluno de paraquedismo inscrito no turno da manhã, René viu que o pequeno aeroporto estava semideserto. Aproveitou a hora de almoço dos dois funcionários da torre de controle, cortou com um alicate os cabos do radiocomunicador e enfiou o microfone no bolso do macacão. Desceu as escadas aos saltos e entrou na cabine da única aeronave estacionada fora dos hangares. Era um Antonov AN-2 amarelo, de asas duplas, fabricado na Rússia quarenta anos antes, aparelho utilizado em Cuba para fumigação agrícola e como rebocador de planadores. Quando o pessoal de terra se deu conta de que algo estranho ocorria, o avião já estava no ar.

René sabia que, embora a torre estivesse sem comunicação, em instantes os radares cubanos seriam avisados da fuga. E, no momento em que seu aparelho fosse detectado, caças MiG de fabricação soviética decolariam da base militar de San Antonio de los Baños, a minutos de Havana, e o forçariam a voltar. Para despistar o controle, voou quase pegado ao solo, em altitude abaixo do alcance da rede de radares. E, ao contrário do que faria qualquer piloto com destino à Flórida, não partiu em linha reta rumo a Key West, ilha no extremo sul dos Estados Unidos, trajeto que levaria apenas quarenta minutos. Atravessou Cuba e, quando chegou ao mar, fez um giro para o nordeste, embicando o aparelho em direção ao arquipélago das Bahamas. Só ao ter certeza de que estava fora das doze milhas do espaço aéreo cubano é que entortou o avião para o oeste, desenhando no ar um zigue-zague perfeito. A manobra deu certo, mas quase custou a vida ao piloto: quando René viu as primeiras ilhotas da Flórida, já fazia uma hora e meia que tinha decolado de Cuba. O combustível só era suficiente para mais dez minutos de voo. Com as mãos suando, sintonizou seu rádio com a torre da base aeronaval de Boca Chica, trinta quilômetros ao norte de Key West, anunciou que era um desertor cubano e que o avião estava em pane seca. Recebeu autorização da Marinha para aterrissar numa das três pistas da unidade militar e, quando as rodas do pesado Antonov tocaram no solo americano, o tanque do avião estava praticamente vazio. "Audaz defecção", "dramático retorno", estampavam os jornais, no dia seguinte, ao celebrar o feito. "Depois de protagonizar uma história de heroísmo, valor e compaixão", registrou o diário *Miami Herald*, "o audaz René González" não teria problemas para ser aceito pela comunidade cubana em Miami.

Novo herói da margem norte do estreito da Flórida, faixa de mar que separa Cuba de Miami, René deixara no lado sul, em Havana, um rastro de desolação entre amigos e familiares. A primeira e ingrata tarefa que Olga e Roberto enfrentaram foi dar a notícia aos pais de ambos. Foi especialmente duro contar a verdade para o pai dela, o operário Esmerejildo, e para a mãe dele, Irma, velhos militantes comunistas, filiados ao Partido desde antes do triunfo da Revolução. Pela aparência patibular do filho e da nora, tão logo eles apareceram em sua casa, Irma percebeu que algo de ruim acontecera. Olga estava com uma cara péssima, era visível que tinha chorado muito. Mal os dois entraram, Roberto deu um murro na parede:

— René nos traiu, mamãe, ele nos traiu!

A velha senhora não acreditou:

— Não pode ser! Isso não entra na minha cabeça. Não pode ser!

Sem saber o que fazer, Roberto levou-a para os fundos da casa e falou com todas as palavras:

— Mamãe, ele nos traiu e não resta nada a fazer senão aceitar isso. Com o tempo a gente vai se adaptando.

De cabeça inteiramente branca e com os olhos úmidos, Irma se recusava a acreditar no que ouvia. Não podia entender que uma pessoa da qualidade humana do filho, alguém sem nenhum apego a tentações consumistas, pudesse fazer uma coisa daquelas. No fundo, nem mesmo Roberto conseguia decifrar o gesto do irmão. Seria até compreensível se tivesse tido divergências políticas, mas ver alguém com a formação ideológica dele trair "por causa de comida" era, como dizem os cubanos, jogar vinagre na ferida. Embora os dois fossem cidadãos norte-americanos, nenhum deles jamais pensara em se valer dessa condição para morar nos Estados Unidos. Diferentemente de muita gente que sonhava emigrar, ele e René viviam em Cuba porque queriam, era uma escolha pessoal. Ambos tinham ido a Angola como voluntários. "Não fomos criados para nos preocupar com bens materiais", repetiria Roberto. "Batata e feijão para nós nunca foram o centro da vida."

Apesar da generalizada incredulidade, no entanto, a realidade era que René havia roubado um avião e se exilara em Miami — e ponto final. Era com essa dura realidade que a família teria que conviver. Roberto enfrentava as reações mais disparatadas. As pessoas que haviam conhecido o irmão pareciam sinceramente surpresas, sem entender o que o levara a partir. Outros reagiam como se aquela fosse a coisa mais natural do mundo. "Não se martirize com isso", ouviu várias vezes, "porque René foi apenas mais um, acabou-se, esqueça isso." Alguns nem sequer escondiam a admiração. "Fez ele muito bem. Piloto competente, ia fazer o que aqui, se não há nem combustível para voar?", disseram outros. "Isto aqui está uma merda, tinha mesmo é que ir embora."

A 160 quilômetros de Havana, na Flórida, o desertor era celebrado pela comunidade cubana no exílio. Ao pousar, bastou apresentar a certidão de nascimento comprovando a cidadania norte-americana para que as autoridades militares de Boca Chica o liberassem. Levado para Miami, falou aos jornalistas que o esperavam — entre eles o repórter da Radio Martí, cuja retransmissão, horas depois, sepultaria as dúvidas de Olga e Roberto em Havana. Sem aparentar sinal algum de arrependimento, ele parecia seguro do seu ato. Disse que se sentira "um verdadeiro Cristóvão Colombo" ao ver os primeiros *cayos*, o colar de ilhotas do sul da Flórida, e revelou que aquele era um projeto antigo: "Planejar a fuga levou três meses, mas eu já tinha dado adeus a Cuba há muitos anos".

Com o passar do tempo o desabafo de Roberto — "a gente vai se adaptando" — adquiria ares proféticos. Embora no íntimo

POR DENTRO

PLANEADA MARCHA POR LA UNION DE MIAMI. 1B.

AMENAZA DE OTRA REBELION ARGENTINA. 3A.

INDUSTRIA CITRICA VIENE HACIA EL SUR. 3B.

DISPUESTO A IR A VOTAR EL PUEBLO HAITIANO. 4A.

80 PAGINAS — MIAMI, FLA., LUNES 10 DE DICIEMBRE DE 1990 — THE MIAMI HERALD

EL TIEMPO

SOLEADO
73/55 2A

24 HORAS

Piloto nacido en EU huye de Cuba en avión

Por WARREN GETLER
Redactor de El Nuevo Herald

Cayo Hueso — Un cubano nacido en Estados Unidos piloto el sábado un anticuado biplano de color amarillo desde Cuba hasta la Base Aeronaval de Boca Chica, en una corajuda búsqueda de la libertad.

Controladores aéreos de la armada en la base situada a 10 millas de aquí detectaron el sábado, alrededor de las 2 p.m., al avión civil en sus pantallas de radar.

"¿Cuáles son sus intenciones?", se preguntó por radio al piloto civil de 34 años.

"Estoy desertando", respondió, informó a un oficial de la armada.

"Dijo que había salido de San Nicolás de Bari, Cuba", manifestó el oficial, y luego preguntó si lo había seguido algún avión militar cubano.

Oficiales de la armada dijeron que el piloto, René González, nació en Chicago y pasó los últimos 30 años de su vida en Cuba.

González dijo a los oficiales de la armada que estuvo planeando el viaje desde hacía tres meses.

"Dijo que las condiciones se están poniendo muy mal en la isla. Agregó que sabía que el gobierno no le iba a permitir salir del país por ser piloto entrenado. Aprovechó una oportunidad y huyó", manifestó el oficial.

González, que vestía traje de piloto, habló en un inglés elemental. Dijo que era piloto civil licenciado en Cuba desde 1982.

Su vehículo de escape, un primitivo AN-2 Colt de 1947, quedó retenido por la armada en la base local de la Aduana.

"El Departamento de Estado podría participar en el asunto y devolvería el avión a Cuba. No sabemos cómo lo recuperará Cuba", explicó un oficial de la armada.

La cabina del avión era tan simple —noso-

VEA DESERTOR, 4A

Regresan

Recebido como herói pela
imprensa da Flórida,
René festeja a deserção:
"Eu já tinha dado adeus a Cuba
há muitos anos e estou me sentindo
um verdadeiro Cristóvão Colombo".

cada um deles, sobretudo ele, Olga e Irma, continuasse tendo dificuldade para entender aquilo, a verdade é que se passaram meses até que René desse notícias. As esparsas e desencontradas informações que chegavam ao conhecimento de Olga sobre o destino do marido vinham pelas ondas daquilo que os cubanos chamam de *radio bemba* — a rede informal de notícias boca a boca, o cochicho, o boato. Algumas diziam que ele trabalhava como operário, outras garantiam que era funcionário do aeroporto de Miami. Todas, no entanto, coincidiam num ponto: René estava se metendo com organizações de extrema direita na Flórida.

A *radio bemba* acertara na mosca. No primeiro ano ele deu instrução de voo no aeroporto de Opa-locka, município grudado a Miami, trabalhou como consertador de telhados, entre muitos outros biscates, e de fato se aproximara de organizações armadas anticastristas espalhadas pelo sul da Flórida. A diáspora cubana estava especialmente alvoroçada com a autodissolução da União Soviética. O previsível estrago que o desaparecimento da potência comunista provocaria nas estruturas da Revolução Cubana reacendeu, até nos mais conformistas, a esperança de realizar o sonho de três décadas: derrubar Fidel Castro, reinstalar o capitalismo na Ilha e recuperar os bens confiscados pela Revolução. Diante de perspectiva tão animadora, antigos donos de bancos, indústrias e usinas de açúcar expropriadas no começo dos anos 60, muitos dos quais haviam reconstruído suas fortunas no exílio, voltaram a abrir os cofres para a miríade de frações e tendências em que se dividia a comunidade. Mais precisamente, os Estados Unidos abrigavam 41 grupos anticastristas, a maioria dos quais, liderada por veteranos da baía dos Porcos, defendia abertamente o confronto armado com Cuba.

Depois de passar um ano zanzando de um lado para outro, no começo de 1992 René entrou para uma dessas organizações, a recém-fundada Hermanos al Rescate — Irmãos para o Resgate —, comandada por um velho conhecido de Cuba: José Basulto. Este não era apenas mais um desertor, como ele, mas um inimigo jurado da Revolução Cubana. Quando os dois se conheceram, Basulto era um próspero empreiteiro da construção civil. Aos 51 anos, com as têmporas brancas, mantinha a mesma pinta de galã de telenovelas, à qual por vezes acrescentava óculos ray-ban sempre espalhafatosos. E não abandonara sua ideia fixa: derrubar o governo cubano pela força. Treinado pela Agência Central de Inteligência dos Estados Unidos, a CIA, depois de praticar pessoalmente muitos atentados terroristas contra Cuba e frequentar vários grupos anticastristas da Flórida, decidiu abrir sua própria organização. Registrada, como todas as demais, como uma "instituição não lucrativa sem finalidades políticas", a Hermanos tinha uma particularidade: ela se autointitulava "uma sociedade humanitária", embora o próprio Basulto fosse o primeiro a ressaltar que entre suas missões estava "promover e apoiar os esforços do povo cubano para libertar-se da ditadura".

A Hermanos nascia estimulada pelo ressurgimento de um personagem na paisagem cubana: o balseiro — o migrante que se atirava ao mar em pequenas embarcações, jangadas improvisadas ou até mesmo em boias, em busca do exílio nos Estados Unidos. Para suas primeiras atividades a organização contava com uma esquadrilha formada por três aviões O-2 — a versão militar do Cessna 337 — aposentados depois de anos a serviço da Força Aérea dos Estados Unidos na Guerra do Vietnã (1959-75) e na Guerra Civil de El Salvador (1980-92). Basulto havia sido presenteado com as aeronaves por ordem do presidente George Bush, a pedido da deputada cubano-americana Ileana Ros-Lehtinen. Nos meses seguintes seriam incorporados à frota um Seneca 859C, dois Cessna 320 e dois Piper Aztec adquiridos com doações de empresários cubanos exilados na Flórida, entre os quais se podiam ver nomes vistosos, como o do multimilionário Jorge Mas Canosa, principal figura do anticastrismo no exílio e presidente da Fundação Nacional Cubano-Americana, criada em 1981 por sugestão de Ronald Reagan. Antes de completar dois anos de vida, a Hermanos já era dona de uma razoável frota de aviões de pequeno e médio porte, alguns deles doados por personalidades solidárias com o anticastrismo, como os músicos cubano-americanos Willy Chirino e Gloria Estefan, ou como a octogenária atriz e cantora argentina Libertad Lamarque, que encerraria seus dias em Miami.

Oficialmente, o objetivo da organização era sobrevoar o estreito da Flórida em busca de balseiros perdidos, aos quais as tripulações atiravam kits com alimentos e bolsas de primeiros socorros, e transmitir por rádio suas localizações para que a Guarda Costeira americana pudesse conduzi-los com segurança aos Estados Unidos. Na época ainda vigorava a Cuban Adjustment Law, Lei do Ajuste Cubano, baixada em 1966 pelo presidente Lyndon Johnson e concebida com a explícita finalidade de estimular o êxodo dos insatisfeitos com a Revolução. Conhecida popularmente como a "Lei dos Pés Secos", ela garantia que todo cubano que pisasse em território norte-americano seria admitido como residente permanente e, um ano depois, receberia o ambicionado *green card*, documento que garantia os mesmos direitos de um cidadão nascido nos Estados Unidos.

Mesmo beneficiados pelo privilégio que não se estendia a nenhum outro estrangeiro, os cubanos recém-chegados a Miami tinham que trabalhar duro como qualquer imigrante. Não foi diferente com René, que passou a morar num apartamento de um dormitório no último andar de um prédio de quatro pavimentos no distrito de Kendall, no sudoeste de Miami. Mesmo considerando que a cidade não está sequer entre as cinquenta mais caras dos Estados Unidos, não era fácil fechar o minguado orçamento mensal de menos de mil dólares. Quatrocentos iam para o aluguel, trezentos para a alimentação e duzentos para despesas cotidianas, como eletricidade, gás, telefone, TV a cabo e condução. O dinheiro para a sobrevivência vinha de bicos eventuais, como

José Basulto, o líder da organização anticastrista Hermanos al Rescate: treinado pela CIA e dono de um extenso prontuário de atentados terroristas contra Cuba.

consertar cercas de casas da vizinhança, cortar grama e até lavar pratos em restaurantes, e do pró-labore de 25 dólares recebidos cada vez que atuava como piloto em missões da Hermanos.

A experiência adquirida em Cuba logo colocaria René entre os pilotos mais requisitados da organização, no mesmo patamar de veteranos com o dobro da sua idade e milhares de horas de voo a mais do que ele, como o próprio Basulto e o cofundador da Hermanos, William *Billy* Schuss. Nascido em Havana em 1935, o estrábico sessentão Schuss era filho de um norte-americano que chegara a ser copiloto do lendário Charles Lindbergh, autor da primeira travessia transatlântica solitária sem escalas, realizada em maio de 1927, quando comandou o monomotor *The Spirit of Saint Louis* entre Nova York e Paris. Assim como Basulto, Schuss foi treinado pela CIA e participou da invasão da baía dos Porcos, asilando-se depois da derrota na embaixada do Brasil em Havana, de onde saiu rumo aos Estados Unidos munido de um salvo-conduto obtido pelo embaixador Vasco Leitão da Cunha.

Graças à sua perícia e à confiança que a dupla Basulto-Schuss depositava nele, nos primeiros dois anos René realizou centenas de voos sobre o estreito da Flórida. Com isso enriquecia seu currículo de piloto, profissão cuja experiência é medida principalmente pelo número de horas voadas, e aumentava a renda mensal. Aos poucos podia se dedicar só à aviação e deixar de ser um *biznero*, neologismo usual na colônia hispânica de Miami para identificar o biscateiro que aceita qualquer serviço para sobreviver. Na verdade, muitos dos jovens voluntários que operavam na Hermanos — além de cubanos, havia salvadorenhos, guatemaltecos, argentinos — apareciam lá não somente por razões ideológicas, mas também atraídos pela oportunidade de engordar seus carnês de horas voadas.

Com o passar dos meses René percebeu que socorrer balseiros era apenas parte das atividades da organização. Com frequência cada vez maior os aviões da Hermanos burlavam os planos de voo apresentados antes das decolagens nos aeroportos da Flórida, entravam no espaço aéreo cubano e realizavam perigosos e arriscados sobrevoos em Havana. Quando se encontravam sobre o movimentado Malecón, a avenida à beira-mar de oito quilômetros de extensão que serpenteia pela orla da capital cubana, os pilotos atiravam do céu centenas de milhares de *octavillas* — pequenos panfletos incitando o povo a se rebelar contra o governo — ou esvaziavam no ar sacos plásticos repletos de minúsculas medalhas de alumínio com a imagem da Virgem da Caridade do Cobre, a santa padroeira de Cuba.

Na primeira vez que participou como copiloto de Basulto numa dessas incursões, René se assustou com a ousadia do chefe da organização. Quando se preparava para cruzar o Paralelo 24, que divide o espaço aéreo entre os dois países, Basulto fez o avião avançar perigosamente em direção ao território cubano e anunciou desafiadoramente suas intenções à torre de Havana:

— Boa tarde, Centro Havana. Quem o saúda é o novembro--dois-cinco-zero-seis [o piloto se referia ao prefixo do Cessna, N2506]. Estamos cruzando o Paralelo 24 e permaneceremos por duas ou três horas em sua área. Estaremos a quinhentos pés de altitude. Hoje nossa área de operações será a região norte de Havana. Receba a saudação cordial da Hermanos al Rescate e de seu presidente, José Basulto, que é quem está falando.

Da capital cubana o controlador de voo respondeu polidamente, mas advertiu da gravidade da invasão:

— O.k., o.k. Recebido, senhor. Mas informo-o de que a área ao norte de Havana está ativada. Ao penetrar abaixo do Paralelo 24, o senhor correrá riscos.

Piloto calejado, Basulto conhecia o significado da expressão "área ativada": aquele espaço estava sendo utilizado para exercícios aéreos militares e era, portanto, vedado a voos civis. Pelas leis internacionais, o Cessna, depois de advertido, poderia ser abatido no ar. A ameaça não pareceu intimidá-lo:

Acima, o monomotor Cessna N58BB, ainda com as insígnias da Força Aérea dos Estados Unidos pintadas na fuselagem e depois já disfarçado pela Hermanos al Rescate. Abaixo, os panfletos que eram atirados sobre Havana e os bônus vendidos nas ruas de Miami.

ABAJO
EL TIRANO CASTRO
VIVA ALPHA 66

— Estamos conscientes de que corremos perigo cada vez que cruzamos a área ao sul do Paralelo 24, mas em nossa condição de cubanos livres estamos dispostos a fazê-lo.

A aeronave voava tão baixo que René podia enxergar, sem o auxílio de binóculos, os carros deslizando pelo ensolarado Malecón, o hospital Ameijeiras, o prédio do hotel Nacional e o colorido e decadente casario em estilo colonial da Havana Velha. Instantes depois do diálogo entre Basulto e a torre cubana, dois pequeninos triângulos negros quase imperceptíveis cruzaram o céu na frente do Cessna, deixando no ar dois riscos de fumaça branca. Piloto e copiloto sabiam do que se tratava: radares cubanos haviam detectado sua presença na área e despachado dois caças-bombardeiros MiG-23 da base de San Antonio de los Baños para afugentá-los. O disparo de apenas um dos seis mísseis que cada caça carregava sob as asas pulverizaria o Cessna no ar, mas Basulto, alheio à ameaça, continuou realizando evoluções pelo céu azul por mais uma hora, até que decidiu retornar a Miami. Não se tratava de uma manifestação de coragem. O presidente da Hermanos trabalhava com uma certeza: as autoridades cubanas pensariam mil vezes antes de derrubar um avião conduzido por dois cidadãos norte-americanos, gesto que poderia acarretar uma resposta fulminante dos Estados Unidos. Basulto sabia que escassos seis minutos eram suficientes para que chegassem a Havana os duzentos caças F-15 Eagle estacionados nas bases de McDill, Homestead e Boca Chica, a mesma onde René pousara, cada um deles armado com oito toneladas de mísseis e bombas.

Como vinha procedendo desde a primeira incursão de aviões provenientes da Flórida no espaço aéreo de Cuba, o Ministério das Relações Exteriores do país enviou um protesto por escrito ao Departamento de Estado norte-americano. Havana alertava os EUA dos riscos da derrubada dos aparelhos — e chamava a atenção para o fato de que Basulto nem sequer se dera ao trabalho de disfarçar a origem de uma das aeronaves utilizadas pela Hermanos, o monomotor Cessna N58BB, que mantinha as insígnias da Força Aérea dos Estados Unidos pintadas na fuselagem. Não era a primeira vez que o nome do governo americano aparecia claramente associado a agressões contra a Ilha. Meses antes, Cuba já havia denunciado os Estados Unidos à Convenção Internacional sobre Proibição de Armas Bacteriológicas por pulverizar seu território com ovos da larva Thrips palmi Karny, até então desconhecida no país, provocando a perda, por contaminação, de metade da produção nacional de batatas. O avião agrícola que espalhara a praga, um monomotor de prefixo N3093M, estava registrado oficialmente como propriedade do Departamento de Estado.

Além de atirarem veneno, panfletos, medalhas e adesivos plásticos com frases como "Abaixo o tirano Castro", era comum os pilotos interferirem deliberadamente nas transmissões da torre de controle do aeroporto José Martí, em Havana, pondo em risco a vida de milhares de passageiros de empresas comerciais que diariamente cruzam os corredores aéreos cubanos em voos dos Estados Unidos rumo à América Latina ou em sentido oposto. Com frequência, as tripulações de companhias aéreas, ao sobrevoarem Cuba, eram surpreendidas por uma inusitada gravação transmitida a partir dos aviões da Hermanos em que alguém, simulando o fim de uma missa, recitava a Oração à Virgem da Caridade do Cobre:

> *Santa Maria da Caridade, que vieste como mensageira da paz,*
> *Tu és a mãe de todos os cubanos e a ti acudimos, Santa Mãe,*
> *Para honrar-te com o nosso amor de filhos* [...]
> *Pela pátria desgarrada, para que todos construam*
> *A paz e a concórdia* [...]
> *Pelas famílias, para que vivam a fidelidade e o amor*
> *Pelas crianças, para que cresçam sadias*
> *Pelos que estão longe da pátria*

Pela Igreja cubana e sua missão evangelizadora
Pelos sacerdotes, diáconos, religiosos e laicos [...]
Mãe da Caridade! Bendita sê entre as mulheres
E bendito seja Jesus, fruto de teu ventre!

Após um breve silêncio, a voz ressurgia, encerrando a transmissão:

Oremos um Pai-Nosso, três Ave-Marias e um Glória ao Pai.

A despeito das denúncias e protestos cubanos, a leniência do governo dos Estados Unidos com os delitos praticados pelos grupos contrarrevolucionários — não só as invasões do espaço aéreo, mas também a colocação de bombas e a realização de atentados armados contra Cuba — transformara a Flórida num santuário onde tudo isso podia ser feito às claras. Entrevistas coletivas eram convocadas nos hangares dos aeroportos de Miami, Kendall, Key Marathon e Opa-locka, de onde partiam os voos. Como forma de engordar o orçamento das organizações, fotografias da capital cubana batidas dos aviões eram vendidas por dez dólares nos quiosques da Little Havana, bairro em que se concentram os exilados cubanos. Em incontáveis ocasiões René levara a bordo equipes dos dois principais canais de televisão locais, a Univisión e a Telemundo, que filmavam e exibiam em horário nobre os sobrevoos no litoral de Cuba, muitas vezes com imagens do ameaçador zigue-zague de advertência dos MiGs em torno dos aviões invasores.

Se em Cuba a divulgação das provocações realizadas pela Hermanos e por outras organizações pelo sistema de rádio e TV Martí provocava indignação cada vez maior entre os governantes, em Miami isso funcionava como um estímulo a que novos aventureiros se animassem a atravessar o estreito da Flórida não apenas em busca de uma nova vida, mas dispostos a se incorporar aos agressivos grupos anticastristas. Foi assim que, treze meses depois de René, um oficial superior da Força Aérea cubana desembarcou nos Estados Unidos após uma façanha ainda mais cinematográfica que a dele.

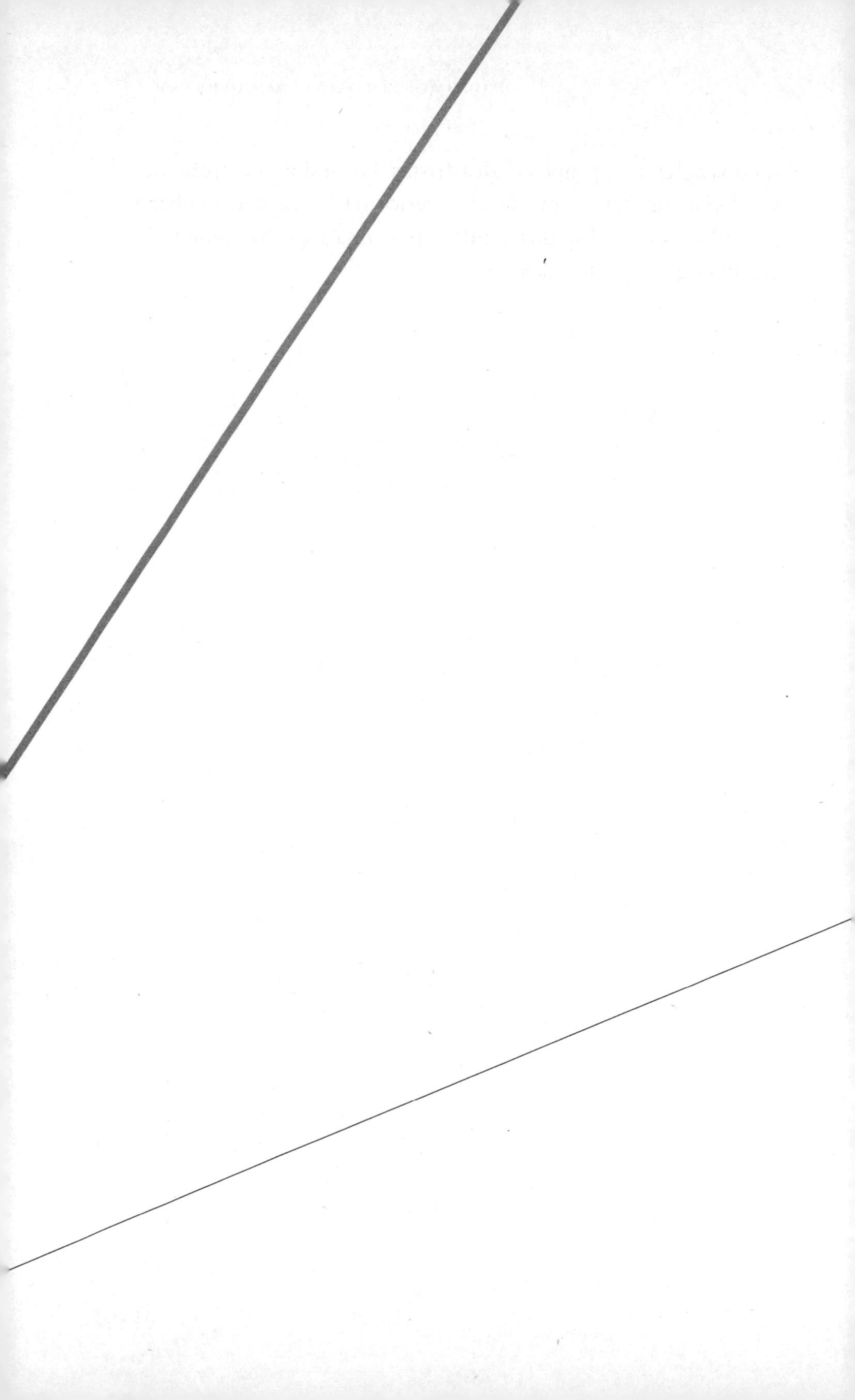

2

O COMANDANTE DE UM CAÇA-BOMBARDEIRO MIG NADA DURANTE SETE HORAS PELA BAÍA DE GUANTÁNAMO, INFESTADA DE TUBARÕES. AO CHEGAR À BASE AERONAVAL DOS ESTADOS UNIDOS, SAI DA ÁGUA GRITANDO: "SOY UN OFICIAL CUBANO, ESTOY DESERTANDO".

O novo e vistoso personagem que se integraria às hostes anticastristas da diáspora cubana em Miami em março de 1992 era o major das Forças Armadas Revolucionárias Juan Pablo Roque, de 36 anos, que logo seria conhecido como "o Richard Gere do exílio", graças à sua semelhança física com o célebre ator norte-americano. Aproveitando um fim de semana de folga, no dia 22 de fevereiro, um sábado, ele embarcara em Havana num voo comercial rumo à cidade de Guantánamo, situada a oitocentos quilômetros da capital cubana. Lá chegando, comprou uma passagem de trem para uma pequena vila de pescadores chamada Caimanera. Experimentado piloto de caças MiG-23, com longos anos de formação na antiga União Soviética, Roque viajava sozinho, em trajes civis, e como bagagem levava apenas uma mochila de náilon pendurada no ombro. Da estação ferroviária de Caimanera caminhou alguns quilômetros até alcançar as margens da enseada de Joa, local em que a baía de Guantánamo se assemelha a uma enorme lagoa. Naquele lugar começam os limites da base naval de cerca de 120 quilômetros quadrados que desde 1903 os Estados Unidos ocupam em território cubano — e que no início do século XXI seria transformada em presídio para afegãos e iraquianos acusados de terrorismo pelos EUA. Roque sentou na areia da praia e esperou que a noite caísse. Quando escureceu completamente, as únicas luzes visíveis vinham dos refletores das lanchas da Guarda Costeira cubana que patrulhavam aquele fim de mar 24 horas por dia. Às oito da noite o militar decidiu que era chegada a hora. Escondido atrás de um paredão de rochas, despiu-se da roupa e dos sapatos, ficando só de cuecas, e tirou da mochila os apetrechos de mergulho, seu hobby favorito. Vestiu a surrada roupa emborrachada, calçou os pés de pato e colocou sobre o rosto a máscara de mergulho atada a um tubo de respiração do tipo snorkel. Pendurou no pescoço um saquinho de vinil impermeável que continha seus documentos e a foto de um amigo, o general cubano Arnaldo Ochoa, condenado à morte e fuzilado três anos antes em Havana sob a acusação de liderar uma rede de tráfico de cocaína e contrabando. Amarrou na cintura a faca de lâmina dentada que usava em suas caçadas submarinas e entrou silenciosamente na água, preocupado em não despertar a atenção das tripulações das lanchas patrulheiras.

A travessia de cerca de nove quilômetros levou quase sete horas. Cada vez que olhava para o alto e via as luzes dos barcos da Guarda Costeira varrendo a superfície da água, ele mergulhava, sempre com o cuidado de não ir fundo demais, já que se trata de uma área infestada de tubarões. A certa altura percebeu que o zíper da roupa havia arrebentado, deixando o macacão aberto ao meio. As duas metades de borracha tinham se transformado num obstáculo, o que exigia muito fôlego e esforço redobrado dos braços e dos pulmões. Tirou a faca da cintura, cortou o tecido de neoprene de alto a baixo, livrou-se dos pedaços que se emaranhavam entre suas pernas e prosseguiu só de cuecas. Já passava das três da manhã quando o major subiu até a superfície e encheu os pulmões de ar, aliviado. Através do vidro embaçado da máscara, viu a bandeira dos Estados Unidos tremulando num mastro iluminado e leu a inscrição sobre um grande portão guardado por marines armados: "US Naval Base Guantánamo Bay". Ele tinha conseguido. Saiu da água e seguiu pela areia com o andar trôpego, até ver um grupo de recrutas em fardas de campanha com fuzis apontados na sua direção. Levantou as mãos e anunciou em espanhol e inglês:

— *Soy oficial del ejército cubano y estoy desertando! I am a Cuban army's officer and I am deserting! Soy cubano! Estoy desertando!*

Conduzido à sala de oficiais, Roque entregou seus documentos e resumiu as razões que o levaram a abandonar o país e pedir asilo aos Estados Unidos. Recebeu um macacão verde-oliva e fez piada quando um soldado apareceu com um hambúrguer e uma Coca-Cola comprados na lanchonete McDonald's da base:

— Para quem está há anos comendo McCastro's, um McDonald's de verdade é uma iguaria!

Cercado por militares, contou que suas divergências com o governo da Ilha tinham começado após o fuzilamento do general Ochoa, e se agravaram a partir do momento em que passou a defender a Perestroika, movimento político liderado pelo premiê Mikhail Gorbachev que culminara com a autodissolução da URSS. A gota d'água fora a prisão de seus irmãos Alejandro e Raúl, também pilotos de MiGs, encarcerados depois de uma frustrada tentativa de fugir de Cuba. Ao ser posto sob suspeita por seus superiores, proibido de voar e transferido para um cargo burocrático no aeroporto de Havana, Roque decidira deixar para trás a mulher, Amélia, e os dois filhos menores, e abandonar o país. Os serviços imigratórios americanos foram rápidos e três semanas depois chegou a autorização para viajar. Em meados de março ele pegou carona num avião da base militar e desembarcou em Miami, cidade onde nunca estivera.

A patente de oficial superior e o destaque dado pela mídia internacional à sua deserção não amenizaram as dificuldades que todo cubano tinha que superar nos primeiros meses do exílio. Sem um tostão no bolso, Roque instalou-se inicialmente na casa da tia Aurora, uma irmã de sua mãe que havia emigrado com a família nos primeiros anos da Revolução. Depois passou a dividir um quarto com o primo Denayf Elias Roque, agente da polícia federal norte-americana, o FBI, e durante o dia perambulava pela Little Havana em busca de emprego. Qualquer emprego. Como os

O major Juan Pablo Roque, piloto de
caças-bombardeiros MiG, da Força Aérea cubana,
com os filhos, em Havana, antes de realizar
a fuga cinematográfica para a base
norte-americana de Guantánamo.
Semanas depois ele desembarcaria em Miami.

anúncios classificados não ofereciam vagas para pilotos de caças supersônicos, trabalhou como operário em asfaltamento de ruas, entregador de pizzas e personal trainer de moradores dos elegantes distritos de Coral Gables e Coconut Grove. Quando o furacão Andrew devastou o sul da Flórida, no meio do ano, matando meia centena de pessoas e provocando prejuízos de 30 bilhões de dólares, Roque pôs em prática suas habilidades de marceneiro amador, consertando portas e janelas e reconstruindo casas de madeira. Nesse período, o único emprego com salário fixo que conseguiu foi o de motorista dos caminhões da gigante UPS, empresa multinacional de entregas.

O destino do piloto só começou a mudar quando ele se aproximou de dois compatriotas, Alberto Cossío, jovem e ativo empresário em Miami, e Nico Gutiérrez, líder de uma associação de antigos fazendeiros cubanos cujas terras e usinas de açúcar haviam sido expropriadas pela Revolução. Foi pelas mãos deles que chegou a José Basulto, que logo o convidou para se incorporar à Hermanos. Os dias de *biznero* tinham terminado. O carnê de pilotagem recheado com milhares de horas de voo como comandante de MiGs logo qualificou Roque a fazer parte do primeiro time da organização, composto de Basulto, Billy Schuss, Arnaldo Iglesias, todos cubanos, e pelo jovem e bem-apessoado argentino Guillermo Lares, um aventureiro anticastrista e amigo do então presidente da Argentina, Carlos Menem. O grupo se autodenominava Os Camicase, uma referência aos pilotos suicidas japoneses que durante a Segunda Guerra Mundial atiravam seus aviões contra os alvos aliados. Ao se lembrar disso, passados dezoito anos, Roque insistiria em que o apelido não era uma bravata:

— Nós violávamos todos os regulamentos aéreos e ignorávamos os parâmetros básicos de segurança, segundo os quais o número de folgas de um piloto não pode ser inferior a oito períodos de 24 horas por mês. Imagine! Chegávamos a voar nove horas por dia nos sete dias da semana, o mês inteiro.

Para obter tal desempenho, aeronaves cuja autonomia não alcançava quatro horas, como é o caso dos Cessna 337, eram adaptadas com tanques internos de fibra de vidro, artifício que dobrava a capacidade de voo mas submetia as tripulações a riscos que poderiam ser fatais. "O próprio Basulto perdeu um monomotor e escapou por pouco da morte", recordaria Roque, "ao tentar um pouso de emergência em Cayo Sal, nas Antilhas venezuelanas."

Na margem norte do estreito da Flórida, o governo cubano insistia em reagir diplomaticamente às violações do espaço aéreo nacional por aviões originários dos Estados Unidos. A cada incursão o Ministério das Relações Exteriores de Cuba enviava um ofício à Seção de Interesses dos EUA em Havana, instalada num moderno prédio de sete andares de concreto aparente situado no meio do Malecón. As cartas eram praticamente idênticas, o que mudava era apenas a data e os prefixos dos aviões invasores:

> O Ministério das Relações Exteriores saúda atenciosamente a Seção de Interesses dos Estados Unidos da América, ocasião em que lhe transmite sua preocupação diante da grave situação criada na Região de Informação de Voos da República de Cuba. As autoridades cubanas detectaram que aviões procedentes do território norte-americano, oriundos dos aeroportos de Opa-locka, Miami e Cayo Marathon, violaram o espaço aéreo da República de Cuba; utilizaram indevidamente as frequências de rádio responsáveis pelo controle do tráfego aéreo; interferiram nos referidos controles, pondo em risco a segurança dos voos civis internacionais que utilizam os corredores aéreos cubanos. Essas violações, irresponsáveis e provocativas, foram feitas a distâncias das costas cubanas que oscilam entre 1,5 e 5,5 milhas. Tais violações foram realizadas por aeronaves da marca Cessna modelo 337, de matrículas norte-americanas números N58BB, N108LS e N2506. O Ministério das

Uma equipe da rede de TV americana Univisión acompanha mais uma incursão da Hermanos al Rescate sobre Cuba (acima), quando Juan Pablo Roque pilotava o avião de Basulto.

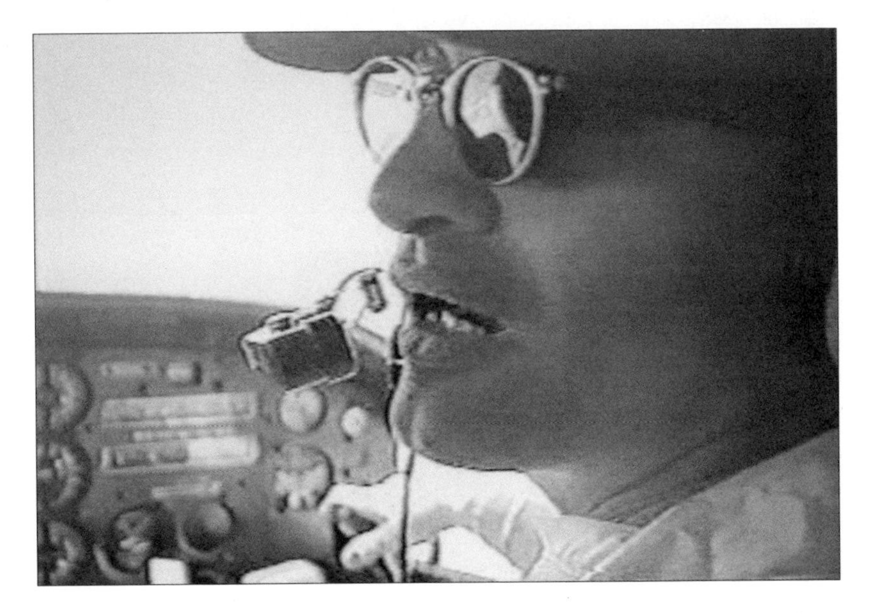

Minutos depois
de sobrevoar Havana
(acima), os tripulantes
do Cessna veem
surgir a poucos metros
de distância dois
MiGs cubanos
realizando manobras
de advertência.

Apelidado pela imprensa
de “o Richard Gere do exílio”,
poucos dias depois de
se instalar em Miami
Roque se apaixona pela bela
Ana Margarita Martínez.

> Relações Exteriores exige que as autoridades norte-americanas adotem medidas efetivas para que se ponha fim a esses fatos.

Sempre a pretexto de socorrer balseiros perdidos no mar, e ante a indiferença das autoridades dos Estados Unidos, a Hermanos ousava cada vez mais. Em meados de 1992 Cuba levou ao Conselho de Segurança da ONU provas de que em duas ocasiões a organização de Basulto passara informações, do ar, à flotilha de um grupo de Miami denominado Movimento Democracia, indicando a barcos com grupos anticastristas a localização das lanchas da Guarda Costeira cubana para que estas fossem evitadas, permitindo a infiltração nas praias de Varadero e Villa Clara, locais onde pretendiam realizar atentados a bomba. Indiferentes às queixas de Cuba e aos conflitos diplomáticos que suas ações provocavam, os homens da Hermanos prosseguiam voando em direção à Ilha. Com o correr do tempo, Roque se convertera na vedete da organização.

A fuga audaciosa, o passado de piloto de caça e a aparência hollywoodiana fizeram dele um personagem permanente de programas de televisão e de entrevistas em jornais e revistas. Um semanário de futilidades chegou a oferecer-lhe 5 mil dólares para participar daquilo que o jargão jornalístico chama de "cascata" — uma notícia falsa, inventada. Para receber o dinheiro, ele teria que se fazer passar pelo ator Richard Gere e se deixar fotografar à distância por um falso paparazzo, cercado de mulheres numa praia de Miami. O cachê era tentador, mas o pudor falou mais alto. Além disso, o major, que como René havia deixado mulher e filhos em Cuba, já estava afetivamente envolvido com uma cubano-americana.

O flerte começara uma semana depois de sua chegada a Miami. Convidado pela tia Aurora a assistir ao culto dominical numa igreja batista de Coral Gables, Roque fora apresentado pelo primo Denayf a Ana Margarita Martínez, uma atraente jovem cinco anos mais moça que ele. Acompanhada pela família, aos seis anos de idade Ana fora passageira de um dos Voos da Liberdade organizados pelo governo do presidente John Kennedy para retirar de Cuba os descontentes com a Revolução que quisessem se exilar nos Estados Unidos. Ela nunca fora militante anticastrista, mas se convertera num típico personagem da paisagem da Guerra Fria no golfo da Flórida: já se considerava uma norte-americana e jamais passara por sua cabeça voltar ao país de origem. Ao retornar de um voo ao hangar da Hermanos em Opa-locka, meses depois de conhecê-la, Roque revelou a René González, de quem se tornara amigo, seus planos de casar com Ana Margarita. Como resposta ouviu René dizer que, diferentemente dele, nunca deixara de amar a mulher que abandonara em Cuba. "Eu continuo apaixonado por Olga, não aguento mais de saudade dela e da nossa filha, Irmita", confessou. "E estou disposto a fazer o que for preciso para convencê-las a se exilar em Miami."

Como ele já devia ter percebido pelas raras e secas cartas que recebia de casa — quase sempre destinadas a dar-lhe notícias da filha —, a intensa paixão não era correspondida pela ex-mulher. Para Olga, tudo o que restara do amor vivido com René cabia na metade de um pequeno guarda-roupa. Com o correr do tempo, a lembrança do ex-marido só ressurgia por instantes, uma vez ao dia, quando ela, depois do banho, escolhia o vestido que ia usar. Era inevitável que seus olhos passassem pelas calças e camisas dele, penduradas num canto do móvel, desenterrando momentaneamente os melhores anos de sua vida.

Mas a irritação logo vencia a saudade e a única coisa que ela conseguia era repetir para si, em silêncio, a promessa adiada todos os dias: "Preciso dar essas roupas para alguém". Numa prateleira de madeira, acima dos cabides, a salvo do alcance e da curiosidade de Irmita, escondia o reduzido maço de envelopes tarjados de vermelho e azul, as cores do correio dos Estados Unidos, nos quais jaziam as cartas que René passara a enviar-lhe meses depois da fuga. Escritas sempre em tom carinhoso, falavam da vida no exílio e invariavelmente terminavam com o pedido que aos poucos se convertia em súplica: que Olga o perdoasse pela deserção e, com a filha, fosse para a Flórida, onde viveriam todos juntos. Na única ocasião em que ela se dispôs a responder, foi para reiterar, sem subterfúgios, que seus sentimentos não haviam se alterado desde que ele se fora: não estava interessada em mudar-se para os Estados Unidos e muito menos em permitir que a filha fosse educada por um traidor. Quase duas décadas depois, ainda era possível ver no papel-cebola a letra de Olga borrada pelas lágrimas vertidas por René ao ler a carta.

A principal preocupação dela eram as consequências que aquela situação poderia trazer para a formação de Irmita. Toda vez que a menina perguntava pelo pai, Olga repetia a mesma mentira. Inventava que ele estava no exterior, como muitos outros cubanos, em missões comerciais para tentar minimizar os efeitos do bloqueio econômico a que os Estados Unidos submeteram a Ilha. Não era uma desculpa descabida. No chamado "período especial" que sucedeu ao fim da União Soviética, Cuba despachou para vários pontos do planeta dezenas de funcionários encarregados de montar empresas "privadas" dedicadas a furar o bloqueio norte-americano, buscar mercados para produtos que antes eram vendidos à URSS — principalmente açúcar, tabaco e níquel — e comprar bens de primeira necessidade, como petróleo, alimentos, insumos agrícolas e remédios.

Ao completar nove anos, Irmita recebeu uma carta carinhosa do pai, aparentemente postada no México. Dentro do envelope René lhe enviara um singelo presente de aniversário, um pequeno quebra-cabeça formado por decalcomanias coloridas, um joguinho de memória que podia ser disputado por duas ou mais pessoas. Com pouco tempo de treino a garota se transformara numa craque no brinquedo, vencendo não apenas as coleguinhas de escola, mas até os adultos, como a mãe e o tio Roberto. No dia em que apareceu em sua casa o primo mais velho, Sergio, ela logo o desafiou para algumas partidas. Experimentada no jogo, ganhou a primeira, a segunda, e assim por diante. Ao chegar, invicta, à décima vitória, não resistiu e tripudiou sobre o adversário:

— Sou três anos mais nova que você, mas venci todas. Eu sou a campeã!

O primo não engoliu o desaforo e respondeu na hora:

— Está certo, você é campeã. Mas seu pai é um *gusano*, o meu não!

Na Cuba revolucionária não parece haver insulto mais ofensivo do que chamar alguém de *gusano* — sinônimo de verme —, forma depreciativa de referir-se a uma pessoa sem escrúpulos e carimbo aplicado indistintamente nos críticos do regime e nas centenas de milhares que decidiram exilar-se depois do triunfo da Revolução. Em prantos, Irmita avançou com tal violência sobre o primo que foi preciso que os adultos interviessem para separá-los. À noite, antes de dormir, quis saber de Olga se a acusação era verdadeira. A mãe disse que não, que o primo era um mau perdedor, e insistiu na história de que René estava viajando pelo mundo para ajudar a economia cubana. E que logo voltaria para casa.

Talvez porque fosse menos doloroso, a menina parecia acreditar na mentira inventada pela mãe. Mas, ainda assim, de vez em quando tinha suas recaídas. Uma delas aconteceu quando Olga deu de presente para uma amiga que tivera um bebê o berço de madeira que René caprichosamente fizera para a filha na marcenaria de um vizinho. Depois, ao notar que o tio Roberto e o avô paterno começaram a aparecer na sua casa, nas visitas de fim de semana, usando roupas que ela sabia serem do pai. O carinho pelo tio e pelo avô era grande e ela nunca disse nada a eles, mas aquilo não passava despercebido na cabeça que já não era de uma criança. "Para mim era como se nós estivéssemos nos desfazendo não do bercinho, das calças e camisas", ela se lembraria, já adulta, "mas do meu próprio pai." Dele mesmo ela só tinha notícias muito esporadicamente, e mesmo assim apenas quando fazia à mãe perguntas indiscretas. Olga, não. O marido continuava a escrever-lhe com regularidade, sem nunca perder a esperança de que ela e a filha se mudassem para os Estados Unidos. Raramente respondia e, quando o fazia, era para dizer não. Não queria levar a filha para ser criada "ao lado de um terrorista mafioso como José Basulto".

Sem que a ex-mulher soubesse, porém, René deixara de trabalhar com Basulto para atuar em outra organização de extrema direita, o PUND — Partido da União Nacional Democrática —, um pequeno grupo anticastrista com pouca ou nenhuma expressão política que também se dedicava, pelo menos oficialmente, a socorrer balseiros perdidos no mar. Sua única ferramenta de trabalho era um solitário bimotor Beechcraft Baron 55, doado por um empresário cubano exilado em El Salvador. Instalado no segundo andar de um bar na esquina da avenida 17 com a rua 5, no sudoeste de Miami, o PUND fora criado no final de 1989 por Sergio Francisco González Rosquete, animado pela perspectiva de que a Perestroika implantada por Gorbachev na URSS acabasse deixando Cuba na orfandade. Rosquete cumprira alguns anos de prisão em Havana e, ao ser libertado, em 1969, fugira para os Estados Unidos. Seus dois lugares-tenentes eram o também cubano Héctor Viamonte, ex-guarda-costas de Jorge Mas Canosa, presidente da mais poderosa de todas as organizações anticastristas, a FNCA — Fundação Nacional Cubano-Americana —, e o septuagenário norte-americano Frank Ángelo Fiorini. A opinião pública conhecia Fiorini não por esse nome, mas pelo que adotou, Frank Sturgis, com o qual frequentara as primeiras páginas do noticiário internacional em duas ocasiões. Primeiro no início dos anos 60, acusado de envolvimento na trama que levou ao assassinato do presidente Kennedy, e depois em 1972, como um dos agentes da CIA flagrados ao espionar o comitê do Partido Democrata, em Washington, episódio celebrado como "o escân-

As movimentadas lanchonetes das redes McDonald's e Burger King (acima) e do Palacio de los Jugos (ao lado) eram os lugares escolhidos pelos cubanos para os encontros clandestinos.

Acima, os candidatos à Presidência dos Estados Unidos George W. Bush e John McCain cumprem o ritual obrigatório nas campanhas eleitorais: o beija-mão da comunidade cubana no restaurante Versailles, no coração da Little Havana. Ao lado, o agente do FBI Oscar *Slingman* Montoto.

dalo de Watergate", que culminaria com a renúncia do presidente Richard Nixon.

O atrativo que René via no PUND era o salário fixo de 175 dólares semanais, pagos religiosamente todo sábado de manhã, em dinheiro, no caixa do bar, não importando quantos voos realizasse. Ao saberem de suas novas atividades, alguns amigos o advertiram do rumor de que o PUND não passava de uma fachada para encobrir o transporte de drogas da América Central para Miami, o que explicaria a abundância de recursos nas mãos de uma organização tão inexpressiva. Embora não quisesse encrencas com a DEA — Drug Enforcement Agency —, a poderosa e vigilante agência antidrogas do governo americano, René acreditava que a acusação era apenas mais uma das intrigas que envenenavam o mundo anticastrista. Se o PUND era uma fachada para o tráfico, a encenação era muito bem-feita, já que o próprio René diversas vezes vira grupos de exilados recebendo armas pesadas no barzinho do andar térreo e saindo em vários veículos para treinamento militar. E meses antes a polícia cubana prendera um dos cabeças do PUND, Humberto Real Suárez, quando este, acompanhado de outros seis militantes da organização, tentava desembarcar um carregamento de armas e explosivos numa praia de Villa Clara. O pescador que testemunhara a frustrada infiltração foi morto a tiros, crime que renderia a Real Suárez a condenação à morte.

Após alguns meses de trabalho, todavia, o piloto passou a suspeitar que as insinuações sobre o tráfico de drogas talvez fossem procedentes. Os planos de voo apresentados nos aeroportos de Miami sempre anunciavam viagens sobre o estreito da Flórida, em busca de balseiros, mas meia hora depois das decolagens os aviões davam meia-volta, embicavam no rumo sul e aterrissavam em pistas de pouso clandestinas na franja caribenha de Honduras. As aeronaves nunca permaneciam muito tempo no solo e às vezes o piloto nem chegava a desligar o motor. Só permaneciam pousadas o tempo suficiente para que fossem embarcados misteriosos pacotes nos quais ninguém podia pôr as mãos. De volta à Flórida, os volumes eram transportados para caminhonetes que aguardavam as tripulações na pista, e pronto, estava terminada a operação. Desconfiado daquilo, René decidiu compartilhar seus temores com o amigo Juan Pablo Roque. Ana Margarita, que continuava firme em seu noivado com o major cubano, se lembraria muitos anos depois de que nessas ocasiões, quando queriam conversar a salvo de ouvidos indiscretos, "os dois se comunicavam em russo, idioma que ambos pareciam falar com fluência". Roque sugeriu um encontro de René com o agente *Slingman*, superior do primo Denayf no FBI.

Slingman era o codinome do cubano naturalizado norte-americano Oscar Montoto. Pálido, alto, magro, cabeça oval quase inteiramente pelada e olhar tristonho, Montoto era um experimentado agente que o FBI costumava destacar para operações consideradas relevantes. Anos depois ele viajaria para o Brasil como observador do Departamento de Estado, legalmente registrado, para acompanhar as investigações da polícia brasileira que apuravam o assassinato da missionária norte-americana Dorothy Stang por grileiros de terras na Amazônia. O tráfico de entorpecentes não era sua área de atuação, mas Oscar *Slingman* Montoto ouviu com atenção o que René tinha a contar e no final propôs um novo encontro para dali a alguns dias. Retornou acompanhado de Alejandro *Alex* Barbeito, agente especial do Esquadrão Antidrogas do FBI, um policial, como René se lembraria depois, cuja polidez pouca semelhança guardava com os federais que estava habituado a ver no cinema e nos seriados da televisão. Ele teve com o cubano uma conversa demorada, mas igualmente inconclusiva. Parecia óbvio que se tratava de um caso de tráfico de drogas, mas Barbeito preferia agir com cautela antes de tomar qualquer iniciativa. O policial conhecia a força política e a influência da comunidade cubana na Flórida. O voto dos exilados não elegia apenas vereadores, prefeitos, deputados estaduais e federais. Nenhum presidente americano, democrata ou republicano, havia chegado à Casa Branca sem antes se submeter ao beija-mão dos chefões da diáspora cubana em Miami. A cada quatro anos, um Comitê de Ação Política — uma espécie de ONG autorizada a arrecadar dinheiro para causas políticas — formado pela elite da comunidade cubana irrigava com doações que chegavam a 10 milhões de dólares as campanhas eleitorais de cerca de quatrocentos candidatos a deputado federal e senador. Os agraciados não tinham que ser necessariamente de origem cubana e pouco importava seu estado de origem ou se eram republicanos ou democratas. Bastava que defendessem os pontos de vista da diáspora cubana, que fossem comprometidos com a manutenção do bloqueio a Cuba e com todas as formas de luta para pôr fim ao regime comunista que imperava na Ilha. Segundo a unanimidade dos observadores políticos, o poder do lobby cubano no Congresso só perdia para o multimilionário AIPAC — America's Pro Israel Lobby, o Comitê de Assuntos Públicos EUA-Israel. Assim, parecia claro que abrir uma investigação infundada contra um dirigente de organização anticastrista — mesmo o de um grupo insignificante como o PUND — podia se converter em alguns meses de geladeira, quando não numa transferência inesperada para um remoto escritório do FBI, a milhares de quilômetros da confortável Miami. Barbeito pediu algumas semanas para "fazer consultas", no fim das quais voltariam a se ver.

Por sugestão dos policiais, os encontros eram sempre marcados em restaurantes baratos e lanchonetes das redes McDonald's e Burger King. Dessa vez o lugar proposto foi o Palacio de los Jugos, uma franquia de sucos na rua 57, na Little Havana. "Alex Barbeito me pareceu um jovem entusiasmado e sinceramente comprometido com a luta contra o narcotráfico", diria René, muitos anos depois. "Chegou acompanhado de dois americanos rubicundos" — um dos quais era o agente federal Al Alonso, como o piloto descobriria mais tarde — "que anotaram tudo o que se disse no encontro." Carregando na manga a carta branca que lhes concedera Lloyd King, subprocurador federal da Flórida, os policiais foram objetivos: se concordasse, René passaria a entregar regularmente ao FBI informações sobre atividades suspeitas do PUND, tarefa pela qual receberia um pró-labore mensal de 1500 dólares. Graças a uma incontinência verbal aparentemente deliberada de Barbeito, René ficou sabendo que já fazia mais de um ano que Roque prestava semelhantes serviços ao FBI, pela mesma remuneração mensal. Só depois de passar semanas realizando testes com microgravadores grudados ao corpo, sob a roupa, sempre monitorado por técnicos do FBI, é que o pai de Irmita se sentiu seguro para começar a gravar suas conversas com os dirigentes do PUND.

Alguns meses de trabalho decorreram até os policiais decidirem que estava na hora de dar o bote. Numa certa sexta-feira, René foi instruído por Barbeito para inventar uma desculpa e não participar do voo que Héctor Viamonte faria na manhã seguinte. No sábado o bimotor do PUND decolou de Cayo Marathon, recolheu pacotes num pequeno aeroporto hondurenho, fez uma breve escala em Nassau, nas Bahamas, e retornou à Flórida. Ao pousar em Miami e entrar num dos hangares do aeroporto, o avião foi cercado e varejado por dezenas de policiais armados. Abertos os volumes embarcados em Honduras, as suspeitas se confirmaram: tratava-se de uma carga de cocaína. Ali mesmo Viamonte e seu copiloto foram presos. Sob as palmeiras de Cayo Marathon chegava ao fim a breve carreira do informante René, que preferiu não mais se envolver com o pessoal do FBI.

A perda do emprego não era tão grave. Ainda no tempo do PUND ele recebera um convite para trabalhar no citado Movimento Democracia, fundado e dirigido por Ramón Saúl Sánchez, um pálido e magro empresário cubano, de óculos e grossos bigodes negros, que fora levado pelos pais para os Estados Unidos em 1960, aos seis anos de idade. Diferentemente da Hermanos, a organização de Sánchez atuava em atividades não só aéreas como também navais. No começo o setor aéreo dispunha de apenas três aviões, mas o naval contava com uma flotilha de dezenas de lanchas e barcos de vários calados, com a qual se faziam perigosas incursões em águas territoriais cubanas. Antes de criar o Democracia, Sánchez militara em diversos e agressivos grupos anticastristas sediados na Flórida, como a Frente de Libertação Nacional Cubana, Alpha 66, Jovens da Estrela, Organização para a Libertação de Cuba, Omega-7 e CID — Cuba Independente e Democrática. Em várias ocasiões seu nome aparecera associado a ataques piratas, planos de atentados, sequestros e ações armadas contra a Ilha. Convocado em 1984 a depor no Grande Júri instalado em Nova York para apurar a autoria de um atentado à Seção de Interesses de Cuba em Washington, *Ramóncito*, como era conhecido, se recusou a comparecer ao tribunal, sendo por isso condenado a quatro anos de prisão, dos quais cumpriu somente dois, pois seria indultado em 1986 pelo presidente Ronald Reagan.

Enquanto René tocava suas atividades no Democracia, seu amigo Juan Pablo Roque, que permanecia na Hermanos, informou ao mercado editorial que havia decidido escrever um livro sobre sua experiência como desertor. À espera da melhor oferta pelos direitos autorais, o militar enviou a várias editoras da Flórida, de Nova Jersey e de Nova York uma breve carta em que oferecia seu projeto. A sinopse prometia uma bomba capaz de sacudir os alicerces da Revolução Cubana:

> Sou ex-major das Forças Armadas de Cuba e piloto de combate de MiGs 21 e 23. Cursei durante quatro anos a Academia Superior Político-Militar Lênin, em Moscou, e retornei a Cuba como subcomandante de um regimento aéreo das Tropas de Defesa Antiaérea. Fui também chefe da Seção Política do Partido Comunista, responsável por 25 núcleos do PCC e por dezoito comitês de base da União de Jovens Comunistas.

Cheguei a este país procedente da Base Naval de Guantánamo, onde consegui entrar depois de nadar toda a noite. Desde minha chegada venho escrevendo sobre vários tópicos internos das Forças Armadas e da Força Aérea cubana. Consegui subtrair de Cuba fotografias de diferentes quadros superiores do Exército e da Força Aérea, assim como do Ministério das FAR — Forças Armadas Revolucionárias —, comandado por Raúl Castro. Todos esses documentos são inéditos e estão em meu poder. Escrevi um livro com os seguintes dados, que virão a público pela primeira vez:

[...] Discrepâncias entre as distintas gerações dentro das FAR, suas motivações e desencantos.

[...] A Perestroika: visão interna do tema no seio da oficialidade e como a Direção Política Central das FAR lida com essa questão.

[...] O caso do general Arnaldo Ochoa e a verdadeira opinião das FAR e do Ministério do Interior sobre o assunto. A prisão de Ochoa e meu encontro com ele quinze dias antes de sua detenção.

Todos esses aspectos e mais uma grande quantidade de fotografias e documentos fazem parte do livro, permitindo uma nova visão das FAR na atualidade. É o ponto de vista de um piloto que cresceu e se desenvolveu na máquina que o condenou e a seus dois irmãos, também pilotos, que permanecem presos pelo regime.

Agradeço de antemão o tempo e o interesse dispensado a esta, à espera de uma pronta e satisfatória resposta.

Atenciosamente,
Juan Pablo Roque

Embora existam na Flórida dezenas de editoras especializadas em temas cubanos, quem acabou arrematando os originais foi a CANF Editors, o braço editorial da Fundação Nacional Cubano-Americana, sediada em Washington. O que o autor tinha nas mãos, na verdade, era apenas um esboço. A assinatura do contra-

Juan Pablo Roque

4532 S.W. 144th Avenue
Miami, Florida 33175
(305) 223-0191

16 de marzo de 1993

A quien pueda interesarle:

La presente carta es del ex-mayor de las Fuerzas Armadas de Cuba y Piloto de Combate de los Migs 21-23, Juan Pablo Roque González. Soy uno de los ocho pilotos que concluyo totalmente la Academia Superior Político-Militar Lenin en Moscú durante cuatro años para ingresar de nuevo en las tropas de la Defensa Antiaéreas y Fuerza Aérea como segundo jefe de un regimiento aéreo y jefe de una Sección Política con 25 núcleos del partido subordinados y 18 comites de base de la conocida Unión de Jóvenes Comunistas.

7. El caso Ochoa y el estado de opinión en las FAR y el MININT. La detención de Arnaldo Ochoa y mi encuentro 15 días antes de su detención.

8. La Corporación Gaviota, unidad militar de la FAR con apariencia civil operando en el mercado del turismo internacional en los países del mundo capitalista.

Todos estos aspectos mas una cantidad cuantiosa de fotografías y documentos se encuentran con los escritos, formando una nueva visión de las FAR en la actualidad, por las experiencias personales de un piloto que creció y se desarrollo en la maquinaria que lo sentenció a el y a sus dos hermanos también pilotos que guardaron prisión bajo el régimen.

Agradeciéndole de antemano por su tiempo e interés prestado, en espera de una pronta y satisfactoria respuesta, queda de usted

Atentamente,

Juan Pablo Roque

JPR/amk

Juan Pablo Roque anuncia
ao mercado editorial que
está escrevendo um "livro-bomba",
o qual promete abalar os
alicerces da Revolução Cubana.

to de edição coincidiu, em meados de 1994, com uma nova onda migratória vinda de Cuba, provocada pelo agravamento da crise econômica. O ressurgimento dos balseiros aumentara a demanda por pilotos experientes, e o tempo de que Roque disporia para escrever era curto. O livro propriamente dito ainda levaria alguns meses para ser entregue ao editor.

Quanto mais se agravava a crise econômica na Ilha, maior era o número de cubanos que se arriscavam a deixar o país pela mais perigosa porta de saída: o mar. Aos problemas econômicos se somava o endurecimento do Departamento de Estado na política de concessão a cubanos de vistos de entrada legal no país, o que produzia filas intermináveis à porta da Seção de Interesses dos EUA em Havana. As autoridades de Washington eram avarentas na concessão de vistos, mas mantinham a política dos "pés secos", um estímulo à arriscada travessia e ao sequestro de embarcações. Como entendia que aquele era também um problema do governo norte-americano, já que a cada dia ficava mais difícil receber e instalar os ilegais que chegavam à Flórida, o governo cubano decidiu não reprimir as fugas, que se tornavam mais e mais numerosas.

Qualquer adulto cubano sabia que sair do país pelo mar era de fato uma temeridade. Quem conseguisse navegar, fosse a bordo de boias, botes ou jangadas, até os limites de doze milhas do mar territorial e entrar em águas americanas, tinha que rezar para ser localizado e resgatado pela Guarda Costeira dos EUA, encarregada de transportar até os Estados Unidos náufragos e ocupantes de embarcações de risco. Quem podia pagava caro para ser recolhido nas costas cubanas e levado até os primeiros *cayos* da Flórida — as ilhotas que, vistas do alto, lembram um colar de pérolas ao sul de Key West. O novo êxodo gerou uma efêmera mas lucrativa atividade para marinheiros e donos de lanchas e barcos em Miami, que cobravam entre 8 e 10 mil dólares per capita para transportar exilados até a Flórida. No limite do desespero, cubanos chegavam a vender tudo o que tinham para conseguir dinheiro suficiente para a travessia.

A dramática situação que René alegara para exilar-se em 1990 parecia ter se deteriorado ainda mais. A principal fonte de receitas de Cuba continuava sendo o açúcar. Como, entretanto, 85% do corte eram mecanizados, e já não havia petróleo para fazer funcionar cortadeiras, colheitadeiras e caminhões, a safra anual, superior a 8 milhões de toneladas no último ano de existência da URSS, desabara para pouco mais de 3 milhões. Se era racionado para a indústria açucareira, o combustível praticamente não existia para os automóveis particulares, que desapareceram das ruas, deixando Havana e as demais capitais provinciais com aparência de cidades-fantasma. Para substituí-los, parte da produção de açúcar e de níquel foi trocada com a China por 1 milhão de bicicletas, número suficiente para atender a 10% da população.

A crise desfigurava também a fisionomia cultural do país. Tinham ficado para trás os tempos em que tiragens de 100 mil cópias de clássicos como *Dom Quixote* ou *Cem anos de solidão* sumiam das livrarias em poucos dias. A média anual de livros publicados, que era de 45 milhões de exemplares em 1990, caíra para menos de 1 milhão. A impossibilidade de importar papel-jornal suspendeu a circulação da maioria das publicações. Revistas tradicionais como a *Alma Mater*, editada desde 1922 pela Universidade de Cuba, o semanário *Bohemia*, fundado em 1908, a *Casa*, mensário cultural da Casa de las Américas, e até a *Verde Olivo*, veículo oficial das Forças Armadas Revolucionárias, tiveram que fechar as portas. O diário *Granma*, órgão oficial do Partido Comunista e principal jornal do país, que na época das vacas gordas chegara a circular com mais de sessenta páginas, em formato standard, foi reduzido a um tabloide de seis páginas. O rigoroso racionamento de energia submetia a população a um calvário adicional. Um duro rodízio imposto ao país obrigava todos a passar dezesseis horas por dia sem eletricidade. Os cortes geraram picos de utilização de telefones entre as oito e meia e nove horas da noite, provocando congestionamentos na precária rede local. Ao investigar o fenômeno, as autoridades descobriram que naquele horário era exibida na televisão uma verdadeira febre entre os cubanos, as telenovelas brasileiras. Quem tinha luz em casa à noite fazia uma ligação telefônica para algum amigo submetido ao apagão e deixava o fone colado ao alto-falante do televisor para que o destinatário da chamada pudesse pelo menos ouvir o capítulo do dia.

Para René e Roque, a dimensão da crise, vista do céu, era medida pela enxurrada de embarcações que tinham voltado a coalhar a faixa de mar que separa os dois países. A média de voos realizados por René nos Estados Unidos triplicara nos primeiros meses de 1994. Quando o número de balseiros recebidos na Flórida naquela onda migratória superou a casa das 30 mil pessoas, no final do primeiro trimestre, o fantasma dos acontecimentos de 1980, na chamada "crise de Mariel", voltou a assombrar a Casa Branca. Em abril daquele ano, ao cabo de um braço de ferro travado pela televisão entre os presidentes Jimmy Carter e Fidel Castro, nada menos que 130 mil cubanos haviam deixado o país pelo porto de Mariel com destino a Miami.

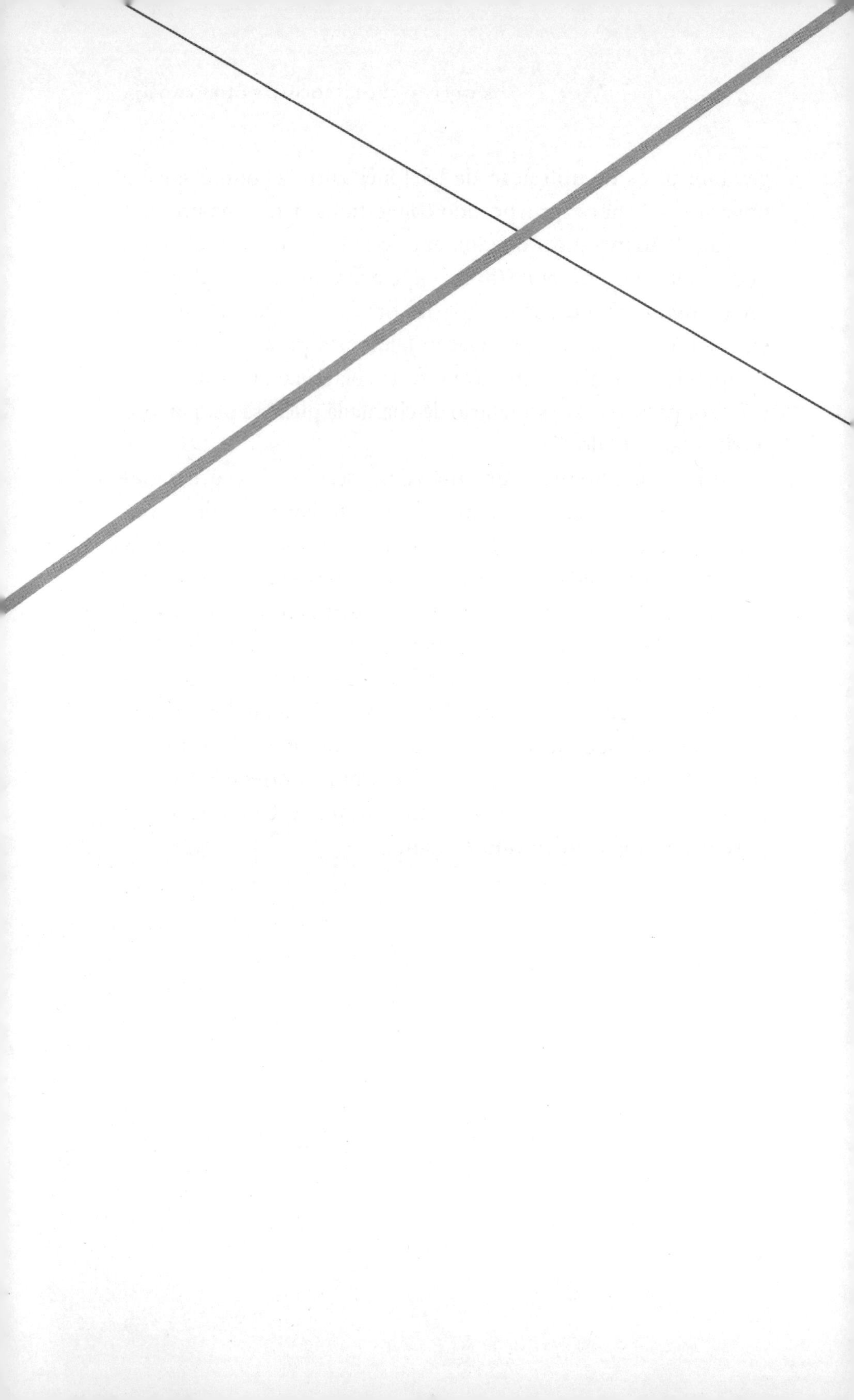

3

DA NOITE PARA O DIA, 130 MIL PESSOAS FOGEM DE CUBA PARA OS ESTADOS UNIDOS E DERROTAM JIMMY CARTER E BILL CLINTON

Crises migratórias estavam longe de ser uma novidade na áspera e tumultuada agenda das relações dos Estados Unidos com Cuba depois da chegada de Fidel Castro ao poder, em 1959. A primeira delas eclodiu logo após o triunfo da Revolução e durou até 1962 — período em que partiram rumo aos Estados Unidos cerca de 200 mil pessoas, quase 3% da população cubana. O êxodo produziu um vertiginoso salto demográfico em Miami, cuja população pulou de 300 mil para quase meio milhão de habitantes. Até a chegada dos cubanos, o censo registrava que, de cada dez moradores locais, oito eram brancos e apenas dois "não brancos", categoria que incluía negros e hispânicos. Embora na primeira onda migratória houvesse muitos torturadores do governo Batista, traficantes de drogas, bookmakers e exploradores de lenocínio, estatísticas revelam que a grande maioria era formada por profissionais liberais — sobretudo médicos, já que a saúde foi um dos primeiros setores estatizados pelo governo revolucionário —, empresários, banqueiros, fazendeiros e industriais que haviam tido seus bens expropriados. Os componentes dessa primeira leva alimentavam a ilusão de que o ocorrido em Cuba era só mais um típico golpe militar latino-americano. Ainda estava fresco na memória de todos o golpe de Estado promovido pela CIA seis anos antes na Guatemala, quando o presidente Jacobo Arbenz fora derrubado depois de decretar um programa de reforma agrária que afetava os interesses da multinacional americana United Fruit Company. Os Estados Unidos jamais tolerariam um governo comunista em Cuba, a 160 quilômetros de seu território. "Famílias inteiras, acompanhadas de criados e cachorros", escreveu um especialista no tema, o acadêmico cubano Jesús Arboleya, "embarcaram para Miami com a esperança de que o retorno seria breve."

Os cubanos ainda conviviam com os traumas provocados pela fuga em massa quando a Igreja católica juntou suas forças à oposição para promover mais uma debandada rumo ao exílio. No auge das primeiras confrontações entre Havana e Washington, a CIA e o arcebispo Coleman Carroll, titular da arquidiocese de Miami, arquitetaram um espantoso plano de transferência massiva de crianças de Cuba para os Estados Unidos, para o qual contaram com o apoio indispensável da Igreja cubana. Batizada de *Operação Peter Pan* e inspiradora de livros e filmes, a ação teve início numa noite de outubro de 1960, com a patética proclamação de um locutor da rádio Swan, estação de ondas médias da CIA instalada na ilha Cisne, em território hondurenho, para transmitir programas dirigidos a Cuba. "Mães cubanas! O governo revolucionário está planejando roubar seus filhos!", gritava o radialista. "Quando fizerem cinco anos, seus filhos serão retirados de suas famílias e só retornarão aos dezoito anos, transformados em monstros materialistas! Alerta, mães cubanas! Não deixem que o governo roube seus filhos!" O segundo passo foi dado na manhã seguinte, quando centenas de milhares de panfletos foram espalhados pelo país com o texto de uma falsa lei, redigida nos escritórios da CIA, que estaria para ser posta em vigor "a qualquer momento" pelo governo de Cuba. Repleto de considerandos e de citações da legislação em vigor, o documento apócrifo era assinado por "Doutor Fidel Castro Ruz, primeiro-ministro" e pelo então presidente da República, Osvaldo Dorticós. A ameaça que iria aterrorizar pais e mães aparecia em três artigos e dois parágrafos:

> Artigo 3º — [...] A partir da vigência da presente lei, o pátrio poder das pessoas menores de vinte anos de idade será exercido pelo Estado.

> Artigo 4º — [...] Os menores permanecerão sob os cuidados de seus pais até a idade de cinco anos, a partir da qual sua educação física, mental e cívica será confiada à Organização de Círculos Infantis, os quais serão responsáveis pela guarda e pelo pátrio poder dos referidos menores.
>
> Artigo 5º — [...] Tendo em vista sua educação cultural e capacitação cívica, a partir dos dez anos de idade qualquer menor poderá ser trasladado para o lugar mais apropriado para a consecução de tais objetivos, sempre tendo em conta os mais altos interesses da nação.
>
> Parágrafo 1º — A partir da publicação desta lei, fica proibida a saída do território nacional de todas as pessoas menores de idade.
>
> Parágrafo 2º — O descumprimento dos preceitos compreendidos na presente lei será considerado delito contrarrevolucionário, sancionável com pena de prisão de dois a quinze anos, conforme a gravidade do delito.

O homem escolhido pela arquidiocese para executar o plano era o padre Bryan Walsh, um irlandês cinquentão de 1,90 metro de estatura e físico de pugilista que vivia nos Estados Unidos desde a juventude. Ao chegar a Havana, semanas depois, levando na bagagem nada menos que quinhentos vistos de entrada nos Estados Unidos em branco, Walsh encontrou uma sociedade chocada. Os desmentidos do governo revolucionário não tinham sido suficientes para diminuir a apreensão das famílias cubanas. Além disso, vigários de paróquias de todo o país, especialmente no interior, onde vivia a população mais simples e desinformada, se encarregaram de difundir a macabra versão de que as crianças separadas dos pais seriam removidas para Moscou e transformadas em alimento enlatado para o consumo da população russa. Não era a primeira vez que se utilizava para fins políticos história tão medonha e inverossímil. A anedota segundo a qual comunistas comiam pessoas nascera no fim da Segunda Guerra, quando a máquina de propaganda fascista inundara a Itália de folhetos que afirmavam que os soldados italianos que se entregassem ao Exército Vermelho seriam mortos, triturados e transformados em comida para saciar a fome que dizimava milhões na Rússia stalinista.

Naquele final de 1960 a Revolução Cubana já tinha implantado mudanças extremamente radicais no país, como a reforma agrária, a estatização do sistema bancário e a "expropriação forçada" de quase mil indústrias, entre as quais se encontravam cem usinas de açúcar e algumas gigantes como a fábrica de rum Bacardi e a norte-americana DuPont Chemical. Apesar do caráter revolucionário dessas medidas, quando a *Operação Peter Pan* foi concebida, Cuba e Estados Unidos ainda mantinham relações normais. Centenas de viajantes cruzavam diariamente o estreito da Flórida, nos dois sentidos, nos voos que ligavam a capital cubana à Flórida. E a ponte aérea entre Havana e Miami foi o caminho escolhido pelo padre Walsh para pôr em prática a operação. Por exigência da CIA, ninguém viajaria acompanhado dos pais. Os quinhentos formulários em branco que o religioso levara na primeira viagem não seriam suficientes, como se saberia mais tarde, para atender sequer a 5% dos pequenos candidatos à salvação do inferno comunista. Muitos anos depois, Fidel Castro comentaria o episódio numa entrevista à televisão. "Nós achávamos que a Revolução deveria ser obra voluntária de um povo livre, e não pusemos nenhum obstáculo às saídas do país", relembrou o líder cubano. "A resposta do imperialismo, entre outras agressões, foi a implantação da *Operação Peter Pan*." Segundo a ONG americana Pedro Pan Group, ao todo foram contrabandeados 14 048 menores, de ambos os sexos, alguns dos quais acabariam por se converter em personagens da vida pública norte-americana, como o senador republicano Mel Martínez, o ex-prefeito de Miami, Tomás Regalado, e os diplomatas Eduardo Aguirre, nomeado embaixador na Espanha pelo presidente George W. Bush, e Hugo

Planejada pela CIA e pela Igreja
católica da Flórida, e executada
pelo padre Bryan Walsh, em
poucos meses a *Operação Peter Pan*
retirou de Cuba e levou para
os Estados Unidos mais de 14 mil
crianças e adolescentes cubanos.

Llorens, que era embaixador em Honduras em 2009, quando da deposição do presidente Manuel Zelaya. Instalados inicialmente em orfanatos católicos e instituições de caridade, milhares deles jamais voltariam a ver seus pais e mães. No começo de 1962 chegava ao fim a *Operação Peter Pan*, um dos mais dramáticos e dolorosos episódios da história da Revolução Cubana.

A terceira onda migratória, ocorrida no final de 1966, resultou da decisão do presidente Lyndon Johnson de promulgar a Lei do Ajuste Cubano — que nada mais era que a legalização de uma situação existente desde 1959 e que sobrevivia sob o olhar complacente das autoridades norte-americanas. Sem paralelo em nenhum outro país, a lei oferecia aos cubanos que chegassem, mesmo por vias ilegais, aos Estados Unidos privilégios não concedidos a estrangeiros de nenhuma outra nacionalidade. Os benefícios ofertados pelo governo eram um tentador convite à imigração: asilo político e documentação de residente permanente, ou seja, autorização para trabalhar e inscrever-se no serviço social, direitos que se estendiam ao cônjuge e aos filhos menores de 21 anos. Era o oposto do tratamento destinado às hordas de latinos que tentavam entrar nos Estados Unidos pela fronteira do México. Nos quatro anos seguintes, uma ponte aérea que ligava o balneário de Varadero a Miami transportou mais de 270 mil cubanos.

A quarta e mais rumorosa crise teve início na tarde de 1º de abril de 1980, quando seis cubanos invadiram o casarão onde funcionava a embaixada do Peru em Havana, atirando um ônibus contra a cerca do jardim. O único obstáculo a impedi-los de entrar, um solitário soldado que dava guarda na porta, foi abatido a tiros: minutos depois, já dentro da casa, os seis eram declarados asilados políticos. Cuba exigiu que todos fossem devolvidos, pois, ao matarem o soldado, haviam se convertido em criminosos comuns. O embaixador peruano, no entanto, fincou pé: seu país decidira conceder asilo político a eles. A gravidade da situação pôs em confronto Fidel Castro e o conservador general Francisco

Morales Bermúdez, chefe de governo do Peru desde 1975, quando derrubara o também general e ultranacionalista Juan Velasco Alvarado. Ao receber como asilados os seis invasores, Morales Bermúdez imaginava ter encurralado Fidel num beco sem saída: se concedesse os salvo-condutos para que o grupo deixasse Cuba, o governo criaria um grave precedente — para sair do país, bastaria pôr os pés numa embaixada, mesmo que por meios violentos. Negar a autorização significava transformar os seis em mártires e mais uma vez grudar em Cuba o rótulo de país violador de direitos humanos. Além, é claro, de gerar um impasse diplomático de consequências imprevisíveis. O que o general peruano jamais poderia imaginar, porém, era que Fidel reagiria com uma insólita decisão. A resposta veio numa nota de meia centena de palavras, publicada na primeira página da edição do dia 4 do jornal *Granma*, que concluía de forma inusitada:

> Diante da negativa do governo peruano de entregar os delinquentes que provocaram a morte do soldado Pedro Ortiz Cabrera, o governo cubano se reserva o direito de retirar a guarda de proteção da embaixada. A referida sede, portanto, fica aberta a todo aquele que quiser sair do país.

O que parecia um incidente isolado se converteu primeiro num tumulto, em seguida numa aglomeração, para culminar, dois dias depois, com uma multidão de 10 mil pessoas acampada num imóvel residencial de seis dormitórios. Assustado com a presença da turba que tomou cada centímetro quadrado da casa, o embaixador Edgardo de Habich abandonou o local, levando consigo todo o pessoal diplomático, à exceção de um encarregado de negócios que passou a responder pela legação. Duas semanas após a ocupação, e com o enxame de gente ainda dentro da embaixada, o Peru jogou a toalha e admitiu que não tinha condições de receber, da noite para o dia, 10 mil pessoas.

É nesse momento que Jimmy Carter entra na briga. De todos os ocupantes da Casa Branca desde o triunfo da Revolução Cubana, Carter foi o presidente que manteve melhores relações com Cuba. Fora ele o responsável pelo levantamento de todas as restrições de viagem de exilados à Ilha e pela implantação das Seções de Interesses em Havana e em Washington para que, em suas palavras, "um mínimo de intercâmbio diplomático pudesse ser levado a efeito". Em julho de 1977, em entrevista à revista brasileira *Veja*, Fidel reconheceu que algo mudava nos Estados Unidos. "Eisenhower, Kennedy, Johnson, Nixon e Ford estavam comprometidos com uma política de hostilidade a Cuba", afirmou o presidente cubano ao semanário, "e este é o primeiro governo dos Estados Unidos, em dezoito anos, que não está comprometido com aquela política. Nixon era um farsante, um indivíduo sem ética de qualquer natureza. Eu não penso o mesmo de Carter."

Três anos depois dessas declarações, entretanto, o cenário doméstico dos Estados Unidos mudara muito. A maioria conservadora norte-americana torcera o nariz ao ver Carter assinar com o presidente panamenho Omar Torrijos os tratados pelos quais os Estados Unidos se comprometiam a devolver o controle sobre o canal do Panamá no ano 2000. A opinião pública considerava também que Carter fora leniente com a URSS, em 1979, ao não reagir à invasão do Afeganistão por tropas soviéticas. Mas a pá de cal na sua popularidade seria jogada na noite de 25 de abril de 1980, quando a Casa Branca disparou a *Operação Blue Light.* A bordo de oito helicópteros e seis aviões Hércules C-130, noventa homens de um comando antiterrorista das Forças Armadas dos Estados Unidos decolaram do reino de Bahrein e do porta-aviões Nimitz, ancorado no golfo de Omã. O objetivo da operação era libertar cinquenta norte-americanos feitos reféns seis meses antes por um grupo de jovens iranianos que ocupara a embaixada dos Estados Unidos em Teerã — entre eles o esquálido estudante de engenharia Mahmoud Ahmadinejad, que anos depois seria eleito e reeleito presidente do Irã. Colhidas por tempestades de areia no deserto de Dasht-e Kavir, já em território persa mas ainda a quinhentos quilômetros da capital, algumas aeronaves colidiram entre si e outras entraram em pane e desabaram na areia. Seis soldados americanos morreram e os reféns continuaram em poder dos iranianos.

Os cabisbaixos sobreviventes da *Blue Light* retornaram a Washington quando fazia dezenove dias que a embaixada peruana em Havana tinha sido tomada. Diante da timidez demonstrada pela comunidade internacional — o Peru aceitava receber apenas mil pessoas, o Canadá seiscentas e a Costa Rica trezentas — o presidente americano, que disputaria a reeleição em outubro daquele ano, enxergou no episódio uma boia que poderia salvar sua popularidade do naufrágio. Na contramão da moderada diplomacia que adotara com relação a Cuba desde que chegara à Casa Branca, Carter convocou uma entrevista coletiva e anunciou uma bomba. Com o novo nome de Política dos Braços e Corações Abertos estava ressuscitada a velha Lei do Ajuste — todo cubano que conseguisse chegar aos EUA teria asilo político, status de residente permanente, permissão para trabalhar e inscrever-se no serviço social etc. etc.

Fidel Castro respondeu no mesmo dia e no mesmo tom: ante as ofertas de Carter, a partir daquele momento o porto de Mariel, cinquenta quilômetros a oeste de Havana, estava aberto para quem quisesse asilar-se nos Estados Unidos. A decisão, sublinhou, valia não apenas para os 10 mil inquilinos da embaixada peruana, mas para qualquer um dos 11 milhões de cubanos que desejasse partir. Horas depois os 160 quilômetros de mar que separam o porto de Mariel de Key West estavam salpicados de flotilhas de embarcações de todos os modelos e calados, vindas de vários pontos da Flórida, prontas para transportar os passageiros daquela que seria a maior onda migratória de toda a história da diáspora cubana. Se Morales Bermúdez se assustou quando Cuba liberou não seis, mas 10 mil pessoas, o plano da Casa Branca também dera errado. Carter não podia imaginar que nas semanas seguintes 130 mil candidatos à cidadania americana, mais de 1% da população de Cuba, atravessariam o mar do Caribe em direção a Miami.

O presidente dos Estados Unidos só tomou consciência das dimensões do abacaxi que tinha nas mãos quando a CIA o informou de que cerca de 40 mil *marielitos* — nome pelo qual ficaram conhecidos os exilados que saíram nesse período — eram doentes mentais e delinquentes comuns, muitos deles condenados a penas altíssimas por tráfico de drogas, latrocínio e estupro. Os informes eram alarmantes: Cuba estava exportando para os Estados Unidos seus criminosos e doidos. O governo cubano negou que tivesse forçado quem quer que fosse a deixar o país. Segundo informações difundidas pela *radio bemba*, porém, logo após a abertura do porto de Mariel hospícios e presídios de Cuba de fato haviam sido visitados por funcionários do governo que repetiam aos doentes e aos detentos a mesma oferta: quem quisesse emigrar para os Estados Unidos, com todas as vantagens oferecidas por Carter, só precisava fazer a trouxa e chegar ao porto de Mariel. Muitos anos depois, Max Lesnik, um cubano exilado em Miami que nunca deixou de ser amigo de Cuba, explicitaria o processo de seleção daqueles que ficaram conhecidos como os *indesejáveis*:

— Esses loucos estavam nos hospitais psiquiátricos cubanos, entregues aos cuidados da Revolução. Alguém chegava lá e perguntava para o interno: onde estão os seus parentes? Nos Estados Unidos? Então levem-no para Mariel. A família terá como cuidar dele em Miami.

Seja como for, 40 mil pessoas saíram de hospícios e prisões e embarcaram rumo à Flórida. Mais uma vez o problema mudava de lado e deixava de ser cubano: que destino dar a toda aquela gente? Como assentar 130 mil pessoas e oferecer a elas, da noite para o dia, condições mínimas de sobrevivência? Para agravar a situação, a CIA manifestava uma preocupação adicional: Fidel Castro jamais perderia uma oportunidade como aquela para infiltrar nos Estados Unidos, no meio da multidão de refugiados, algumas dezenas de agentes de inteligência.

A primeira providência de Carter foi repartir o problema com os aliados e distribuir os novos hóspedes entre os estados governados por democratas. A notícia de que o pequenino Arkansas seria aquinhoado com 20 mil cubanos, dos quais estatisticamente 6 mil eram criminosos e doentes mentais, deixou de cabelo em pé o jovem governador do estado, Bill Clinton, então com 34 anos, eleito dois anos antes. Pelas informações vindas de Washington, o município selecionado para receber os cubanos era Fort Smith, uma pacata e conservadora cidade de 60 mil habitantes, dos quais 50 mil eram brancos e protestantes, situada a duzentos quilômetros da capital, Little Rock. A escolha se devia ao fato de que ali ficava um acampamento militar aposentado após a Segunda Guerra Mundial, o Fort Chaffee, que com o fim da Guerra do Vietnã, em 1975, fora utilizado como centro de realocação de refugiados provenientes do Vietnã do Sul.

Atordoado com a notícia, Clinton amanheceu na Casa Branca com esperança de demover Carter da ideia. Assim como o presidente, ele estava preocupado com a baixa popularidade num ano eleitoral. No final do ano seria candidato à reeleição — no Arkansas, na época, os mandatos eram de dois anos —, e o pior que poderia acontecer à sua popularidade era impingir 20 mil cubanos à população do estado. Encarregado pelo presidente de tratar da chamada "questão cubana", o assessor Eugene Eidenberg procurou tranquilizar Clinton, lembrando os saudáveis resultados da experiência com os sul-vietnamitas. O governador retrucou que naquele caso tinha sido feita uma filtragem nas Filipinas e na Tailândia exatamente para excluir *indesejáveis*. Sugeriu que os 20 mil cubanos destinados a seu estado fossem colocados a bordo de um porta-aviões fundeado no estreito da Flórida e que ali se realizasse a triagem. Eidenberg ignorou a proposta, insistindo em que não havia onde instalar tanta gente. Em sua autobiografia, intitulada *Minha vida*, Clinton conta que perdeu a paciência com o assessor de Carter:

— Claro que há lugar! Ainda temos uma base em Guantánamo e deve haver um portão na cerca que a separa de Cuba. Leve-os para Guantánamo, abra o portão e mande-os de volta a Cuba.

Na opinião do governador, Fidel estava "ridicularizando os Estados Unidos e fazendo parecer fraco o presidente Carter, que já tinha problemas demais com a inflação e a crise dos reféns no Irã". Derrotado em seus argumentos, no final de maio Clinton veria desembarcar no Arkansas não os 20 mil prometidos, mas exatamente 25 390 cubanos. E logo ficou claro que seus temores não eram infundados. Um dia depois da chegada, duzentos exilados fugiram do acampamento e realizaram um quebra-quebra no comércio local, só sendo contidos pelas tropas da Guarda Nacional, armadas de cassetetes e bombas de gás lacrimogêneo. Metade dos fugitivos desapareceu. Preocupado com o risco de uma confrontação sangrenta, Clinton falou por telefone com Carter e pediu tropas federais para manter a ordem e segurar os cubanos no interior da base. "Eu temia que o povo da região começasse a atirar nos cubanos", escreveu. "Tinha havido uma corrida por rifles e pistolas em todas as lojas de armas num raio de oitenta quilômetros ao redor de Fort Chaffee." Uma semana depois, armados de paus, pedras e garrafas, mais mil refugiados escaparam e saíram em passeata pela rodovia que une Fort Smith a Barling, cidadezinha situada dez quilômetros ao sul. Mesmo sabendo que corria o risco de promover um banho de sangue, Clinton deu ordens à Guarda Nacional para impedir que os fugitivos avançassem. Os cubanos enfrentaram a tropa a pedradas, mas acabaram se rendendo e retornaram ao acampamento. Quando a fumaça baixou, os distúrbios tinham deixado um saldo de 62 feridos, dos dois

Professora dá aula de inglês para
um grupo de *marielitos*.
Mesmo sob protestos, o governador
Bill Clinton foi obrigado a receber
no estado do Arkansas
25 mil exilados cubanos.

lados, e três edifícios incendiados. A única vítima fatal seria a popularidade do governador. Ao serem abertas, as urnas das eleições de dezembro revelaram o que Clinton mais temia: os *marielitos* o haviam derrotado. Para seu lugar os eleitores tinham escolhido o republicano Frank Durward White. No plano nacional o desastre democrata fora idêntico. Jimmy Carter não só perdera feio, mas entregara a Casa Branca ao ultraconservador Ronald Reagan.

Durou apenas cinco meses a onda migratória que interrompeu a carreira de Clinton e ajudou a enterrar a de Carter, mas ela só seria dada oficialmente como encerrada quatro anos depois, em dezembro de 1984, quando Cuba e os Estados Unidos assinaram um acordo provisório de normalização das relações migratórias. Por esse documento, Washington concederia anualmente 20 mil vistos a cubanos que tencionassem emigrar, com prioridade para presos políticos e seus familiares e para quem tivesse parentes vivendo nos EUA com cidadania assegurada. Como contrapartida, a cada ano Cuba receberia de volta cerca de 6 mil *indesejáveis*, rebatizados pelas autoridades americanas de *excluíveis*.

A presença cubana contribuiu para mudar profundamente a face da Miami que René González e Juan Pablo Roque conheceram. Os brancos, que em 1960 representavam 80% da população, em 1990 estavam reduzidos a mirrados 12% — a ampla maioria era composta de hispânicos (62%) e negros (24%). Miami caminhava célere para entrar no *Guinness Book*, alguns anos depois, como "a cidade com a maior população estrangeira": de cada dez habitantes locais, seis tinham nascido em outro país. Entre os direitos que os cubanos adquiriam ao pisar em solo americano, estava o de votar e ser votado, o que aos poucos passou a atribuir respeitável importância política e eleitoral à comunidade. E, segundo o intrincado sistema eleitoral norte-americano, o colégio eleitoral da Flórida era peça fundamental para quem quisesse se eleger presidente da República, não importando se fosse democrata ou republicano. As dezenas de milhares de balseiros que René e Roque viram chegar ao território americano naquele começo de 1994 não seriam apenas números a reforçar a demografia hispânica da Flórida. A Casa Branca sabia que estava novamente diante de uma "questão cubana", e que só havia uma alternativa para estancar aquela hemorragia: negociar um novo acordo migratório com o governo comunista de Cuba. Uma escolha que acabaria interferindo na vida de René González, de Juan Pablo Roque e da maioria das organizações anticastristas da Flórida.

Roque se dividia entre suas atividades de piloto, a redação do prometido livro de memórias e a preparação para o casamento, e René persistia na ideia fixa de levar a família para Miami. E, pela primeira vez, sentia que aquela não era uma ilusão de marido apaixonado. O longo tempo decorrido desde sua deserção ajudara a amolecer o coração de Olguita. Ainda que nunca compartilhasse suas inquietações nem com os parentes ou com as amigas mais íntimas, nas esparsas cartas enviadas a René ela começou a dar sinais de que talvez aceitasse voltar a viver com o marido. Assim como acontecia com ele, na verdade Olga nunca deixara de pensar no assunto, mas, todas as vezes que pesava os prós e os contras, acabava concluindo que o mais racional era esquecê-lo, educar a filha, Irmita, em Cuba e, quem sabe, um dia buscar um novo relacionamento. Mudar para Miami e conviver com a *gusanera* que René frequentava significava jogar no lixo tudo o que aprendera e defendera ao longo da vida. Além do mais, na remota hipótese de aceitar ir embora, ela só o faria legalmente, com um visto concedido pela Seção de Interesses dos EUA em Havana. Embora as rádios de Miami captadas em Cuba martelassem a cabeça dos ouvintes o tempo todo, estimulando-os a deixar o país como fosse possível, jamais passara por sua cabeça aventurar-se com a filha mar adentro, um risco que já tinha tirado a vida de centenas, talvez milhares de cubanos. E, em meio a uma crise migratória como a que se vivia no início de 1994, a probabilidade de conseguir um visto americano era de uma em 1 milhão. A favor da decisão de se exilar havia apenas um argumento, mas forte demais para que ela simplesmente desconsiderasse a ideia: o amor por René, que nunca desaparecera de verdade.

Enquanto essas dúvidas roubavam boa parte do seu sono, do outro lado do estreito o marido agia febrilmente para obter a permissão do Serviço de Imigração americano para que fossem concedidos em Havana os salvo-condutos para que ela e Irmita deixassem a Ilha. O piloto sabia que as chances de sucesso eram mínimas e que ele iria enfrentar dificuldades nos dois governos. Como parte da campanha de pressão contra a Revolução Cubana, o Departamento de Estado priorizava a concessão de vistos a presos políticos ou a quem comprovadamente fosse considerado perseguido por crimes de consciência. E Olga, uma disciplinada militante do Partido Comunista, estava longe de poder ser identificada como uma dissidente. Além disso, mesmo que a autorização de ingresso fosse dada pelos Estados Unidos, René ainda teria que superar difíceis obstáculos para que Cuba permitisse a saída delas. Sua esperança residia num único ponto: que os governos dos dois países, forçados pela crise dos balseiros, assinassem um novo acordo migratório, reativando a política de emissão massiva de cotas de vistos de entrada nos Estados Unidos.

Antes mesmo de saber se Olguita aceitaria exilar-se, René tomou a iniciativa de protocolar o pedido de vistos para a esposa e a filha no Serviço de Imigração dos Estados Unidos. Se a condição de cidadão norte-americano lhe assegurava pequenos privilégios, como não ter que pagar taxas e dispor de guichês com pouca ou nenhuma espera, ele sabia que ainda assim sua petição iria mofar no fim da fila de dezenas de milhares de pedidos idênticos, feitos por cubano-americanos que pretendiam levar familiares para os Estados Unidos. Mas alimentava a esperança de que, como em qualquer repartição pública do planeta, também em Miami um pistolão político ajudaria a encurtar os ínvios labirintos da burocracia. E certamente quem poderia lhe indicar o caminho mais rápido era José Basulto, com quem continuava mantendo relações amistosas. Foi numa conversa a dois, num dos hangares usados pela Hermanos, que René expôs sua situação ao ex-chefe:

— Como você sabe, pretendo trazer minha família para Miami, mas, como a fila de interessados é muito grande, preciso de sua ajuda. Sei que você tem contatos com políticos influentes em Washington e seria essencial que algum deles pudesse empurrar meu processo no Serviço de Imigração.

Polido, como sempre, Basulto explicou que de nada valia conseguir a ajuda de algum congressista se Cuba não desse a Olga e Irmita o "cartão branco", como era conhecido o salvo-conduto que as autoridades concediam às pessoas autorizadas a deixar o país legalmente. De todo modo, recomendou que tudo deveria ser feito dentro da mais absoluta discrição:

— Se este virar um caso político e se sair na imprensa que você tem dificuldades para tirar sua mulher e sua filha de Cuba, a situação piora. Aí é que os cubanos não darão a elas o visto de saída. Eu posso tentar ajudá-lo em Washington, mas é preciso conseguir alguém que tenha acesso ao governo cubano para obter a autorização para que elas deixem o país.

Para intermediar o pedido junto a Havana, cogitou-se do nome do jovem reverendo Jesse Jackson, o pastor negro que fora candidato a presidente dos Estados Unidos em duas ocasiões e que se tornara amigo de Fidel Castro. Antes de acionar Cuba, contudo, era preciso conseguir alguém que apadrinhasse o caso de René em Washington. Tanto poderia ser um deputado ou senador como alguém do Departamento de Estado que fosse solidário com as organizações anticastristas da Flórida. No fim acabaram decidindo concentrar os esforços nos nomes dos deputados federais Ileana Ros-Lehtinen e Lincoln Diaz-Balart e do senador Bob Menéndez.

Nascidos em Cuba, os dois republicanos representavam distritos eleitorais da Flórida. Ileana Ros chegara aos Estados Unidos aos seis anos de idade e fora a primeira mulher hispânica a se eleger para a Câmara Federal. Lincoln era sobrinho de Mirta, primeira esposa de Fidel Castro e mãe de Fidel Castro Diaz-Balart, o filho mais velho do líder cubano. Menéndez saíra de Cuba ainda no ventre da mãe, em 1953, e fora eleito senador pelo Partido Democrata de Nova Jersey. Com livre acesso ao Salão Oval da Casa Branca, o trio se orgulhava de representar no Congresso os setores mais radicais do anticastrismo. Feitas as apresentações por Basulto, René viajou para Washington. Mesmo sem ter tido contato pessoal com nenhum dos políticos, foi bem recebido por assessores deles. Nos três gabinetes o piloto cubano ouviu previsões otimistas sobre o resultado de sua demanda, sobretudo por se tratar de um pedido humanitário e não da tentativa de retirar da Ilha um opositor do regime. Tudo, no entanto, dependeria de que Havana e Washington firmassem um novo acordo migratório restabelecendo o sistema de cotas de vistos para cubanos que quisessem emigrar.

Não era apenas René, entretanto, que se preocupava com a nova onda de balseiros. Enquanto o cubano deambulava pelos corredores do Capitólio em busca de qualquer mão amiga que o ajudasse a levar Olguita e Irmita para os Estados Unidos, o presidente Bill Clinton acompanhava com preocupação o desenrolar de mais uma crise migratória entre os dois países. E não parecia fazer segredo de sua apreensão. Num jantar na casa do escritor William Styron, na elegante e exclusiva ilhota de Martha's Vineyard, nas costas do estado de Massachusetts, Clinton aproveitou a presença de seu ídolo literário, o colombiano Gabriel García Márquez, para algo que o bloqueio a Cuba o impedia de fazer pessoalmente: enviar uma mensagem ao presidente Fidel Castro, de cuja amizade *Gabo* privava desde muito tempo. Caminhando a sós com o escritor pelos gramados da casa de Styron, Clinton pediu-lhe que transmitisse uma advertência ao líder cubano: se a nova onda migratória prosseguisse, Cuba receberia dos Estados

Unidos uma resposta diferente da que fora dada por Carter em 1980, após o êxodo de Mariel: "Castro já me custou uma eleição e não me custará outra", disse ele.

O primeiro resultado do recado de Clinton a Fidel foi a montagem de uma operação ultrassecreta, posta em marcha semanas depois do jantar em Martha's Vineyard. Cercados de absoluta discrição, os contatos iniciais ficaram a cargo de um funcionário cubano e um norte-americano que se encontravam em corredores de supermercados, dentro de superlotados vagões de metrô ou em balcões da rede de lojas de café *espresso* Starbucks Coffee — sempre em Nova York, cidade em que três dezenas de diplomatas cubanos acreditados na ONU podem circular livremente. No final dos encontros, cada um dos negociadores entregava pessoalmente a seus superiores um relatório do andamento das conversações — do lado americano seis altos funcionários do Departamento de Estado, da CIA e do FBI, e, do cubano, um número igual de representantes do Ministério das Relações Exteriores e do DSE, Departamento de Segurança do Estado, órgão do Ministério do Interior que congrega os serviços secretos de Cuba. As principais dificuldades para chegar a um acordo residiam na insistência de cada uma das partes em incluir no documento exigências paralelas. Quando Cuba propunha que fossem suspensas as transmissões de rádio de Miami captadas na Ilha, o representante americano retrucava que a Constituição de seu país assegurava a liberdade de expressão e o assunto não poderia ser objeto de discussão. Se o negociador dos Estados Unidos pretendia incluir dissidentes presos entre os candidatos a vistos de saída, ouvia como resposta que não havia presos políticos em seu país, mas pessoas condenadas por crimes comuns. Ao cabo de dez semanas de negociações, os dois lados concluíram que era chegada a hora de se encontrarem os doze oficiais dos dois países que redigiriam a minuta do acordo migratório a ser submetida aos presidentes Bill Clinton e Fidel Castro.

Mas ainda restava um obstáculo: como e onde reunir secretamente doze funcionários do mais alto nível, seis americanos e seis cubanos? Nem mesmo em momentos críticos das relações entre os dois países, como a chamada Crise dos Mísseis, em outubro de 1962, quando o mundo esteve à beira de uma guerra nuclear, um número tão grande e tão qualificado de representantes desses governos havia estado frente a frente. Os dois lados sabiam que, se a notícia do encontro vazasse, os falcões do governo dos Estados Unidos e as organizações anticastristas da Flórida — ambos interessados na manutenção da crise dos balseiros como forma de fragilizar o governo cubano — sairiam a campo para abortar a operação. Os dois territórios, portanto, estavam fora de cogitação. E, se as reuniões fossem realizadas em outro país, isso teria que ser feito clandestinamente, sem que o governo local fosse informado.

Sugerida não se sabe por qual das partes, a insólita solução para o problema só surgiria em meados de agosto. No mês seguinte foram reservadas por uma semana as seis suítes do pequeno e elegante hotel L'un et L'autre, cujas diárias custavam 270 dólares. Situado a meio caminho do parque La Fontaine e do porto velho da cidade de Montreal, no Canadá, a menos de cinquenta quilômetros da fronteira com os Estados Unidos, o hotel integrava o circuito turístico gay chique internacional. Numa sexta-feira de setembro de 1994 o L'un et L'autre recebeu seis discretos "casais" de homens — seis cubanos e seis norte-americanos — que lá permaneceram durante os dias seguintes decidindo o destino dos imigrantes cubanos.

Semanas depois René leu no *Miami Herald* a notícia da assinatura do novo acordo migratório, que podia ser resumido em quatro pontos básicos:

> Fica proibida pelo governo dos EUA a entrada de imigrantes ilegais no país; os que forem resgatados no mar serão levados a refúgios fora dos Estados Unidos.

> O governo de Cuba, por sua parte, tomará medidas para impedir as saídas inseguras, usando fundamentalmente métodos persuasivos.
>
> Ambos os governos se comprometem a impedir o transporte ilícito de pessoas com destino aos Estados Unidos, assim como a impedir o uso de violência por parte de toda pessoa que pretenda chegar ou que chegue aos Estados Unidos vinda de Cuba mediante o desvio forçado de aeronaves e embarcações.

O trecho que mais interessava ao piloto cubano — a porta pela qual Olga e Irmita entrariam em Miami — só aparecia nas últimas palavras do documento:

> Os Estados Unidos estabelecem que a imigração legal total de Cuba aos EUA passará a ser de um mínimo de 20 mil cubanos por ano, não incluídos nesse número os parentes imediatos de cidadãos norte-americanos, os quais receberão tratamento prioritário.

O comunicado informava também que estavam marcadas novas rodadas de negociações entre os dois governos para tentar solucionar os pontos de discórdia das duas delegações. Como já não havia necessidade de manter segredo, as futuras reuniões se realizariam em Washington e Havana, alternadamente. Basicamente os Estados Unidos não concordavam em proibir as transmissões de rádio de Miami captadas em Cuba que continuavam a estimular as saídas ilegais. E os cubanos fincavam pé em dois pontos: não aceitavam que a base de Guantánamo fosse utilizada como "refúgio fora dos Estados Unidos", para onde seriam levadas as pessoas resgatadas no mar — afinal, tratava-se de um enclave dentro do seu território, cuja posse Cuba nunca deixara de reclamar. Estava também fora de cogitação a demanda dos Estados Unidos de repatriação de mais uma leva dos chamados *excluíveis*, os tais loucos e delinquentes embarcados rumo a Miami na crise migratória de Mariel. No final das novas rodadas, só uma dessas pendências seria solucionada: os EUA aceitaram a ponderação de Cuba e os balseiros resgatados no mar depois da assinatura do acordo passaram a ser instalados em Camp Carmichael, uma desativada base britânica situada na capital das Bahamas, Nassau.

Enquanto René festejava silenciosamente o novo acordo, este foi recebido pelas organizações anticastristas como uma declaração de guerra do governo Clinton. O deputado Lincoln Diaz-Balart ocupou a tribuna da Câmara para condenar o acordo e afirmar que não se surpreendia com a insensibilidade do governo para com o exílio cubano. "Essa falta de solidariedade com o povo cubano existe há muitos anos", disse o republicano, "mas, apesar da administração Clinton, a república e a democracia serão restabelecidas em Cuba." Sempre sob forte influência da comunidade cubana, a imprensa do sul da Flórida acusava a Casa Branca de ser "leniente com uma ditadura comunista" e previa que o Partido Democrata iria receber o troco nas eleições de 1996, quando Clinton tentaria se reeleger presidente. Analistas políticos asseguravam que o acordo seria também uma pá de cal nos planos da secretária de Justiça, Janet Reno, de se candidatar ao governo da Flórida. Um dos mais exaltados ativistas da campanha antiacordo era Juan Pablo Roque, que em várias ocasiões viajou para Washington com grupos de exilados para carregar cartazes em passeatas de protesto diante da Casa Branca.

O encarregado de explicar as medidas e diminuir o impacto negativo delas entre os líderes da comunidade cubana foi Richard Nuccio, subsecretário de Estado para Assuntos Cubanos (Cuba é o único país a desfrutar do duvidoso privilégio de ter uma subsecretaria exclusiva para si no Departamento de Estado). Em debates com os grupos de exilados em Miami o funcionário afirmou que a política da administração Clinton para Cuba podia ser resumida em duas palavras: "pressão e contato". Para afastar a pecha de excessiva tolerância com a Revolução Cubana e tirar a Casa Branca da mira da comunidade cubana, Nuccio acusou a América Latina de cumplicidade com Fidel Castro. "Muitos governos latino-americanos nunca disseram claramente que desejam promover uma transição democrática em Cuba", declarou num debate no hotel Biltmore, em Coral Gables. "Isso, sim, é lamentável."

A agressiva reação da comunidade cubana tinha uma explicação objetiva. Desde a crise de 1980, quando os balseiros se tornaram parte integrante das relações entre os Estados Unidos e Cuba, montar na Flórida uma organização anticastrista "humanitária e sem fins lucrativos", como todas se apresentavam, convertera-se num rendoso negócio. Sob o olhar conivente das autoridades, movimentavam-se fortunas, sem nenhum controle ou fiscalização externa. Colocar sob suspeita as contas, a origem ou a destinação do dinheiro de grupos que lutavam contra o comunismo era uma heresia que automaticamente transformava o acusador em "agente de Fidel Castro".

Nem mesmo o *The New York Times* escaparia. Quando publicou uma série de entrevistas com o arqui-inimigo da Revolução Cubana Luis Posada Carriles, nas quais este fazia escandalosas revelações sobre as relações das organizações anticastristas com o terrorismo, o jornalista Larry Rohter, então chefe da sucursal do *NYT* em Miami, sentiu de perto o bafo mafioso do anticastrismo. No dia em que saiu publicada a primeira reportagem, o telefone de Rohter não parou. Vozes com sotaque cubano repetiam a mesma ameaça:

— *Ei, comunista, tenga cuidado. Te estamos mirando!*

Outras chamadas o acusavam de ser "o novo Herbert Matthews", uma referência ao autor da primeira grande entrevista dada por Fidel Castro ao *Times* em 1957, ainda na Sierra Maestra. O responsável pela matéria, o jornalista Matthews, fora fustigado pela comunidade cubana, acusado de vender à opinião pública mundial um retrato heroico e endeusado do líder revolucionário. Não deixava de ser irônico que se tentasse colar a pecha de filo-castrista em alguém como Rohter, que em 1980, durante a "crise de Mariel", fora colocado num avião e expulso de Cuba por ter escrito na revista *Newsweek*, onde trabalhava, uma reportagem que desagradara os dirigentes cubanos. Em 2004 ele correria novamente o risco de expulsão, dessa vez do Brasil, por assinar no *NYT* uma polêmica reportagem intitulada "Hábito de beber de Lula se torna preocupação nacional".

Indiferente às intimidações, o jornal continuou publicando a série com Posada Carriles, que Rohter escrevera a quatro mãos com sua colega Ann Louise Bardach. A caminho do trabalho, o jornalista sintonizava o rádio do carro em estações radicais, como a Radio Mambí e La Voz de la Esperanza, mas não levava a sério as ameaças que ouvia. "Confesso que eu achava que não fariam nada contra mim, e que aquela reação era um negócio meio folclórico, um pouco do que eles chamam de *la farándula* cubana", recordaria Rohter muitos anos depois. "Apenas para tranquilizar minha mulher e meus dois filhos pequenos, mudei o número do telefone de casa." No dia em que saiu a terceira reportagem da série, ele conversava à noite com a esposa num jardim interno de sua residência, em Pinecrest, ao sul de Miami, quando ouviu um estrondo vindo da rua. Saiu a tempo de ver escapar em alta velocidade o carro de onde partira um tiro de escopeta que abrira um rombo na porta da casa. Preocupado sobretudo com a segurança da mulher e das crianças, comunicou o fato ao jornal e deu queixa à polícia, que postou uma escolta com dois guardas armados na entrada da casa dele. Mas insistiu com seus superiores em que as reportagens deveriam ser publicadas normalmente. Dois dias depois do tiro, Rohter entrou no estacionamento do Biscayne Boulevard, ao lado da sucursal do jornal, e notou que o vidro da porta do motorista do seu carro estava entreaberto. Sentiu-se meio ridículo ao imaginar que, como nos filmes poli-

Em entrevista coletiva, Jorge Mas Junior (acima, de terno escuro), filho do líder anticastrista Jorge Mas Canosa, bate boca com o jornalista Larry Rohter (abaixo), do *New York Times*. Depois de escrever sobre a comunidade cubana na Flórida, Rohter sofreu ameaças de morte, teve a casa metralhada e os cabos dos freios do carro cortados.

ciais, o carro iria voar pelos ares no momento em que ligasse a ignição. Deu partida e não aconteceu nada. Engatou marcha a ré para manobrar e, quando pisou no freio, o pé afundou e o Chevy verde se estatelou contra o veículo parado metros atrás. Um breve exame feito ali mesmo comprovou que os cabos dos freios das quatro rodas tinham sido cortados com alicate. Só então ele entendeu o enigmático significado da caneta partida no meio que havia sido deixada sobre o banco do passageiro. Assim como a Camorra italiana deposita um peixe embrulhado em jornal na porta da casa de uma futura vítima, a máfia cubana avisava que poderia quebrá-lo ao meio se continuasse a denunciar as atividades das organizações anticastristas.

Embora a maioria desses grupos de oposição radical da Flórida tenha entrado em decadência depois das mudanças na política migratória, a Hermanos talvez seja o retrato mais eloquente do duro golpe que os novos acordos representaram para a extrema direita do exílio cubano. Sem balseiros para recolher, a organização viu minguar da noite para o dia as doações de empresários e de instituições como a Fundação Nacional Cubano-Americana. O número anual de voos, cerca de 2 mil no auge da crise dos balseiros, caiu para menos de duzentos. O orçamento do grupo experimentou queda proporcional, passando de 1,5 milhão de dólares, em 1993, para pouco mais de 300 mil dólares depois dos acordos. Quando a Justiça da Flórida abriu as contas da organização, descobriu-se que todos os seus dirigentes, a começar por José Basulto, recebiam altos salários mensais e verbas de representação. Um dos balanços da Hermanos revelou que Basulto chegara a receber de uma só vez 40 mil dólares a título de reembolso de despesas com alimentação. Os documentos mostravam também que o avião Cessna 2506 que Basulto alardeava ter doado à instituição havia sido na verdade vendido por ele à Hermanos por 64 mil dólares. Agora, a única justificativa da organização para obter recursos do governo americano e continuar passando o chapéu entre os milionários da comunidade era manter os aviões no ar, mas apenas para atividades políticas, invasões do espaço aéreo, provocações e financiamento a mercenários que se dispusessem a realizar atentados a bomba contra alvos turísticos na Ilha.

4

O CUBANO GERARDO HERNÁNDEZ ABANDONA A CARREIRA DIPLOMÁTICA, MUDA DE IDENTIDADE E DESEMBARCA EM MIAMI COMO O PORTO-RIQUENHO MANUEL VIRAMÓNTEZ

A drástica redução das operações das "organizações humanitárias" acabou afetando a vida e mudando a rotina diária tanto de Roque como de René. Este teve de novo que sair à procura de bicos para reforçar o orçamento doméstico. Pensou em fazer uma especialização que o habilitaria a pilotar jatos gigantes, como o DC-10, o que lhe permitiria buscar emprego nas grandes empresas aéreas dos Estados Unidos, mas abandonou a ideia ao saber que precisaria desembolsar inalcançáveis 6 mil dólares para frequentar o curso. Roque voltou a ser personal trainer, e assim passou a dispor de tempo para escrever o livro de memórias. Depois de vários adiamentos, ele e a namorada, Margarita, tinham decidido se casar no começo do ano seguinte. Batizada de "o casamento da década" pela imprensa de futilidades, a boda finalmente se concretizou num ensolarado domingo, 1º de abril de 1995, Dia da Mentira em diversos países mas que nos Estados Unidos é celebrado como o Dia dos Inocentes. Os noivos haviam escolhido um cenário hollywoodiano: a University Baptist Church, uma elegante igrejinha protestante cor-de-rosa, em estilo colonial americano, pousada em meio a casarões de luxo no umbigo de Coral Gables. Os personagens presentes à cerimônia também pareciam saídos de um roteiro de cinema. A indumentária masculina variava entre as camisas *guayabera* brancas, engomadas e com as mangas compridas abotoadas até o punho, e faiscantes ternos de tropical inglês. A unanimidade entre os acessórios masculinos eram os anéis, com pedras enormes e que às vezes apareciam aos pares ou em trincas numa só mão. Mulheres circulavam cobertas por vestidos Dior e Chanel aparentemente legítimos. Rolos de fumaça branca subiam ao céu, exalados pela profusão de charutos presos aos dedos de políticos, banqueiros, empresários e de herdeiros de grandes destilarias. Com eles confraternizavam mercenários e terroristas confessos — mas todo mundo de paletó e gravata, ou pelo menos de *guayabera* — e dirigentes das principais organizações anticastristas, entre os quais se podia ver outro desertor ilustre, o general Rafael del Pino, que em maio de 1987 fugira com a família a bordo de um Cessna 402. A cada meia hora o canal 51 punha no ar chamadas ao vivo, anunciando para as onze da noite a cobertura completa da cerimônia.

Na hora marcada o Mercedes-Benz preto que transportava os noivos abriu caminho vagarosamente entre os convidados. Pálida e levemente roliça, usando um grosso colar de pérolas, a noiva parecia virginal em seu longo vestido branco. Tinha os cabelos presos no alto da cabeça, num coque amarrado por uma fieira de pérolas do tamanho de bolas de gude. Roque era a encarnação do príncipe encantado dos filmes de amor, sobretudo os da Flórida: era um herói bonito, musculoso, bronzeado e anticomunista. O noivo preferiu casar de fraque. Pouco dado a sorrisos, lá estava ele, ereto e marcial, envergando um paletó do tipo cauda de pinguim, colete pérola, camisa e gravata-borboleta brancas. Na lapela esquerda do paletó do fraque havia sido colocado um cravo branco e no bolso superior aparecia a ponta de um lenço de seda cor de pérola. Não importava que tudo, até o lenço, como ele revelaria muito tempo depois, tivesse que ser devolvido dali a 24 horas à loja de aluguel de roupas. O certo era que, ao menos a julgar pelas aparências, aquele merecia mesmo o título de "casal da década".

A cerimônia foi curta. Ajoelhados um de frente para o outro sobre genuflexórios cobertos por almofadas de renda, olhos nos olhos, Margarita e Juan Pablo ouviram o breve sermão com que o pastor abençoava a união. Declarados marido e mulher, saíram em caravana automobilística capitaneada por Roque na direção de seu Toyota Corolla (veículo comprado de segunda mão, conforme diria o noivo) todo pichado e com latas vazias amarradas nos para-choques. A festa foi oferecida pelo milionário Luis Alexander. Luis, cabelos grisalhos, discreto, meia-idade, dono de bancos, redes de hospitais e de uma miríade de empresas, e sua mulher, Matilde, têm o que os colunistas sociais, abundantes nos jornais da colônia cubana, chamam de "o mais cobiçado endereço da Flórida". Palco de recepções da aristocracia cubana, o casarão dos Alexander é parada obrigatória de todo figurão comprometido com o fim da Revolução Cubana que passe pela cidade. Festejado como "um dos grandes ícones do exílio histórico", "paladino da democracia" e "lutador pela libertação de Cuba", naquele domingo ele abria as portas de sua mansão em South Miami para que a nata do anticastrismo celebrasse o casamento de Roque e Margarita. De paletó e gravata, num canto do salão principal, René viu os noivos saírem bailando ao som do bolero "Contigo en la distancia", cantado pelo porto-riquenho Luis Miguel. Após as primeiras evoluções Roque passou a noiva para o padrinho do casal, o sorridente José Basulto, continuar a dança. Para a noite de núpcias foi reservada a suíte presidencial do hotel Hyatt Regency de Coral Gables. O casal dançou até a madrugada na boate Alcazaba, no térreo do hotel, e dormiu até as onze horas do dia seguinte. Depois do café da manhã os dois foram para o aeroporto de Tamiami, onde Guillermo Lares entregou a Roque as chaves de um bimotor Piper Aztec para o noivo pilotar até Andros Island, pequeno paraíso em meio ao arquipélago das Bahamas, onde permaneceriam quatro dias. "Que idílico, que romântico", recordaria Margarita muitos anos mais tarde, "que meu marido, como um Pégaso, me levasse para a nossa lua de mel voando entre as nuvens."

A vida de fato parecia sorrir para o casal. Menos de seis meses depois do casamento, eles resolveram dar uma grande festa para

A televisão faz chamadas
para a cobertura do casamento
do piloto Juan Pablo Roque
com Ana Margarita Martínez.
Como manda a tradição,
o noivo entrega a noiva
ao padrinho, José Basulto,
para a primeira dança.

celebrar três acontecimentos: a decisão de terem um filho, os quarenta anos de Roque e o lançamento de *Desertor*, o livro escrito por ele. Com pouco mais de 140 páginas, compostas em letras de corpo minúsculo, a obra, toda na primeira pessoa, fazia um relato minucioso da vida do autor desde o nascimento, em 1955, em Havana, até a chegada a Miami, após a aventurosa travessia a nado da baía de Guantánamo. Dos quatro autores das frases publicadas na contracapa do volume, pelo menos dois — José Basulto e a radialista Ninoska Pérez Castellón — seriam presos sob a acusação de terrorismo se pusessem os pés em Havana. Os outros dois eram um professor universitário e o general Rafael del Pino. É possível que não seja mera casualidade o fato de a Fundação Nacional Cubano-Americana, editora do livro, ter dado a ele acabamento tão modesto, quase artesanal, com papel de qualidade inferior e impressão grosseira. O conteúdo de *Desertor* parecia muito aquém do prometido livro-bomba de um oficial superior da Força Aérea cubana. Não se tratava de um mau livro, mesmo sendo o autor alguém mais familiarizado com o manche de um MiG-23 do que com o teclado de um computador. Mas era um relato com muita opinião e pouca informação, sem bastidores do poder em Cuba nem revelações importantes. Nele, Roque sustentava que eram falsas as acusações de envolvimento com o narcotráfico feitas ao general Ochoa, cujo julgamento qualificava de "espetáculo"; denunciava a existência de privilégios entre as altas patentes militares; afirmava que qualquer divergência política por parte da jovem oficialidade cubana era vista pelos superiores como "*cosa de maricón y marijuanero*". Toda vez que se referia à guerra econômica dos Estados Unidos contra seu país, escrevia a palavra "bloqueio" assim, entre aspas. Um capítulo era dedicado a fazer a caveira de uma estrela decadente da política cubana, Carlos Aldana, que durante anos dirigira o Departamento Ideológico do Comitê Central do PC cubano e chegara a ser considerado "o número três" na hierarquia do poder, atrás apenas de Fidel e

Raúl Castro. Três anos antes Aldana fora destituído de seu cargo e mandado para a chefia de um hospital militar no interior do país. Outro personagem tratado com dureza no livro de Roque era o então chanceler de Cuba, *Robertico* Robaina, um jovem egresso das filas da Juventude Comunista e que aos 27 anos fora nomeado ministro das Relações Exteriores. O relato era encerrado com uma profissão de fé no capitalismo:

> Dias depois de chegar a Miami, me surpreendi com este país imenso, criticado e pessimamente avaliado pelo governo do meu país. Pela primeira vez eu via a pessoa poder escolher entre lutar pelo triunfo e conformar-se com um mínimo. Pude compreender, sinceramente, o significado da democracia. Pude entender o que nos levou ao abismo marxista do fidelismo, ao socialismo tropical banhado e inoculado com padrões de vida opostos ao direito de ser livre.

Mesmo sendo visível que *Desertor* não iria derrubar o governo de Cuba, o lançamento do livro converteu-se numa festança que mais uma vez arregimentou o glacê do anticastrismo. No salão nobre do hotel Omni Colonnade, em Coral Gables, garçons serviam vinho e champanhe às centenas de convidados, à espera de que o autor chegasse. A caminho do hotel, Margarita, que ia ao lado de Roque no carro, quis saber por que o marido parecia tenso e silencioso, num dia só de bons augúrios. Ele inventou uma desculpa:

— Não é nada. Estou apenas preocupado porque me disseram que pode haver alguma manifestação contra mim, na porta do hotel. Estão prevendo alguma coisa organizada pela Brigada Antonio Maceo, um grupo pró-diálogo com Cuba.

Ao contrário, a calçada sob o toldo verde que percorre toda a fachada do hotel estava repleta de repórteres, fotógrafos e cinegrafistas. A grande surpresa, na verdade, o esperava na porta de entrada, de braços abertos: ninguém menos que Jorge Mas Canosa. Em pessoa ali estava o presidente da FNCA, o chefe de todos os chefes, a unanimidade do exílio como nome para suceder a Fidel Castro numa hipotética "Cuba livre e democrática". Tratado por todos com mesuras e salamaleques só oferecidos a chefes de Estado, Mas Canosa passou a se sentir e a se comportar como um deles. Sua presença no lançamento do livro de Roque, por exemplo, não era apenas uma homenagem ao autor, mas também uma forma de desmentir fisicamente, diante das câmeras de TV — como costumam fazer alguns governantes —, os boatos de que estava com graves problemas de saúde. O poderoso cacique de Miami era ladeado por José Basulto e pelo general Rafael del Pino. De terno azul-marinho e gravata xadrez, e sempre de mãos dadas com a esposa, Roque caminhou sob aplausos até a tribuna montada no palco e cumpriu o ritual das noites de autógrafos: fez os agradecimentos de praxe, abriu o livro ao acaso, leu algumas páginas e em seguida enfrentou uma fila de leitores que saía pela porta da frente do hotel e virava a esquina do Boulevard Ponce de León. Só depois de assinar o último exemplar é que ele se dirigiu com Margarita ao restaurante francês Le Festival, para onde já tinha ido um grande grupo de amigos. Agora era ela que parecia emburrada. Ante a insistência do marido, confessou que estava sentida com ele:

— Não quero estragar seu aniversário com isto, mas você agradeceu a mais de dez pessoas e não fez uma única referência a meu nome...

Roque apertou a mão dela com força e respondeu sem virar o rosto, olhando para o trânsito:

— Não foi esquecimento. Esse é um livro muito político, Anita. Não quero seu nome associado a ele.

Não parecia uma justificativa convincente, mas a alegria e a acolhida carinhosa no restaurante fizeram-na esquecer o incidente. Os casais se espalharam pela enorme mesa reservada semanas antes e, enquanto os demais escolhiam o jantar nos cardápios, Margarita correu os olhos em diagonal no exemplar de *Desertor* que tinha nas mãos, folheou até o fim, voltou às primeiras páginas e percebeu que também no livro ela fora esquecida. Mais que isso: nas duas únicas fotos em que aparece, uma com Roque e Mas Canosa, em Miami, outra com o marido numa manifestação anti-Clinton, em Washington, seu nome não consta nas legendas. Sentiu-se desolada, mas já estava decidida a não azedar a festa do marido.

Passava das onze horas quando os dois voltaram para casa. Ela chegara ao final da noite sem tocar mais no assunto com Roque, mas o incômodo não a deixava dormir. Resolveu tirar proveito da insônia e matar a imensa curiosidade pelo conteúdo da obra, já que em nenhum momento ele lhe dera os originais para ler. Regulou a luz da cabeceira da cama de forma a não perturbar o sono do marido e avançou livro adentro. Leu aos saltos, pulando trechos e se fixando nas passagens que mais lhe interessavam. A penúltima página do livro trazia um parágrafo enigmático. No epílogo intitulado "Irmãos com o coração no meio do peito", o autor fazia uma homenagem à Hermanos e relembrava uma confraternização de pilotos da organização em Key West, após um dia de sobrevoos no estreito da Flórida:

> Horas mais tarde eu e meus companheiros compartilhávamos uma mesa de almoço. Que beleza de gente tínhamos ali! Que classe de homens estava aquele dia no aeroporto de Key West: capitão Danilo Paneca, homem-rã e ex-instrutor de paraquedismo na Academia Naval; major Pedro Delgado, engenheiro que havia dirigido o Departamento de Aeronáutica Civil de Cuba; Tony Márquez, piloto que fugiu com um Antonov 24 para as Bahamas; capitão René González, que dois anos antes da minha chegada desertou a bordo de um AN-2. E, claro, lá estavam José Basulto, Billy Schuss, Carlitos Tabernilla, Osvaldo Plá e outros irmãos...

O tratamento de capitão dado a René semeou novas dúvidas em sua cabeça. Palavra de duplo significado em castelhano, *capitão* tanto pode referir-se à patente militar quanto à denominação dos comandantes de embarcações e aeronaves. Seria René um militar, como Roque? Que mistério havia ali? E por que Roque haveria de não querer associar o nome dela ao livro? No dia em que anunciou que tinha decidido ficar grávida, Ana Margarita começou a desconfiar do seu falso Richard Gere, do príncipe encantado que escolhera para ser pai do seu filho.

O sentimento que a deixara desnorteada não era exatamente uma novidade em meio à população cubana do sul da Flórida. Desconfiar de tudo e de todos, em Miami, nunca foi um pecado capital. O ambiente de suspeita mútua, existente desde o nascimento da diáspora, no começo dos anos 60, se convertera numa espécie de paranoia coletiva após o desembarque dos 130 mil *marielitos*, em 1980. Bastava alguém se apresentar nas reuniões de alguma organização como um "anticastrista vertical" — expressão utilizada pelos que juravam jamais se curvar às ameaças do comunismo — para ser visto com redobrada cautela pelos veteranos do exílio. Nem mesmo ícones da luta anti-Castro, como José Basulto, conseguiam passar incólumes pelos sussurros vindos das mesas de dominó e dos balcões dos bares da Little Havana, segundo os quais o insuperável índice de fracassos das ações de Basulto tinha uma única explicação: o líder da Hermanos também seria um agente castrista. Ao longo dos anos a comunidade cubana de Miami deixara de se espantar quando descobria que militantes extremados, que se proclamavam dispostos a dar a vida para pôr fim à Revolução Cubana, não passavam de agentes de inteligência infiltrados por Havana. A novidade, dessa vez, era que os temores de Ana Margarita eram compartilhados não por seus compatriotas, mas pelo governo dos Estados Unidos.

Meses antes do casamento dela com Roque, um sorridente norte-americano de meia-idade, cabelos grisalhos e bochechas rosadas alugara uma quitinete mobiliada no quarto andar do número 8021 da avenida 149, no distrito de Kendall, a sudoeste de Miami. O pequeno imóvel fora escolhido por uma peculiaridade: de sua única janela era possível ver, até a olho nu, o que se passava no apartamento do outro lado da rua, onde vivia René González. O inquilino não pretendia mudar-se para a casa nova, mas transformá-la num SOC — sigla em inglês para Surveillance Operations Center, um Centro de Operações de Vigilância —, aquilo que o jargão policial chama vulgarmente de "montar uma campana". O americano bonachão, que utilizara nome e documentação falsos para efetuar a locação, era Mark d'Amico, experiente oficial do Esquadrão Antiterrorismo do FBI. Ao instalar-se em regime de tempo integral em Kendall, D'Amico dava os primeiros passos de uma operação secreta posta em prática pelo Departamento de Justiça dos Estados Unidos para investigar atividades clandestinas entre cubanos residentes na Flórida.

Durante as primeiras semanas se revezavam com ele na tocaia — realizada com o auxílio de poderosos binóculos, equipados com lentes capazes de permitir a visualização de imagens mesmo em completa escuridão — os agentes do FBI Julio Ball e Myron Broadwell, que registravam em blocos de papel todos os detalhes da rotina do cubano: a que horas saía de casa, quanto tempo ficava fora, a que horas retornava e o que fazia quando estava no apartamento. Para tranquilidade dos policiais, o dia a dia de René mudava muito pouco: ele acordava cedo, preparava o café da manhã, fazia algumas flexões num pequeno corredor entre a sala-quarto e a cozinha, descia à rua e corria durante quarenta minutos ao redor do prédio retangular, que ocupava um quarteirão inteiro. Voltava para casa, tomava uma ducha — quase sempre fria, para economizar energia —, passava meia hora diante de um microcomputador IBM 386 e aproximadamente às oito da manhã ia para o trabalho. O retorno acontecia entre oito e nove da noite, hora em que ele sentava diante do micro e de lá saía apenas para dormir após a meia-noite. Só depois de ter segurança sobre os horários de entrada e saída do dono da casa é que o FBI começou a fazer incursões dentro dela. Logo na primeira o telefone foi grampeado e aparelhos de escuta instalados nos dois cômodos. Enquanto um agente varejava o apartamento — sem arrombamentos ou violências, mas sempre com a ajuda de gazuas —, o outro controlava através do binóculo a porta de entrada do prédio invadido. Caso René quebrasse a rotina e decidisse voltar para casa antes da hora, o agente que monitorava a rua pelo binóculo teria tempo suficiente para alertar, por meio de um walkie-talkie, o colega que se encontrava lá dentro, para que este pudesse sair sem deixar vestígios ou suspeitas. Na maioria das vezes era D'Amico quem fazia o controle de dentro da quitinete alugada pelos policiais, ao passo que Ball e Broadwell se incumbiam de vistoriar o apartamento do vizinho. Cada canto, cada gaveta e cada armário era fotografado todos os dias. No final da varredura um hard disk era espetado no microcomputador do cubano, copiando todas as operações, envio e recebimento de mensagens realizados no dia anterior.

Foram necessárias poucas semanas de trabalho para que o FBI desvendasse o mistério que anos depois explodiria nas primeiras páginas dos jornais americanos: capitão das Forças Armadas Revolucionárias de Cuba, René era um agente de inteligência infiltrado pelo governo cubano nos Estados Unidos. Longe de ser um duro golpe assestado contra o comunismo, como a imprensa da Flórida havia festejado em 1990, o roubo do avião de treinamento no aeroporto de San Nicolás de Bari e a arriscada fuga do piloto rumo a Miami, quase sem gasolina, eram parte de uma operação minuciosamente planejada pelos homens do DSE, o Departamento de Segurança do Estado. A real identidade de René, no entanto, não fora tudo o que o FBI apurara. O que causou espanto às autoridades foi descobrir que ele era apenas parte de uma rede de falsos desertores espalhados pelo sul da Flórida —

todos eles, na realidade, agentes de inteligência preparados por Cuba para se infiltrar em organizações anticastristas nos Estados Unidos. E todos, a partir de então, passaram a ser mantidos sob rigorosa vigilância pelo FBI, com telefones grampeados e microfones instalados clandestinamente em suas casas. Assim como D'Amico, Ball e Broadwell se encarregavam do controle de René, outros quinze agentes já estavam campanados em cerca de dez endereços espalhados por Miami, Key West e Tampa.

Um espesso e impenetrável segredo deixaria uma pergunta sem resposta: que caminhos teria percorrido a polícia americana para chegar aos agentes secretos? Do lado cubano os oficiais do Departamento de Segurança do Estado juram não dispor de nenhum dado que ajude a desvendar o mistério. Em Miami o enigma permanece, já que o FBI se recusa a tornar pública qualquer informação além das cópias da farta correspondência trocada entre Havana e os agentes infiltrados na Flórida, material recolhido nos computadores do grupo. A leitura dessa papelada também não traz novas luzes nem permite suspeitar da existência de algum traidor entre eles ou, ainda, se o FBI teria chegado à rede graças a deslizes cometidos por algum dos cubanos. Como o primeiro documento confiscado pelo FBI data de dezembro de 1995, o que se pode afirmar com segurança é que a organização secreta operou durante pelo menos cinco anos, dos oito que permaneceu em atividade, sem que as autoridades americanas a descobrissem.

O certo é que a decisão de Havana de criar e instalar nos Estados Unidos uma rede de informantes nasceu logo depois do fim da União Soviética e, segundo um coronel da inteligência cubana, foi tomada "no mais alto nível de poder" — ou seja, com o conhecimento de Fidel Castro e de seu irmão, Raúl. A perspectiva de derrubar a Revolução Cubana pela asfixia econômica estimulou organizações do exílio a retomar as provocações contra Cuba e intensificar os atentados contra o turismo, a tábua de salvação que garantia a sobrevida do regime, tendo se convertido na maior fonte de receitas do país. A inexistência de relações entre os dois países deixava as autoridades cubanas de mãos atadas para qualquer iniciativa que pudesse estancar os ataques vindos de Miami. O rigor da vigilância nos portos e aeroportos por onde entravam estrangeiros foi reforçado, mas as medidas de segurança não podiam se converter num desconforto que estorvasse as viagens ou assustasse os milhares de turistas que diariamente chegavam de todo o mundo — menos dos Estados Unidos, país em que as viagens a Cuba são proibidas por lei. Enquanto decidiam de que modo enfrentar uma guerra desigual como aquela, os dirigentes cubanos viam subir as estatísticas dos atentados. O objetivo alardeado pelas lideranças anticastristas da Flórida era claro. "A opinião pública internacional precisa saber", repetiam em folhetos e entrevistas, "que é mais seguro fazer turismo na Bósnia-Herzegovina do que em Cuba."

De fato, desde o desmoronamento da URSS tinham sido realizados mais de trinta atentados contra hotéis, veículos de transporte de turistas e locais frequentados por estrangeiros. Graças a informações obtidas por seus serviços de inteligência, Cuba conseguira abortar vários planos terroristas, entre eles a tentativa de colocar novecentos gramas do explosivo plástico C-4 na famosa boate Tropicana, em Havana, que nas noites de espetáculo costuma receber cerca de mil visitantes. A complacência das autoridades americanas estimulava extremistas como Tony Bryant, líder do grupo Comandos L, a anunciar à imprensa de Miami sua disposição de continuar realizando ações violentas em Cuba para minar o turismo. Não havia duas, mas uma só alternativa para conter a onda de atentados: infiltrar agentes de inteligência nas organizações de extrema direita da Flórida e obter informações sobre as agressões no momento em que eram planejadas. E se tratava de uma operação de alto risco. As relutâncias de Havana em pôr em prática um plano tão ousado desapareceram com a intensificação dos ataques terroristas e as seguidas invasões das águas territoriais cubanas por embarcações saídas de Miami carregadas de armas e explosivos.

Os doze homens e duas mulheres selecionados para a tarefa eram muito jovens e quase todos tinham formação superior. Um dos mais velhos deles, René, acabara de completar 35 anos ao chegar aos Estados Unidos e era um dos poucos sem curso universitário. A maioria participara da Guerra de Angola e pelo menos sete deles, inclusive uma das mulheres, tinham patentes militares concedidas pelo Ministério do Interior. Uma delas repousava nos ombros do caçula do grupo, o bem-humorado tenente Gerardo Hernández, de 27 anos, comandante da operação e responsável pela transmissão a Havana do material coletado pelos demais oficiais e agentes de inteligência. As fachadas utilizadas pelos catorze tinham um ponto em comum: assim como René, todos eram "desertores" — alguns haviam abandonado seus postos em embaixadas ou consulados cubanos no exterior, outros se desligaram de missões científicas, esportivas ou econômicas em viagens e pediram asilo aos Estados Unidos. As falsas deserções e as reais atividades deles na Flórida eram consideradas informação ultrassecreta, que não fora compartilhada sequer com os familiares mais próximos, como pais, esposa e filhos. Todos eram cidadãos cubanos, ainda que três deles, como René, tivessem nascido nos Estados Unidos. Apenas um era divorciado. Sete eram casados, entre os quais as duas mulheres, cujos maridos, também agentes, faziam igualmente parte da Rede Vespa, nome com que o grupo fora batizado em Havana. O FBI sabia de todos esses detalhes, mas ainda faltava uma peça naquele quebra-cabeça: o FBI ignorava — e a princípio nem René sabia — que Juan Pablo Roque também era um infiltrado, um falso desertor. Tudo o que o piloto de MiGs fizera até então, da fuga por Guantánamo ao casamento com Ana Margarita, era parte do disfarce montado no velho prédio de Villa Marista, no centro da capital cubana, onde funcionam os serviços de inteligência de Cuba.

A presença do grupo na Flórida só iria adquirir ares de operação com a chegada do tenente Gerardo Hernández, ocorrida um ano e meio depois da fuga de René. Se dependesse de sua vocação, àquela altura ele deveria estar servindo no exterior não como agente secreto, mas como diplomata. Musculoso e quase totalmente calvo, apesar da pouca idade, Gerardo terminara o curso de relações internacionais na turma de julho de 1989 da Universidade de Havana, mas nem chegara a trabalhar na burocracia do Ministério das Relações Exteriores, primeiro passo da carreira. Entregou o diploma à jovem e bela esposa, Adriana O'Connor, de apenas dezoito anos, e apresentou-se como voluntário para lutar em Angola. Na noite de 14 de julho de 1989, véspera do primeiro aniversário do seu casamento, embarcou com outros noventa homens num caquético quadrimotor Bristol Britannia com destino à África. Ao contrário dos 300 mil cubanos que até então haviam lutado ao lado das tropas angolanas, Gerardo passaria somente um ano, e não três, no continente africano. Já estavam em vigor os acordos de paz firmados entre o presidente angolano José Eduardo dos Santos e o líder da Unita, Jonas Savimbi, sob o testemunho de dezoito chefes de Estado africanos, e a presença de tropas cubanas no front pacificado passara a ter um cunho meramente simbólico. Ao retornar a Cuba, em 1990, Gerardo alimentava os sonhos de poder iniciar, finalmente, sua carreira diplomática e de ter com Adriana o filho que planejavam desde o casamento. Mais uma vez o destino, no entanto, conspirava contra seus projetos pessoais. "Parece que despertei a atenção dos serviços cubanos de inteligência quando estive em Angola", ele se lembraria muitos anos depois, "porque, mal cheguei a Havana, já me propuseram a missão nos Estados Unidos." O oficial encarregado de seu recrutamento fora direto ao ponto, sem rodeios:

— Sabemos que você estudou com afinco para ser diplomata, chegou a receber o Diploma de Ouro na faculdade, mas não podemos mais conviver com os atentados. Ou acabamos com isso ou eles acabam com a nossa indústria turística. Precisamos nos infiltrar nas organizações criminosas de Miami e queremos colocar essa tarefa em suas mãos.

Tanto a carreira como o projeto de ter um bebê deveriam ser postergados. "Eu poderia ter dito que não, que preferia ser diplomata, mas nós, os cubanos que crescemos depois da Revolução, sabemos que as agressões vindas de Miami puseram o país em estado de guerra", ele diria mais tarde. "Não havia um só cubano que não tivesse sido vítima ou não conhecesse uma vítima do terrorismo. Minha vida ia ter que ser adiada mais uma vez." À esposa, Adriana, uma morena miúda, de cabeleira e fartas sobrancelhas negras, a quem chamava de Bonsai — "árvore miniaturizada", em japonês —, Gerardo deu como explicação o que lhe tinham recomendado em Villa Marista: ia passar alguns meses levantando dados em países latino-americanos para realizar sua tese de mestrado em política internacional. Mas a preparação de sua fachada ainda levaria algum tempo. Nos meses seguintes ele se dedicou a um minucioso processo de mudança de personalidade. Recebeu de seus novos chefes — agora estava oficialmente incorporado ao Serviço de Inteligência do Ministério do Interior — uma cartilha de vinte páginas de papel sulfite que sintetizava, em cerca de 7 mil palavras, detalhes da vida do personagem que teria que corporificar. Para chegar ao nome escolhido, agentes cubanos haviam realizado uma pesquisa no cemitério municipal de Cameron County, na fronteira do Texas com o México, em busca de algum defunto nascido mais ou menos na mesma época que Gerardo, para que a diferença de idade entre os dois não fosse muito grande. A escolha recaiu sobre Manuel Viramóntez, um garoto nascido poucos meses depois do cubano e que morrera de insuficiência respiratória aos três anos. De posse de uma certidão de nascimento do menino, fornecida pelo cartório de registros da cidade, foi possível montar toda a documentação que passaria a sustentar a fachada de Gerardo nos Estados Unidos.

Gerardo durante a Guerra de Angola (no alto da foto de bigode), e com a mulher, Adriana, em Havana (ao lado), antes de partir para a nova vida em Miami.

Nos seis meses seguintes, dedicou-se a ler e reler centenas, talvez milhares de vezes a falsa biografia criada para ele pelo Serviço de Inteligência cubano. Só ao se sentir com plena segurança é que propôs irem para a segunda fase, a dos interrogatórios. Nas intermináveis sessões de inquirição, que costumavam durar mais de vinte horas seguidas, atravessando noites, vários oficiais de inteligência se sucediam, repetindo a mesma pergunta dezenas de vezes, em busca de alguma contradição, de alguma resposta que permitisse suspeitas. O trabalho se iniciava às oito da manhã numa salinha fechada do complexo de Villa Marista e, salvo breves interrupções para refeições, não tinha hora para terminar. A curiosidade do primeiro oficial podia começar tanto da infância quanto de algum momento da maturidade de Manuel Viramóntez.

— Qual é seu nome?
— Manuel Viramóntez.
— Quem são seus pais?
— Pedro Viramóntez e Rosalina Viramóntez.
— Onde e quando você nasceu?
— Sou cidadão americano. Nasci em Cameron County, no Texas, no dia 26 de janeiro de 1967. Em 1970 meus pais voltaram a viver em Porto Rico, onde tinham nascido.
— Qual é o número do seu seguro social?
— É 584-82-5846.
— Qual é seu endereço atual em Porto Rico?
— Edifício Darlington, avenida Muñoz Rivera Boriqueña, apartamento 6-C, Rio Piedras.
— Qual é o código postal desse endereço?
— É o número 00925.
— E o número do telefone de sua casa?
— 765-8150.
— Descreva o edifício onde você mora.
— É um prédio branco de onze andares. No térreo funciona

uma estação de rádio de salsa chamada Radio Voz, cujas antenas ficam no telhado.

— Onde você trabalha?

— Numa empresa chamada B. Fernández & Hermanos, Inc.

— Onde ela está situada?

— Na rua Dr. Mario Julia, na Zona Industrial de Pueblo Viejo, em San Juan.

— Qual o número do telefone de lá?

— 797-7272.

— O que você faz lá?

— Sou encarregado de vendas.

— Qual é seu salário?

— Eu recebo nove dólares por hora, fixos, mais uma comissão. Tudo somado dá pouco mais de 2 mil dólares por mês.

— Onde você estudou?

— Sempre em San Juan. De 1972 a 1979 fiz o jardim de infância e depois cursei da primeira à sexta série na escola Eugenio María de Hostos, que fica na rua Constitution, entre Cojimar e Camaguey, em Hato Rey. O primeiro grau eu cursei, entre 1979 e 1982, na escola Rafael María de Labra, na Parada 18, Ponce de León, Santurce. De 1982 a 1985 fiz o segundo grau numa escola da University Gardens, entre Columbia e Georgetown, Rio Piedras. E nos anos de 1986 e 1987 fiz o curso técnico de marketing da faculdade York, que fica na rua 3, em Puerta de Tierra.

— Você se lembra do nome de algum professor, colega ou funcionário da escola Eugenio María de Hostos?

— Sim, de alguns. Dos professores lembro das senhoras Tillet e Rosa, que já eram bem velhinhas e devem estar aposentadas, e também de Margarita Cornejo, Manuel Miguez, Aydee Vazquez. Dos colegas de turma lembro de Vivian Espinosa, Edgardo Ramos, Miriam González, Francisco Wong. A diretora se chamava María Elena Bartoli e sua assistente, Lucy Delgado. Dos funcionários da manutenção me lembro de duas senhoras, conhecidas como Cuca e Amapola.

Embora aquela fosse uma identidade falsa, todos os nomes de pessoas, locais, ruas, prédios e estabelecimentos comerciais eram verdadeiros. Se alguém se desse ao trabalho de checar os dados fornecidos por Gerardo sobre a escola Eugenio María de Hostos, iria descobrir lá os registros dos antigos diretores, professores, alunos e funcionários relacionados nos interrogatórios. Cada documento, cada papel em poder de Gerardo tinha uma história. Caso alguma autoridade quisesse detalhes sobre como havia se associado à videolocadora Cine y Video, ele tinha a resposta na ponta da língua:

— Para me tornar sócio desse videoclube, cheguei ao estabelecimento na rua Magdalena, que cruza a avenida Ashford. A locadora tem duas portas de vidro e, para entrar, você tem de bater. Para alguém se tornar sócio, eles pedem alguma forma de identificação, podendo ser a carteira de habilitação, o título de eleitor etc. Eu apresentei minha carteira de habilitação. Para alugar filmes, você precisa apresentar o cartão de associado e pagar três dólares por um filme novo ou um lançamento.

Com a mesma riqueza de detalhes, ele teria como responder, se alguém lhe perguntasse, como e onde havia obtido a carteira de habilitação utilizada para se associar ao videoclube:

— Minha atual carteira de habilitação foi obtida como uma renovação, em setembro de 1990. Para obtê-la, fui ao Departamento de Transporte e Obras Públicas, localizado na antiga Base Naval, na avenida Fernández Juncos, em Miramar, Santurce. Ao chegar, fui até o balcão de informações, onde me deram um formulário e me explicaram como proceder. Apresentei os documentos e me disseram para aguardar, mas preferi pedir que a carteira de habilitação fosse enviada pelo correio para minha casa. Ela chegou uma semana depois.

Nada ficava sem resposta. Quando um oficial de inteligência quis saber detalhes da empresa em que trabalhava em San Juan, Gerardo não titubeou:

— Depois de me formar na faculdade York, a situação financeira de minha família permitiu-me aguardar até surgir um emprego que me agradasse. Por isso é que só em 1988 comecei a trabalhar como promotor de vendas na B. Fernández & Hermanos, Inc., uma distribuidora de suprimentos e bebidas.

Sete meses depois de receber a cartilha, Gerardo estava quase pronto para assumir a identidade de Manuel Viramóntez. Mas não bastava ser, era preciso falar como um nativo do único estado associado dos Estados Unidos. Ou seja, perder o sotaque cubano e incorporar as expressões idiomáticas, gírias e cacoetes de linguagem do espanhol falado em Porto Rico. Por sorte ele contava com uma vantagem inicial: assim como os *guajiros*, os caipiras cubanos, os porto-riquenhos engolem as consoantes das palavras terminadas em *ado*, *edo* e *ido*. Uns e outros, por exemplo, pronunciam *distinguío* em vez de *distinguido*, ou *disgustáo* em lugar de *disgustado*. Quando querem dizer que o peixe está salgado ("*el pescado está salado*"), tanto cubanos do interior quanto porto-riquenhos pronunciam "*el pecao está salao*". Além dessas coincidências idiomáticas, Gerardo aprendeu que, diferentemente do que acontece em Cuba, em Porto Rico *arrebatado* não significa "entusiasmado", mas "drogado"; que *xota* não é a forma vulgar de se referir à genitália feminina, mas alguém boquirroto, falastrão; que *pelado* não é sinônimo de "careca", mas uma pessoa sem dinheiro. Isso para não falar das centenas de estrangeirismos, desde os herdados de escravos iorubá, como *chévere*, corruptela de *ché egbéri* ("muito bom"), quanto do inglês, como *pana* ("amigo", vindo do inglês *partner*), *raitru* ("verdadeiro", originalmente *high true*) e *zafacón* ("lixeira", de *safety can*). No fim de 1991 estava terminada a lenta metamorfose que transformara Gerardo Hernández em Manuel Viramóntez. Encerrado o período de simulação, chegara finalmente a hora de mudar-se para os Estados Unidos e mergulhar nas entranhas do inimigo.

5

EM MEADOS DE 1995
A REDE VESPA
TEM TREZE AGENTES
CUBANOS INFILTRADOS EM
ORGANIZAÇÕES ANTICASTRISTAS.
MAS O FBI JÁ ESTÁ DE
OLHO NELES

De posse da documentação falsa, Gerardo tomou um avião em Havana rumo ao México, de onde embarcou para Memphis, no Tennessee, e de lá para Miami. Não despertou suspeita alguma nos aeroportos por onde passou. Em Miami morou durante três semanas num motel, enquanto lia anúncios classificados em jornais e visitava imobiliárias em busca de um imóvel compatível com o minguado orçamento estabelecido pelo QG de Villa Marista. A escolha recaiu sobre um quarto e sala no terceiro andar de um prédio de quatro pavimentos nas proximidades da praia de Sunny Isles, o início da tripa de terra que parece querer separar-se de Miami e só vai terminar na Ocean Drive, região onde se concentra o turismo endinheirado. As modestas dimensões do apartamento eram compensadas por um terracinho separado da sala por uma porta de vidro. A sacada oferecia a agradável vista das palmeiras verdes que decoravam a entrada do prédio e, a trinta metros de distância, do pequeno prédio de apartamentos no qual, alguns anos mais tarde, os agentes federais Ángel Berlinghieri, Vicente Rosado e José Orihuela passariam a controlar os movimentos dele. Com vinte anos de FBI, Rosado fazia parte do CART — Computer Analysis and Response Team —, departamento encarregado de analisar evidências produzidas por computadores. Depois de pechinchar muito, Gerardo-Viramóntez conseguiu que o proprietário Henry Raisman, também morador no prédio, baixasse o valor do aluguel mensal de 625 para 580 dólares, aí incluídos impostos e taxas de condomínio.

Além dos móveis estritamente necessários, a única aquisição para a casa nova foi o seu futuro instrumento de trabalho, um microcomputador. Acabou se decidindo por um equipamento com os mais modernos recursos — multimídia, placa gráfica de som e de vídeo, monitor Super VGA, fax-modem incorporado e quatro gigabytes de memória —, conjunto que lhe custou 3 mil dólares, o mesmo valor pago pelo carro que passaria a utilizar, um enorme e decadente Oldsmobile Delta com mais de dez anos de uso. A vida modesta se justificava não apenas pelo fato de que o orçamento era efetivamente curto. Pela fachada criada em Havana, Gerardo trabalharia como cartunista freelance de jornais, atividade em que ele de fato revelava algum talento mas cuja remuneração não permitia maiores extravagâncias.

Só no início de 1992 é que começaram a aportar na Flórida os demais agentes que iriam operar sob sua supervisão. Os primeiros a se apresentar a ele não provinham de Havana, mas de Nova York, e eram casados de verdade. Nilo Hernández, codinome *Manolo*, e sua mulher, Linda Hernández, a *Judith*, eram antigos funcionários da missão de Cuba na ONU e, segundo o ardil montado para eles pelos serviços de inteligência, haviam desertado do serviço diplomático anos antes e aberto em Nova York uma pequena empresa de exportação de instrumental médico e periféricos para computadores, cuja sede transferiram para Miami ao se incorporarem à Rede Vespa. Ambos tinham a patente de tenentes do Ministério do Interior e, embora fossem os dois mais velhos do grupo (ele tinha 38 anos e ela 35), na documentação secreta trocada com o chamado Centro Principal, em Havana, eram tratados como *os Juniores*. Poucos dias depois de se instalarem numa casa alugada a sudoeste de Miami, Nilo e Linda ouviram de Gerardo que sua missão seria infiltrar-se na Alpha 66, um dos mais antigos e agressivos grupos terroristas anticastristas da Flórida. Fundada em 1966 por Eloy Gutiérrez Menoyo, Andrés Nazário Sargén e Antonio Veciana Blanch, a organização tivera como pri-

A missão de Nilo Hernández, o *Manolo*, e sua mulher Linda, a *Judith* (acima), na Flórida: monitorar as atividades do grupo terrorista Alpha 66 (abaixo), cujos integrantes realizavam treinamentos militares nos arredores de Miami.

Ramón Labañino, o *Urso*.
O gigante de dois metros
de altura e 130 quilos,
economista e capitão
do Exército, era
o encarregado de vigiar
Orlando Bosch, considerado
o inimigo número um
da Revolução Cubana.

meiro grande patrocinador o milionário norte-americano Henry Luce, criador e proprietário da revista *Time*. Apesar de exibir um vasto histórico de violência e atentados, a Alpha 66 tinha existência legal, com registro oficial na prefeitura de Miami e sede em plena Calle Ocho, a mais movimentada da Little Havana.

Simultaneamente aos *Juniores*, novos agentes cubanos acampavam discreta e silenciosamente na Flórida. O seguinte foi Ramón Labañino Salazar — codinomes *Luis Medina*, *Allan* e *Urso* —, um gigante de grossos bigodes, dois metros de altura, 130 quilos e cara de bebê. Aos 29 anos de idade Ramón era economista, capitão do Exército cubano e um apaixonado por artes marciais, tendo obtido várias medalhas em torneios centro-americanos como lutador de caratê, esporte em que era faixa preta. Seguindo o script montado pelos serviços de inteligência, ele se mudara para Madri para trabalhar numa empresa cubana encarregada de comprar equipamentos hospitalares, de onde desertara, partindo para os Estados Unidos. Como nos demais casos, o segredo de sua missão não pudera ser compartilhado com ninguém, nem mesmo com sua mulher, Elisabeth Palmiero, com quem se casara um ano antes.

Em vez de ir direto para Miami, Ramón foi destacado para instalar-se em Tampa, no noroeste da Flórida. Embora a cidade não sediasse organizações anticastristas importantes, era lá que viviam os cabeças de alguns grupos ativos e perigosos, como José Enrique Cotera, lugar-tenente de Posada Carriles e veterano da baía dos Porcos, e Emilio Vázquez, que dirigia a sucursal local da Fundação Nacional Cubano-Americana. Mas o morador de Tampa que levara os órgãos de inteligência cubanos a destacar um quadro como Labañino para vigiá-lo se chamava Orlando Bosch, um homem cuja folha corrida era proporcional à estatura física do agente cubano. Segundo documentos oficiais divulgados pelo NSA, o Arquivo de Segurança Nacional, uma ONG de Washington, o pediatra aposentado, nascido em Havana em 1926, passara a colaborar com a CIA logo após a chegada de Fidel Castro ao poder.

Bosch, facilmente identificável por um melasma arroxeado que vai do lábio inferior à ponta do queixo, durante as investigações sobre o assassinato do presidente John Kennedy fora apontado como "o mulato que aparece sentado ao lado do homem de guarda-chuva" nas cenas do único filme existente sobre o crime, realizado pelo cinegrafista amador Abraham Zapruder. Sem nunca perder Cuba como seu alvo principal, nos anos 70 Bosch pôs-se a serviço da Junta Militar que derrubara o presidente chileno Salvador Allende, incorporando-se à *Operação Condor*, o complô organizado pelos serviços de inteligência das ditaduras militares da Argentina, do Chile, do Brasil, do Paraguai, do Uruguai e da Bolívia para perseguir, repatriar e até eliminar fisicamente oposicionistas desses governos. Nos três anos seguintes o nome do médico cubano seria associado a vários crimes cometidos pela organização. O primeiro deles foi o assassinato em Buenos Aires, em 1974, do ex-comandante das Forças Armadas do Chile, general Carlos Prats. Meses depois disso, as digitais do cubano apareceriam em Roma, no atentado a bala que deixou paraplégico o ex-senador Bernardo Leighton, vice-presidente no exílio do Partido Democrata Cristão do Chile. Bosch foi identificado também como um dos cabeças da operação ocorrida em Washington, em setembro de 1976, que tirou a vida do ex-chanceler chileno Orlando Letelier e de sua secretária, a norte-americana Ronni Moffitt. Os dois trafegavam pelo Sheridan Circle, uma pracinha arborizada situada a menos de vinte quarteirões da Casa Branca, quando uma bomba fez voar pelos ares o carro em que circulavam.

Sua folha corrida não terminava aí. Duas semanas depois, no dia 6 de outubro, quando a polícia de Washington ainda apurava a autoria das duas mortes, um DC-8 da Cubana de Aviación decolou de Georgetown, capital da República da Guiana, para um voo rumo a Havana com escalas previstas em Port of Spain (capital de Trinidad e Tobago), Bridgetown (capital de Barbados) e Kingston (capital da Jamaica). O aparelho transportava 75 pessoas, entre as quais vinte esgrimistas da equipe juvenil de Cuba, que acabara de ganhar todas as medalhas de ouro do Campeonato Centro-Americano, cinco jornalistas da Coreia do Norte e onze estudantes da República da Guiana que se preparavam para estudar medicina em Cuba. Entre os demais passageiros viajava o agente da CIA Hernán Ricardo Lozano, acompanhado de Freddy Lugo, ambos venezuelanos. Os dois desembarcaram na escala de Barbados, às quatro horas da tarde. Tomaram um táxi na porta do aeroporto de Seawell, passaram rapidamente pela embaixada dos Estados Unidos e se hospedaram no Hilton Hotel local, de onde fizeram uma chamada telefônica para os escritórios da empresa Icica — Investigações Comerciais e Industriais de Centro-América —, em Caracas, capital da Venezuela, para transmitir uma curta mensagem: "O serviço já foi feito". Do outro lado da linha estavam Orlando Bosch e o dono da Icica, Luis Posada Carriles. Às 17h15 o DC-8 deixou Bridgetown com destino à Jamaica, última escala antes do pouso em Havana. Oito minutos após a decolagem uma bomba explodiu no banheiro da cabine de passageiros. Transformado numa gigantesca bola de fogo, o aparelho mergulhou nas águas do Caribe, matando 62 passageiros e dez tripulantes.

Presos no dia seguinte, Lugo e Lozano confessaram a autoria do crime e revelaram à polícia de Barbados os nomes dos mandantes: Orlando Bosch e Luis Posada Carriles. Julgados em Caracas, Lozano e Lugo foram condenados a vinte anos de prisão. Posada Carriles passou nove anos encarcerado na Venezuela até que em 1985 fugiu da prisão de segurança máxima em que cumpria pena, reaparecendo meses depois em El Salvador, onde se juntou aos chamados Contra, grupos armados pela CIA para tentar derrubar o governo sandinista da Nicarágua. Orlando Bosch permaneceu na cadeia até 1987. Graças ao empenho do então embaixador dos Estados Unidos em Caracas, o cubano-americano Otto Reich, conseguiu ser deportado para Miami, onde deveria cumprir o restante da pena, mas acabou sendo libertado por

Orlando Bosch e Luis Posada Carriles
celebram a liberdade numa
festa em Miami. Entre dezenas de
outros crimes, pesa contra
os dois a acusação de derrubar
um avião cubano em pleno voo,
tirando a vida de 72 civis.

ordem do presidente George Bush. Ao ser entrevistado por um jornalista sobre o atentado de Barbados, Bosch deu uma resposta macabra. "Todos os aviões de Castro são aviões de guerra", disse ele. "Não havia inocentes entre os passageiros daquele voo." No ano 2000 Posada foi juntamente com os cubanos Gaspar Jiménez e Pedro Remón ao Panamá, onde planejavam matar Fidel Castro, que estaria no país para um encontro internacional. Presos e condenados, os três seriam indultados no último dia de governo da presidente panamenha Mireya Moscoso, em agosto de 2004, e postos em liberdade. A primeira autoridade a receber a notícia foi o embaixador americano no Panamá, Simón Ferro. Sem saber que a chamada estava sendo gravada clandestinamente — e que seria difundida mundialmente pela internet, anos depois —, Mireya Moscoso deixou uma mensagem de dez segundos de duração no celular do diplomata: "Aqui é a presidente para lhe informar que os cubanos foram indultados ontem à noite. Já deixaram o país rumo a Miami". Segundo se saberia mais tarde, o perdão teria custado 1 milhão de dólares, um helicóptero e um iate, propina paga à presidente pela Fundação Nacional Cubano-Americana.

Depois de Ramón Labañino foi a vez de incorporar-se à Rede Vespa mais um agente de origem norte-americana. Era Antonio *Tony* Guerrero, com 34 anos em 1992, 1,80 metro de estatura, magro, de rosto chupado e arcada dentária superior proeminente, como se manter a boca fechada lhe custasse algum esforço. Ele nascera em 1958 em Miami, mas, diferentemente de René, sua família não se exilara nos Estados Unidos fugindo da ditadura de Fulgencio Batista. O pai, de quem herdara nome e apelido, fora jogador amador de beisebol até ser descoberto em Havana, no começo dos anos 50, por um olheiro de ligas norte-americanas. Seu primeiro contrato profissional foi para jogar na cidade de Odesa, na fronteira do Texas com o Novo México, onde nasceria sua primeira filha, María Eugenia, em 1956. Mas a sua vida de jogador profissional seria curta. No início de 1958, quando atuava num time de Miami, Guerrero sofreu uma torcedura no pé esquerdo, cujo tratamento o deixou imobilizado por seis meses, com uma bota de gesso impedindo qualquer movimento sem o auxílio de muletas. Quando voltou aos campos, já não era o mesmo. Fez algumas tentativas de retomar o desempenho de antes, mas a carreira chegara ao fim. É nesse momento que ele e Mirta, que descobrira estar grávida, decidem realizar o projeto de que tinham cogitado em ocasiões anteriores: retornar a Cuba. Todas as vezes, porém, que consultavam um parente ou amigo cubano sobre o plano, ouviam a mesma resposta: "Não voltem! Isto aqui está pegando fogo!". Era a guerrilha liderada por Fidel Castro que chegava à capital do país. No dia 16 de outubro de 1958 Mirta se internou no Jackson Memorial, o megacomplexo hospitalar da Universidade de Miami, a poucas quadras da fronteira norte da Little Havana, para dar à luz o segundo filho, Tony. A despeito das advertências, no dia em que o bebê completou um mês de vida a família desembarcava em Cuba. O avião que os transportava teve que descer na cidade de Colúmbia, no interior do país, porque o aeroporto internacional José Martí havia passado algumas horas em poder dos rebeldes fidelistas. Tony ainda não fizera três meses quando Havana foi tomada pela revolução que trinta anos depois iria mandá-lo de volta à ajardinada cidade onde nascera.

Aos onze anos Tony viu o pai falecer, vitimado por um infarto. Aluno brilhante em todas as escolas por onde passou, em 1974 foi admitido na União dos Jovens Comunistas e cinco anos depois, ao terminar o pré-universitário, conquistou uma bolsa para estudar engenharia aeroportuária na Universidade de Kiev, na Ucrânia. Ao retornar a Cuba, trabalhou no setor de obras da Cubana de Aviación até ser escolhido para chefiar a ampliação do aeroporto Antonio Maceo, na cidade de Santiago, capital da província de Oriente, no extremo leste da Ilha. Quando chegou ao fim, em 1987, a obra foi inaugurada pessoalmente por Fidel Castro. Nessa época Tony já era pai de Antonio, um garoto de dois anos, mas o casamento com a *santiaguera* Delgys ia durar pouco. Em 1988, ao voltar a Havana sozinho e divorciado, foi recrutado pelo Ministério do Interior para trabalhar como agente de inteligência. Nos meses seguintes dedicou-se à chamada "preparação operacional", frequentando cursos de inteligência e contrainteligência, criação de disfarces e fachadas, inteligência visual, vigilância e contravigilância, criptografia, aprendendo medidas de sigilo e segurança, técnicas de entrevista com objetivo de recrutamento e métodos para ocultar informações em computadores ("Chess"), enviar informações por telefone ("Computel") e descriptografar mensagens secretas transmitidas por rádio ("Compurad").

No começo de 1990 foi destacado para sua primeira missão: juntar-se a um grupo de agentes cubanos que atuava no Panamá, país de importância estratégica por sua posição geográfica e por sediar o canal que interliga o oceano Atlântico e o Pacífico. O trabalho de Tony, segundo o que aparece em sua pouco elucidativa ficha funcional do Ministério do Interior, consistiria em buscar informações político-militares via rádio e inteligência visual, criar uma sub-rede de agentes de apoio, penetrar em instalações políticas e diplomáticas e levantar informações sobre grupos panamenhos considerados "especiais" pelo QG de Havana. Sempre utilizando seu nome real e a documentação de cidadão norte-americano, cumpriu passo a passo as orientações que recebera em Cuba: buscar e alugar um imóvel para morar, procurar um emprego que justificasse seus gastos e, se possível, tentar estabelecer relações amorosas com alguma panamenha como forma de facilitar sua aproximação a grupos locais e reforçar a fachada de imigrante norte-americano. A recomendação final acabou sendo a primeira a se realizar: um mês depois de chegar, o cubano já estava namorando Nícia Pérez Barreto, jovem filha de um empresário local, com a qual se casaria em outubro de 1991. Tony encontrou um Panamá no auge da efervescência política. Nos primeiros dias do ano fora deposto e preso por tropas norte-americanas o comandante da Guarda Nacional e governante de fato do país, general Manuel Noriega, acusado de tráfico de drogas pelo presidente George Bush, o mesmo que anos antes o recrutara para colaborar com a CIA. Levado à força para Miami, Noriega seria julgado e condenado a trinta anos de prisão.

Os registros de Tony no Ministério do Interior de Cuba não esclarecem muita coisa, mas sugerem que sua missão no Panamá — seja qual tenha sido — foi coroada de êxito, já que no início de 1992 ele seria elevado ao posto de agente especial, com a patente de subtenente. Junto com a notícia da promoção receberia uma nova tarefa: preparar a mudança do Panamá para os Estados Unidos com a esposa, então grávida de quatro meses, e incorporar-se à Rede Vespa, que começava a ser estruturada na Flórida. Diante da negativa de Nícia, que se recusava a separar-se da família, Tony não viu alternativa senão propor divórcio à mulher, que aceitou, aparentemente sem maiores problemas. Quando nasceu Gabriel Eduardo, o filho deles, no começo de 1993, o pai já estava vivendo nos Estados Unidos.

O roteiro inicial sugerido por Havana era o de sempre: arrumar um lugar para morar, procurar emprego e estabelecer relações afetivas com alguma mulher. Assim como ocorrera com Ramón Labañino, seu destino não seria Miami; Tony foi para Key West, cidade de 20 mil habitantes situada trezentos quilômetros ao sul de Miami e celebrizada por abrigar inúmeras comunidades homossexuais, peculiaridade visível pela profusão de bandeiras com as cores do arco-íris, símbolo do movimento gay, hasteadas em suas residências, bares, boates e clubes. A escolha da cidade pelos órgãos de inteligência cubanos não se devia, naturalmente, à sua condição de paraíso gay, mas à localização geográfica que fazia dela o ponto de partida ideal para os barcos e lanchas de

Tony Guerrero: do curso de engenharia aeroportuária em Kiev, na Ucrânia (acima), para as aulas de salsa na cidade de Key West, no sul da Flórida (ao lado).

organizações anticastristas que pretendessem invadir o território cubano. Edificada no ponto mais meridional dos Estados Unidos, Key West está a escassas noventa milhas de Havana — algo como a distância que separa São Paulo de Piracicaba ou o Rio de Janeiro de Juiz de Fora, em Minas Gerais. Além de ser local privilegiado para a vigilância do movimento de embarcações, a cidade permitia que qualquer pessoa controlasse, com o uso de binóculos, o momento em que eram acesas as luzes das antenas instaladas nos enormes balões dirigíveis que boiavam no ar, sobre o estreito da Flórida — antenas que transmitiam para Cuba os sinais tanto da rádio quanto da TV Martí. A utilização do dirigível fora a saída encontrada pelo Departamento de Estado para burlar a legislação americana que proíbe a geração, em território dos EUA, de sinais de áudio ou vídeo destinados a interferir na política de qualquer país. Nos primeiros anos a CIA transmitia a programação a partir de países amigos situados na América Central, como Honduras e El Salvador, mas as denúncias do governo cubano em organismos internacionais obrigaram Washington a fazer uso dos balões, que passaram a flutuar na terra de ninguém situada no espaço aéreo internacional que separa as duas nações.

Apesar de Tony levar na bagagem um diploma de engenheiro, seus passos iniciais nos Estados Unidos foram marcados pelas mesmas dificuldades enfrentadas por seus antecessores e pelos membros da Rede Vespa que viriam depois. Fez bicos como cortador de grama, consertador de cercas, eletricista, encanador e estoquista de um shopping center local até conseguir seu primeiro emprego com salário fixo no spa de um hotel da rede Days Inn, onde dava aulas de dança. Ou, mais precisamente, de salsa. As classes eram frequentadas majoritariamente por homens, muitos deles homossexuais, mas seriam as duas únicas mulheres matriculadas no curso que iriam mudar seu destino. A primeira era uma sedutora lourinha do tipo mignon, Margareth Becker, de olhos azuis e cabelos cortados no estilo Chanel, oito anos mais velha que ele. Vegetariana, zen-budista e praticante de ioga, Maggie, como era conhecida, deixara a família de classe média alta no estado da Pensilvânia para viver "em comunhão com a natureza" no paradisíaco extremo sul da Flórida. O que aconteceu entre eles foi um típico caso de amor à primeira vista. Logo que a conheceu, Tony passou a frequentar a simpática casinha branca, de madeira, como muitas da região de Key West, na qual ela vivia com o gato Tai-Chi e trabalhava como massagista.

A outra aluna era a também norte-americana Dalila Borrego, funcionária do Departamento de Recursos Humanos da base aeronaval de Boca Chica, a mesma em que René González pousara seu avião ao chegar aos Estados Unidos. Foi Dalila quem contou a Tony que o comando de Boca Chica tinha aberto inscrições para a contratação de pessoal civil. Não era o melhor emprego do mundo — as vagas oferecidas eram para faxineiros e trabalhadores braçais —, mas o cubano sabia que nos Estados Unidos pouco ou nada valia um diploma de engenheiro emitido na Ucrânia. E, além da garantia do emprego fixo, só mesmo um golpe de sorte poderia pôr um agente de inteligência de Cuba para trabalhar dentro de uma poderosa instalação militar norte-americana. Tony passou sem problema algum pelas entrevistas a que foi submetido — suas únicas dificuldades foram com o inglês, idioma que ainda não dominava com fluência. Logo em seguida o convocaram para se incorporar ao contingente de seiscentos servidores civis que trabalhavam na base aeronaval, dos quais 10% eram de origem cubana. Depois de vê-lo passar algumas semanas limpando vidraças e escovando pisos, seus superiores perceberam que o novato podia ser mais bem aproveitado e o promoveram a operador assistente de torno mecânico na oficina que funcionava no interior da base. A nova função não lhe dava acesso às áreas restritas ao pessoal militar, mas o modesto aumento salarial permitiu que abandonasse os bicos e as aulas de salsa e melhorasse um pouco o franciscano padrão de vida que levava desde a che-

Tony e Maggie, a namorada norte-americana, a casinha de madeira onde viviam em Key West e o dirigível com as antenas que levavam a Cuba os sinais da rádio e da TV Martí, criadas em 1985 por inspiração do então presidente Ronald Reagan.

gada. Para festejar, tomou um pequeno empréstimo bancário e comprou um Volkswagen Golf. Um carro usado, de segunda ou terceira mão, mas ainda em forma.

Aos poucos, no decorrer dos meses seguintes, foram chegando os membros restantes da Rede Vespa. Logo depois de Tony, mudou-se para Miami o subtenente Joseph Santos, um ruivo alto, magro, quase inteiramente calvo, de 34 anos. Filho de pais cubanos, ele nascera no final de 1960 na minúscula cidade de Weehawken, em Nova Jersey, onde viveu até os dois anos de idade, quando a família retornou a Cuba. Militante revolucionário desde jovem, formou-se em engenharia de automação na Universidade de Havana, onde conheceu a estudante de cibernética Amarilys Silvério, uma pequenina morena de cabelos crespos com quem se casaria logo após a graduação. Recrutados para trabalhar como agentes de inteligência, depois de quatro meses de preparação numa "casa de segurança" na cidade de Santa Clara ambos foram despachados para os Estados Unidos numa das muitas ondas migratórias e se instalaram em Nova Jersey — ele com o codinome de *Mario* e ela de *Julia*. Quando foi concebida a Rede Vespa, o casal recebeu ordens de Havana para se mudar para Miami, ocasião em que se atribuiu também a Amarilys a patente de subtenente. Enquanto o marido saía em campo em busca de um emprego, ela não demorou a conseguir uma vaga como recepcionista na clínica Peñalver, na Little Havana. Fechando o grupo, ao enxame se incorporariam, durante as semanas seguintes, mais quatro agentes cubanos, a respeito dos quais muito pouco se viria a saber, além dos nomes e respectivos codinomes: Ricardo Villarreal (*Rocco*, *Horácio*), Alejandro Alonso (*Franklin*), Remíjio Luna (*Remi*, *Marcelino*) e Alberto Manuel Ruiz (*Manny*, *Miguel*, *A-4*).

A rede funcionava sob a forma de uma pirâmide, cujo topo era ocupado por Gerardo-Viramóntez, para quem convergiam todos os informes e relatórios produzidos pelos demais. *Giro*, como

Gerardo Hernández
(*Manuel Viramóntez*,
Giro)

Ramón Labañino
(*Urso*, *Luis Medina*, *Allan*)

Fernando González
(*Rubén Campa*, *Vicky*, *Oscar*,
Camilo, *Hipólito González*)

René González
(*Castor*)

Antonio Guerrero
(*Tony*, *Llorient*)

Juan Pablo Roque
(*Germán*)

Alejandro Alonso
(*Franklin*)

A pirâmide da Rede Vespa

O grupo de catorze agentes de inteligência cubanos encarregados de monitorar organizações de extrema direita na Flórida era chefiado por Gerardo Hernández. Abaixo dele vinham cinco supervisores e na base da pirâmide operavam oito agentes de campo, responsáveis pelo levantamento das informações.

Alberto Manuel Ruiz (*Manny, Miguel, A-4*)

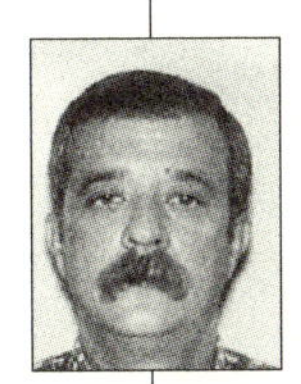

Ricardo Villarreal (*Rocco, Horácio*)

Remíjio Luna (*Remi, Marcelino*)

Nilo Hernández (*Manolo*)

Linda Hernández (*Judith*)

Joseph Santos (*Mario*)

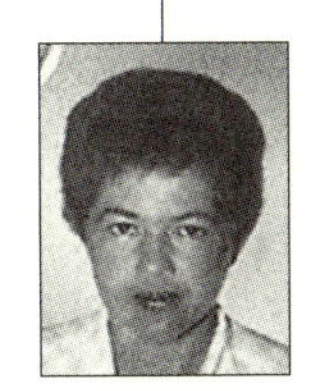

Amarilys Silvério (*Julia*)

Gerardo era conhecido em Cuba, era o responsável por receber, consolidar e resumir as informações e relatórios, criptografá-los com códigos previamente estabelecidos e enviá-los ao Centro Principal, em Cuba. De todo o grupo, era o único a comunicar--se com Havana. Como medida adicional de segurança, porém, nenhum dos agentes de campo tinha contato com ele, ou sequer sabia de sua existência. Logo abaixo dele vinham os supervisores encarregados de recolher e depositar em suas mãos o material levantado pelos agentes: Ramón Labañino, Ricardo Villarreal e Alberto Ruiz. Além de funcionarem como ponte entre Gerardo e os outros membros do grupo, os três realizavam trabalho de campo em busca de informações nos grupos anticastristas. Na base da pirâmide, responsáveis pelas infiltrações e pela produção dos informes, ficavam René, sempre tratado como *Castor*, seu nome de guerra, Roque, Tony Guerrero, Alejandro Alonso, Alberto Ruiz e os casais Nilo e Linda Hernández e Joseph Santos e Amarilys Silvério. A compartimentação da equipe era quase absoluta. Salvo os casos em que marido e mulher eram agentes, nenhum dos demais conhecia os colegas ou sabia da existência deles e nem mesmo tinha conhecimento de que fazia parte de um grupo. O contato de cada um se restringia a seu superior e nada mais. As únicas exceções eram René e Roque, que casualmente haviam se conhecido e se tornaram amigos, mas nenhum dos dois sabia que o outro também era agente de inteligência.

A recomendação expressa para que todos buscassem trabalho remunerado não se devia apenas à necessidade de dar verossimilhança às fachadas, mas principalmente à anemia de recursos de que Cuba padecia naquele período difícil, sobretudo quando se tratava de dólares. Longe da vida faustosa que as pessoas estão habituadas a ver em filmes como os de James Bond, o agente britânico criado pelo escritor Ian Fleming, os 007 cubanos passavam o tempo contando tostões. O orçamento disponibilizado por Havana para manter em funcionamento a Rede Vespa não chegava a 200 mil dólares anuais — aí incluída a manutenção de todos os agentes, seus aluguéis, gastos pessoais e operacionais. Metade desse dinheiro era destinada às despesas fixas estritamente pessoais do grupo — aluguel, alimentação e roupas —, o que significava cerca de 9 mil dólares anuais per capita. Com isso, cada um dispunha de menos de mil dólares por mês para sobreviver. O custeio das despesas operacionais somava cerca de 70 mil dólares por ano, cuja distribuição entre os agentes variava de acordo com as atividades de cada um. Enquanto René, Roque e Tony, por exemplo, recebiam pouco menos de 5 mil dólares anuais, a cada um dos demais cabia a metade dessa quantia. A cota mais expressiva, de 30 mil dólares anuais, era destinada a Gerardo, obrigado a fazer malabarismos para, com tão pouco dinheiro, comprar equipamentos — disquetes para computadores, pilhas, fitas cassete etc. — e ainda realizar viagens regulares à embaixada de Cuba na ONU (que nos códigos era chamada de *M-15*) e no México (tratada pelo codinome de *M-2*). Suplementações orçamentárias só ocorriam quando algum agente era convocado para reuniões em Havana, o que costumava acontecer uma vez por ano. Essas viagens se tornavam mais custosas porque, na inexistência de comunicação aérea ou marítima entre os dois países, o passageiro era obrigado a realizar voos a países vizinhos, como o México, a Jamaica ou as Bahamas, e daí embarcar para Cuba.

Não era só na distribuição dos recursos que Gerardo recebia tratamento diferenciado. Por ser o líder do grupo e o único a dispor de todas as informações sobre a rede e suas operações, ele contava com mais duas fachadas, além da de Manuel Viramóntez — segundo as orientações de Havana, "dois conjuntos de documentos suficientemente confiáveis para garantir sua partida dos Estados Unidos". Como primeira alternativa, em caso de emergência, ele deveria assumir a identidade de Daniel Cabrera, um porto-riquenho nascido em 28 de junho de 1961.

Gerardo Hernández, o *Manuel Viramóntez*, numa de suas viagens a Nova York (ao lado) e na porta de um acampamento da Alpha 66 disfarçado de restaurante, na periferia de Miami (abaixo).

A escolha do Texas e de Porto Rico como locais de origem dos personagens incorporados por Gerardo se devia ao fato de ambos serem estados em que, além do inglês, o espanhol é considerado língua oficial. A documentação fora forjada dois anos antes, quando alguém fez chegar à Rede Vespa o passaporte que havia sido perdido pelo verdadeiro Cabrera, um funcionário público residente na cidade de West Palm Beach, situada cinquenta quilômetros ao norte de Miami. O documento foi copiado e com base nos dados contidos nele os serviços secretos cubanos falsificaram e entregaram a Gerardo uma certidão de nascimento, uma carteira de motorista, um cartão magnético do serviço social e um cartão de sócio de uma videolocadora situada em Fisherman Island, bairro de West Palm Beach. Pela segunda fachada alternativa o cubano se apresentaria como sendo o fotógrafo Damian Pérez Oquendo, nascido em 1965 em Hato Rey, Porto Rico. Assim como nos casos de Viramóntez e Cabrera, Gerardo recebera um kit com toda a documentação do terceiro personagem, cuja obtenção nunca ficaria devidamente esclarecida: carteira de identidade porto-riquenha, certidão de nascimento, passaporte americano, carteira de motorista e cartão de seguro social.

Também por exercer o mais relevante papel na Rede Vespa, Gerardo recebeu de seus superiores não um, mas quatro planos de fuga. Diante de qualquer suspeita de estar sendo seguido ou monitorado por autoridades americanas, ele deveria evitar aeroportos e deixar Miami por terra, dirigindo-se a alguma cidade vizinha. Quando tivesse segurança de estar a salvo de toda vigilância, deveria destruir um por um os documentos de Manuel Viramóntez e assumir a fachada que considerasse mais adequada às circunstâncias — a de Daniel Cabrera ou a de Damian Oquendo. Só então tentaria, o mais depressa possível, escolher uma das quatro opções para sair do país. Segundo as recomendações de Havana, ele deveria evitar os aeroportos de Nova York, Washington,

Miami e Los Angeles, na época os que apresentavam os mais rigorosos sistemas de segurança dos Estados Unidos. "Nenhum desses aeroportos deve ser utilizado", dizia expressamente o roteiro entregue a Gerardo, "seja ao iniciar a viagem de fuga, seja em voos que os utilizem como conexão antes de deixar os Estados Unidos." A primeira rota de fuga previa que o agente, depois de sair de Miami, deveria tomar um voo doméstico para San Antonio, no Texas, e de lá dirigir-se a El Paso, no mesmo estado, cruzar a pé a fronteira e chegar a Ciudad Juárez, já em território mexicano. A opção número dois sugeria que a fuga se desse por via aérea internacional. Tendo deixado Miami, Gerardo se decidiria por uma das três cidades que dispunham de voos sem escalas para o México. Ele tanto poderia embarcar em Atlanta, rumo a Guadalajara, em Columbia, indo para Acapulco, ou tomar um avião em Houston rumo à capital mexicana. Em qualquer um dos casos seria importante certificar-se de que não haveria escalas em Cancún, Mérida e Veracruz, cidades em que a vigilância era mais rigorosa. A terceira opção tinha como destinos alternativos Manágua, na Nicarágua, Tegucigalpa, em Honduras, ou San José, na Costa Rica, capitais servidas por voos a partir de Houston e Nova Orleans. No caso de não poder usar nenhuma das rotas sugeridas, Gerardo deveria optar pela quarta alternativa: viajar por via terrestre, de ônibus ou utilizando um carro alugado, até Buffalo, no estado de Nova York, entrar a pé no Canadá pela ponte Rainbow, nas Cataratas do Niágara, e de lá embarcar para Montreal ou Toronto, onde pegaria um voo direto para a Cidade do México. Como não podia deixar de ser, o documento preparado por Havana para o chefe da Rede Vespa contemplava, no fim, a pior de todas as hipóteses, a prisão: "Se isso acontecer, em nenhuma circunstância você admitirá fazer parte do Serviço de Inteligência de Cuba. Reconheça que é cubano e que viajou para os Estados Unidos via Mariel, em maio de 1980, transportado num barco comandado por um homem negro e forte de bigode — descreva-o como se fosse o oficial Edgardo —, e que pagou 2500 dólares pela travessia". A recomendação final não era nada animadora: "Se, ainda assim, você permanecer preso, solicite um advogado".

6

O AMOR ATACA OS AGENTES SECRETOS: TONY SE CASA COM A NORTE-AMERICANA MAGGIE E RENÉ CONSEGUE LEVAR OLGA E A FILHA PARA MIAMI

Ao cabo dos primeiros doze meses de operação, os agentes secretos da Rede Vespa tinham abarrotado os arquivos da Direção-Geral de Inteligência, em Havana, com mais de 3 mil páginas de informes. Com o correr do tempo o trabalho dos agentes encarregados das infiltrações passou a obedecer a uma rotina que raramente se alterava. A comunicação entre cada um deles e seu superior imediato era feita por meio de mensagens transmitidas por beepers em códigos alfanuméricos desenvolvidos e utilizados durante décadas pela antiga União Soviética. Já estava disponível no mercado a primeira geração dos telefones celulares, mas seu uso fora descartado pelo preço, inacessível ao modesto orçamento do grupo, e pela facilidade com que esses aparelhos podiam ser rastreados e grampeados, risco de que estavam a salvo beepers e pagers. A cada dez ou quinze dias o agente recebia uma mensagem codificada de seu supervisor com a indicação de um "ponto" — o lugar onde deveria ser entregue o material levantado no período. Se o encontro implicasse apenas a transmissão dos informes, adotava-se o método que o jargão dos serviços de inteligência chama de *brush pass* — entregar algo dissimuladamente ao esbarrar de leve em outra pessoa. Nesses casos o local sugerido costumava ser uma das dezenas de filiais das redes de farmácias Walgreens ou dos supermercados Publix espalhadas pela região metropolitana de Miami, entre cujas gôndolas o material era passado às mãos do supervisor. Não se trocava uma só palavra. Nos casos em que, além da entrega do material, havia necessidade de alguma conversa entre os dois, a escolha quase sempre recaía sobre algum movimentado e barulhento restaurante das cadeias de fast-food McDonald's, Burger King, Dunkin' Donuts ou Taco Bell. A numerosa afluência de lideranças anticastristas e os preços elevados do cardápio excluíam da lista de "pontos" alguns restaurantes da Little Havana, como o La Carreta e o Versailles. O material recolhido no período anterior a cada encontro era entregue ao supervisor em disquetes de 5,2 polegadas, com capacidade de armazenar somente oitocentos kbytes, verdadeiros dinossauros se comparados aos minúsculos pen drives que o mundo viria a conhecer duas décadas depois, capazes de guardar 30 mil vezes mais dados que seu ancestral.

A maçaroca de informações em estado bruto levantada pelos agentes era organizada pelos supervisores Ramón Labañino, Ricardo Villarreal e Remíjio Luna — que também não tinham nenhuma relação entre si e nem sequer sabiam da existência uns dos outros — e repassada por estes a Gerardo. Era ele quem dava a forma final ao material, que, depois de ser novamente encriptado, era enviado ao Centro Principal. Para comunicar-se com Cuba, o chefe da operação podia escolher, dependendo das circunstâncias, entre três alternativas. A mais comum e mais segura era utilizar o pequeno transmissor de ondas curtas que mantinha no apartamento. Em horário e faixa de frequência previamente combinados com Havana, ele punha no ar uma gravação com sinais semelhantes aos emitidos quando são pressionadas as teclas de um telefone digital. Indecifrável para quem quer que captasse a emissão, cada sinal significava uma letra ou um conjunto de letras cuja decodificação só podia ser feita pelos especialistas do DSE. Por medidas de segurança o código se automodificava permanentemente e de forma automática, fazendo com que o significado de um determinado som mudasse de mensagem para mensagem. A segunda opção era usar o *pitirre* — nome de um passarinho cubano, que batizara o sistema de transmissão por telefone de dados codificados para o beeper de alguém na missão cubana na ONU, em Nova York, ou em alguma embaixada do país na América Central. Na impossibilidade, por alguma razão, de recorrer ao rádio ou ao *pitirre*, Gerardo codificava e imprimia em folhas de papel sulfite os dados a serem enviados, fechava tudo num envelope e o depositava numa caixa de correio de rua, destinando-o a determinada caixa postal de algum país da América Central. Quando a encomenda chegasse ao destino, alguém da embaixada ou de um consulado cubano a recolheria no correio e a enviaria a Havana pelo malote diplomático — muito provavelmente sem fazer ideia da origem e do conteúdo da correspondência.

Os resultados do trabalho não tardaram a surgir e, como logo se veria, pareciam justificar os graves riscos que o grupo de agentes corria nos Estados Unidos. Numa manhã de março, quando a Rede Vespa já completara um ano e meio de funcionamento pleno, dois estrangeiros foram discretamente retirados de uma ruidosa fila de turistas da Costa Rica que desembarcava no aeroporto José Martí, em Havana. Após algumas horas de interrogatório numa sala do aeroporto, os dois confessaram que viajavam com nomes e passaportes falsos, não eram costa-riquenhos e não estavam em Cuba para fazer turismo. Tratava-se de Santos Armando Martínez Rueda e José Enríquez Ramírez Oro, cubano-americanos residentes nos Estados Unidos. Era a segunda vez, em dois meses, que pisavam em Cuba. Na primeira tinham entrado clandestinamente no país por via marítima para introduzir na cidade de Puerto Padre, na província de Las Tunas, uma carga de explosivos, parte da qual seria utilizada num atentado contra o hotel espanhol Meliá, em Varadero. No retorno pretendiam indicar novos alvos a seus cúmplices locais. Os dois confessaram ter agido por orientação da Fundação Nacional Cubano-Americana. Martínez Rueda e Ramírez Oro, porém, não seriam os únicos terroristas apanhados pela polícia cubana com base em informações vindas dos agentes sediados nos Estados Unidos. Nesse primeiro período de atividades da rede, boletins enviados da Flórida a Havana permitiram que as autoridades cubanas abortassem pelo menos vinte atentados contra seu território e apreendessem explosivos, armas e dinheiro. A iniciativa dos serviços de inteligência e da polícia de Cuba levou à prisão de trinta terroristas, entre os quais havia americanos de origem cubana, adestrados em campos de treinamento de Miami, e mercenários estrangeiros que trabalhavam a soldo de organizações anticastristas.

A mais ousada ação planejada por esses grupos estava marcada para acontecer em novembro de 1994, e previa nada menos que o assassinato do presidente Fidel Castro. A bordo de um iate e apoiado por cinco mercenários, Luis Posada Carriles em pessoa conseguiu introduzir um pequeno arsenal em Cartagena de Indias, na Colômbia, histórica cidade colonial onde seria celebrada a IV Cúpula Ibero-Americana de Chefes de Estado e de Governo. Alertadas pela rede que operava na Flórida, as autoridades cubanas redobraram as medidas de segurança em torno de Fidel, frustrando a consumação do crime. "Eu estava de pé, atrás dos jornalistas, e cheguei a ficar pertinho do amigo de Castro, Gabriel García Márquez", confessaria o próprio Posada Carriles ao jornal *The New York Times*, "mas Fidel eu só consegui ver de longe."

Também com base em informes produzidos pela Rede Vespa, em pelo menos três ocasiões o Ministério das Relações Exteriores de Cuba conseguiu que a Guarda Costeira dos Estados Unidos, acionada pelo Departamento de Estado, interceptasse embarcações procedentes da Flórida, carregadas de armas e explosivos, que se dirigiam ao litoral cubano para realizar atentados a pontos turísticos, o que redundou na detenção, pela polícia americana, de dezenove mercenários diretamente envolvidos nas operações. Destes, dez foram liberados em seguida pelo FBI e os nove restantes, mesmo formalmente denunciados por atos de terrorismo, tiveram seus processos arquivados pelo juiz federal Lawrence King, de Miami, e foram postos em liberdade.

Nem sempre, todavia, era possível evitar atentados. As prisões realizadas por Cuba e o malogro de tantas ações armadas não amainaram a obstinação dos grupos anticastristas da Flórida, os quais, sob o olhar compassivo das autoridades americanas, insistiam em cortar, pela violência das bombas e das balas, o vertiginoso fluxo turístico que salvava a Ilha da bancarrota e parecia adiar mais uma vez o sonho do exílio de pôr a pique a Revolução. Desde que o grupo se instalara nos Estados Unidos, Cuba fora vítima de dezenas de atentados a hotéis, invasões de território e de mais de trinta violações de seu espaço aéreo por aeronaves vindas dos Estados Unidos — a grande maioria formada por aviões da Hermanos ou do grupo Democracia, muitas vezes pilotados por René ou por Juan Pablo Roque. Só o hotel Guitar, um confortável quatro estrelas situado à beira-mar na praia de Cayo Coco, foi atacado em três ocasiões, no verão de 1993, por lanchas vindas de Key West, das quais eram disparadas rajadas de metralhadoras de calibre .50, ferindo pessoas e aterrorizando as centenas de turistas estrangeiros em plena alta temporada.

Na mesma ocasião seria preso, ao desembarcar em Havana, o turista mexicano Marcelo García Rubalcaba, residente nos Estados Unidos havia mais de trinta anos. Dentro de falsos tubos de pasta dental e frascos de xampu que o viajante transportava na bagagem, a polícia descobriu bisnagas de explosivo plástico C-4 suficientes para fazer voar um caminhão. Um elo ligava Rubalcaba aos atentados contra o hotel de Cayo Coco: nos dois casos o cabeça e financiador era o octogenário Andrés Nazário Sargén, um homenzinho de menos de 1,60 metro de estatura, fundador e principal dirigente de um dos mais antigos e violentos grupos anticastristas da Flórida, a organização Alpha 66. Segundo o próprio Sargén confessaria à imprensa, a Alpha 66 tinha sido responsável não só pelos ataques ao hotel e pela tentativa de introdução

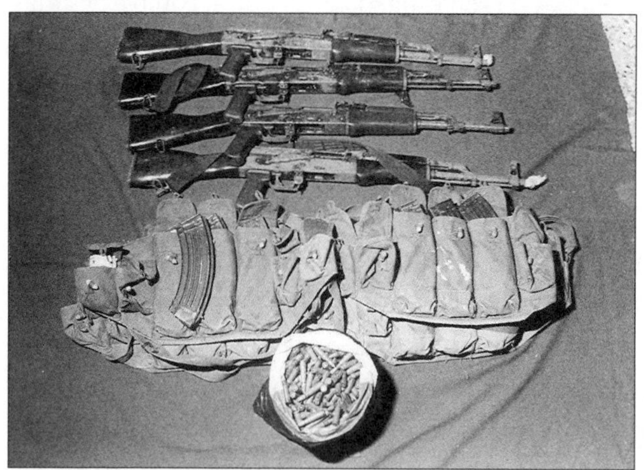

Fuzis, pistolas e farta munição contrabandeados para Cuba e apreendidos com base em informações enviadas a Havana pela Rede Vespa.

dos explosivos, mas também pelo sequestro de um avião de passageiros durante um voo doméstico no interior de Cuba. Depois que a aeronave pousou no aeroporto de Fort Myers, no sudoeste da Flórida, para onde fora desviada, os passageiros foram reembarcados para Cuba. O avião jamais seria devolvido pelo governo dos Estados Unidos. Além desse, outros quinze sequestros aéreos foram realizados no mesmo período.

A radicalização nas relações dos exilados com Cuba era estimulada por uma dezena de estações de rádio, legalmente instaladas na região metropolitana de Miami, cujas programações eram uma permanente incitação à violência. Uma breve estatística feita pela Rede Vespa no mês decorrido entre 26 de janeiro e 25 de fevereiro de 1993 em apenas sete dessas emissoras — La Voz de la Fundación, La Voz de Alpha 66, La Voz de la Federación Mundial de Ex-Presos, Radio Rumbo a la Libertad, La Voz del Palenque, La Voz de la Resistencia e Radio Unión Liberal Cubana — revelava um pouco da atmosfera respirada na Flórida. Naqueles trinta dias haviam sido transmitidas por elas vinte mensagens incitando à eliminação física de Fidel Castro, cem chamadas sugerindo a realização de atos de sabotagem à indústria turística cubana e quase quinhentas exortações de estímulo a atividades contra a Revolução. Operadas em ondas curtas, o que propiciava a chegada do sinal aos ouvidos de boa parcela da população cubana, e protegidas pelos dispositivos da Constituição dos Estados Unidos que asseguram a liberdade de expressão, algumas dessas estações pregavam sem nenhuma cerimônia a prática de crimes. Era comum, quando se aproximava a safra agrícola em Cuba, ouvir o jornalista Enrique Encinosa, locutor da Voz de la Resistencia, instigar a população cubana a boicotar a indústria açucareira:

> A colheita de cana-de-açúcar está para começar. A safra deste ano deve ser destruída. No passado Castro prometeu 10 milhões

> de toneladas. Agora serão necessários 10 milhões de atos de sabotagem. Povo cubano: exortamos cada um de vocês a destruir as moendas das usinas de açúcar. Coloquem pedaços de canos de chumbo ou parafusos na cana que está sendo processada. Soltem ou danifiquem as peças das máquinas. Incendeiem as plantações de cana, derramando um pouco de gasolina ou outro combustível inflamável num saco de pano; ateiem fogo ao saco, deixem-no queimar por alguns minutos para então apagá-lo. À noite joguem o saco na plantação. Na manhã seguinte o calor do sol se encarregará de reacender o fogo.

Somada à desenvoltura e à pregação da violência dos grupos organizados, a descomunal e agressiva massa de propaganda contra a Revolução difundida pelas rádios, estações de TV e pela imprensa escrita da Flórida dava aos agentes da Rede Vespa a clara noção da desigualdade da guerra em que estavam metidos. Tais circunstâncias exigiam esforços redobrados de todos na busca de informações que permitissem ao governo de Cuba se antecipar aos agressores, frustrar atentados, prender seus autores e, se possível, identificar os mandantes.

Ainda assim, a leitura da correspondência entre eles e Havana, que o FBI começara a interceptar em 1995, mostra que, mesmo mergulhados em atividade tão febril e estressante, os cubanos não estavam a salvo de prosaicas e corriqueiras questões pessoais como paixão, saudade e solidão, como aconteceria com Tony. No auge do trabalho da rede, ele fez chegar a Gerardo a notícia do desejo de casar-se com Maggie ou, pelo menos, mudar-se em caráter permanente para a casa dela, onde já dormia com frequência. Além das razões afetivas, ela havia conseguido um emprego de massagista no hotel Hilton de Key West, com registro formal e salário fixo, o que aumentava a segurança material do casal. A troca de correspondência entre Tony, Gerardo e o Centro Principal é reveladora de como se dava a relação dos serviços de inteligência cubanos com seus agentes. Na primeira mensagem sobre o tema dirigida a seus superiores em Havana, sempre por intermédio de Gerardo, o agente deixava claro que o envolvimento com a americana não poderia se sobrepor a seu trabalho nem colocar em risco a atividade que exercia nos Estados Unidos:

> Ela toca nesse assunto de vez em quando e, enquanto não se toma uma decisão, eu tenho tentado me esquivar da melhor maneira possível. Minha opinião é a seguinte: se intensificar a relação com Maggie, mudando-me para sua casa, e até mesmo tendo um filho com ela, não interferir em nossos planos, devemos seguir adiante. Se considerarmos que isso é contrário ao meu trabalho, estou disposto a romper esse relacionamento.

Ao mesmo tempo que enviava a Cuba o pedido, Gerardo transmitiu a Tony sua opinião sobre o assunto. Não era a primeira vez que fazia considerações de natureza pessoal sobre a vida e o comportamento dele. Em outra ocasião *Giro* já havia lhe manifestado sua apreensão pela exagerada perda de peso do agente, fruto da dieta vegetariana que adotara por influência de Maggie. No caso do plano de viverem juntos, a primeira e óbvia preocupação do chefe da rede era com as medidas de segurança e sigilo, que teriam que ser ampliadas caso isso de fato acontecesse. Afinal, Maggie "não sabia nem deveria sequer imaginar" nada a respeito de seu trabalho de inteligência. Embora tivesse sete anos menos que Tony, Gerardo parecia um irmão mais velho ao se dirigir a ele:

— Você já foi casado e sabe que ter uma namorada não é o mesmo que ter uma esposa. Conscientemente ou não, cria-se um senso de posse e é normal que um peça explicações ao outro sobre coisas da vida em comum. E, como você já deve ter percebido em seus relacionamentos anteriores, a mulher capta sinais sobre coisas que você nem mesmo revelou ou discutiu com ela.

Antes de decidir sobre o pedido, os homens do DSE queriam

saber em que condições legais os dois se casariam e quais seriam as consequências que um eventual divórcio poderia acarretar para ele. Enquanto deliberavam sobre o assunto, sugeriram-lhe que adiasse "até quando for possível" a possibilidade de casamento. Só depois de alguns meses é que Gerardo recebeu e retransmitiu a Tony o sinal verde de Havana, que veio acompanhado de uma lista de recomendações sobre os cuidados que o agente deveria tomar na nova vida:

> Evitar de todas as maneiras ter um filho com Maggie, por causa dos inconvenientes emocionais e legais que isso pode acarretar no futuro. Argumentar que ela tem 45 anos, o que pode pôr em risco a vida e a saúde dela ou da criança.
>
> Rever periodicamente o conteúdo do disco rígido do computador. Caso detecte qualquer informação operacional ou relatórios enviados a nós, apagá-los com o Wipe Info, programa enviado ao agente pelos companheiros do M-15 [código que identificava a embaixada de Cuba na ONU] que exclui definitivamente arquivos do disco rígido.
>
> Manter os disquetes de trabalho misturados com os que contenham dados pessoais ou recreativos. Fazê-lo de maneira que somente o agente seja capaz de identificar uns e outros.
>
> Manter os disquetes dele separados dos de Maggie.
>
> Usar o computador para finalidades pessoais e recreativas que justifiquem a compra do equipamento.
>
> Escolher um lugar na casa onde tenha privacidade para trabalhar com o equipamento. Buscar preferencialmente um local que não tenha vista para a rua.
>
> Manter privacidade em relação a Maggie ao usar o micro, mesmo que esteja usando-o com o objetivo de preservar o disfarce. Evitar chamar a atenção dela, no sentido de que algo impróprio esteja acontecendo, mas mostrar-lhe resultados concretos de como está fazendo uso do equipamento.

Uma semana depois de receber o *nihil obstat* de Havana, Tony recolheu seus parcos pertences do motel em que vivia e os transferiu para a pequena e acolhedora casa de Maggie. Toda de madeira, como a maioria das residências da região de Key West, e situada na Poinciana Road, a casinha branca onde o casal passaria a viver se resumia a uma sala, cozinha, banheiro e dois dormitórios. Um deles Maggie havia transformado na sala de massagens em que de quarta-feira a sábado atendia os clientes atraídos pelo anúncio que fizera nas Páginas Amarelas, já que o emprego no hotel Hilton só a ocupava aos domingos, segundas e terças-feiras. O novo endereço, bem mais próximo do trabalho, assegurou a Tony uma hora diária a mais de folga, tempo que destinava a exercícios matinais de ioga. Seu expediente no trabalho começava às sete da manhã e se estendia até as cinco da tarde, com uma hora de pausa para o almoço no refeitório da própria base aeronaval. No final do dia pegava o carro e permanecia até a noite em reuniões na sede local do Movimento Democracia. Retornava à casa, fazia uma refeição frugal — em cujo cardápio nunca entravam carne, peixe, aves nem alimentos derivados de seres vivos, como mel, ovos, leite ou queijo — e só então sentava diante do computador para gravar em disquetes as informações que transmitiria a Gerardo ou a algum dos três assistentes que o supervisionavam. Como a função que exercia na base de Boca Chica não lhe dava acesso a nenhum setor reservado ou secreto, Tony recebeu da direção do DSE uma nova e prosaica tarefa diária: contar e identificar as aeronaves que pousavam nas três pistas da unidade militar e delas decolavam. Tratava-se de prudência justificada, pois qualquer eventual ataque de forças americanas a Cuba partiria obviamente de Key West, o ponto do território dos Estados Unidos mais próximo da Ilha. Não deixava de parecer esdrúxulo, porém, que os serviços de inteligência cubanos atribuíssem a um agente secreto missão que poderia ser executada por qualquer mortal comum: como o alambrado que protege a base de Boca Chica fica a escassos vinte metros de distância da movimentada autopista que liga Key West a Miami, o sobe e desce de aviões e helicópteros podia e pode ser monitorado e até fotografado por qualquer um dos milhares de turistas que circulam diariamente pelo local.

Se a vida amorosa de Tony Guerrero estava resolvida, o incansável René González teria um longo caminho a percorrer para realizar o sonho que alimentava desde que pousara nos Estados Unidos: tirar de Cuba e levar para Miami a família que abandonara em Havana cinco anos antes. Ainda sem saber que o roubo do avião e a deserção haviam sido uma farsa montada pelo DSE e que o pai da sua filha não se convertera num *gusano*, em meados de 1995 Olguita parecia ter finalmente capitulado ante os irresistíveis apelos de René. Embora não pretendesse mudar de casa nem alterar o padrão de vida que levava, o marido sabia que o soldo que recebia de Havana, mesmo engordado com os bicos e trabalhos eventuais, era insuficiente para sustentar uma família de três pessoas. Com a ajuda dos amigos influentes, acabou conseguindo uma vaga de copiloto da Arrow Air, empresa aérea de carga instalada no aeroporto internacional de Miami. Também graças às boas relações que construíra com membros da elite do anticastrismo na Flórida, poucas semanas depois de receber o "sim" da esposa René soube que o Serviço de Imigração americano tinha aprovado a admissão de Olguita e da filha como residentes nos Estados Unidos.

Engolida pela burocracia cubana, no entanto, a autorização do governo para que as duas deixassem o país só seria dada em dezembro de 1995, seis meses após a decisão. Antes de começar a correria atrás dos papéis para a saída, Olga seria chamada para uma entrevista numa "casa de segurança" do Ministério do Interior, onde foi recebida por um jovem e sorridente oficial de inteligência. Era Gerardo Hernández, o Manuel Viramóntez de Miami, que na época realizava uma de suas visitas a Havana. Sem muitos rodeios, *Giro* foi direto ao assunto e contou-lhe a verdadeira história do marido, relato que ela ouviu com estupefação: René não era um traidor da Revolução. O roubo do avião em San Nicolás de Bari, a fuga para Key West e as entrevistas dadas à imprensa americana tinham sido atos de uma pantomima montada pelos órgãos de inteligência cubanos para encobrir sua real missão: infiltrar-se em organizações de extrema direita na Flórida para tentar prevenir atos de terrorismo contra seu país. Mesmo mergulhada no estado de choque provocado pela notícia, Olga foi tomada por uma profunda sensação de alívio. Com a revelação chegavam ao fim cinco anos de pesadelos, noites insones e choros solitários. Um turbilhão de lembranças se apossava de sua memória: a perplexidade diante da descoberta da deserção, a humilhação de ser vista como a mulher de um traidor da pátria, os cinco anos de solidão, período em que conviveu com a insólita condição de ser a um só tempo viúva, casada e solteira — sem na verdade ser nenhuma das três coisas. Gerardo despertou-a dessas reminiscências para encerrar a entrevista, não sem antes reiterar uma recomendação capital para a segurança da operação e de todos os envolvidos: ninguém mais deveria saber do que ela acabara de ouvir. Nem o irmão e a mãe de René, e muito menos Irmita, que passaria a viver com os pais em Miami.

Em meio à catatonia que se seguiu ao relato de Gerardo, Olga excitou-se com a perspectiva da viagem, mas o reencontro da família ainda dependia da superação de um calvário que marido e mulher conheciam de perto: as letárgicas, sossegadas repartições públicas locais. Mesmo depois de concedida a autorização de saída, Olga teve que penar durante semanas preenchendo formulários e enfrentando intermináveis filas diante de guichês apinhados. Parte desse tempo seria consumida na obtenção de um documento aparentemente banal: uma declaração do Ministério da Indústria Leve, ao qual estava subordinada a Tenerías Habana, empresa em que ela trabalhava como engenheira, liberando-a do emprego e assegurando que a funcionária "nada devia" à estatal.

Na noite de 20 de dezembro de 1995, uma quarta-feira, Olga chegou exausta em casa, já que, além da sua peregrinação para obter a papelada de saída, continuava dando expediente normalmente na empresa. O cansaço deu lugar à ansiedade quando ela viu sobre a mesa um envelope com o timbre do Serviço de Imigração cubano — a garantia de que as duas passariam as festas de fim de ano em companhia de René, em Miami. A alegria durou apenas o tempo de abrir a correspondência, quando Olga constatou que o envelope trazia, em nome de Irmita, um único "cartão branco", como é conhecido o documento de permissão de saída legal do país. Seriam necessários mais alguns dias de agonia para que ela descobrisse que o cartão emitido em seu nome fora enviado para um antigo endereço, no bairro de Cerro, do tempo em que vivia com os pais.

O Natal passou, veio o Ano-Novo, mas o documento chegou às mãos de Olga apenas no começo de 1996. Assim, só no dia 7 de janeiro é que mãe e filha puderam finalmente embarcar num dos voos charter ainda permitidos pelo governo americano, utilizados em sua maioria por cubanos residentes nos Estados Unidos que pretendiam visitar familiares em Cuba. Para Irmita, o primeiro impacto da nova vida que se iniciava ocorreu ainda dentro do avião. Quando a aeromoça lhe estendeu uma bandeja com caramelos, a menina encheu as mãos e pediu que a mãe os guardasse para mais tarde. A passageira que viajava ao lado delas, uma cubano-americana que retornava a Miami depois de uma visita a Havana, reagiu com uma risada:

— Não precisa fazer isso, menina. Você já não está em Cuba, não terá mais que economizar comida.

"Eu aprendi com meus pais a ser sempre amável com todo mundo", Irmita se lembraria, mais de dez anos depois, "mas fiquei com tanta raiva daquela mulher que fingi que não ouvi — não respondi e nem ao menos lhe dei um sorriso." Cinquenta minutos após a decolagem, o Boeing 737 pousava no aeroporto de Miami.

Só puderam deixar a alfândega depois de passarem mais de uma hora retidas no Serviço de Imigração, onde foram fotografadas, preencheram formulários e imprimiram as digitais em cartões de identificação. Trazendo nas mãos uma boneca para a filha e um buquê de flores para a mulher, o René de terno e gravata que as esperava estava bem mais gordo, com o rosto coberto por uma espessa barba grisalha — muito diferente da imagem que guardavam dele de cinco anos antes, magrelo, de cara lisa e quase sempre vestido de camiseta e calças jeans. Entre as pessoas que acompanhavam o pai no aeroporto, Irmita mal reconheceu duas parentes que haviam deixado Cuba quando ela ainda era uma garotinha, a bisavó Teté, avó de René, e a irmã desta, Gladys. Em meio à algazarra da chegada, não foi a aparência física do pai, porém, o que provocou espanto na garota. Irmita arregalou os olhos ao perceber, no meio do numeroso grupo que as aguardava, a sorridente figura de um homem que ela se habituara a ver nos telejornais e em fotografias publicadas pela imprensa de seu país, sempre identificado como "terrorista assassino" e "*gusano* responsável pela morte de cubanos inocentes": era Ramón Saúl Sánchez, o dirigente do ativo grupo anticastrista Movimento Democracia.

Passadas as primeiras semanas após a chegada, e com a família instalada no pequenino apartamento do pai, Irmita foi matriculada numa *Summer school* para um curso de férias destinado a familiarizá-la com a língua inglesa. Como o salário de René na Arrow Air era insuficiente para manter a família, Olguita também teve que sair em busca de emprego. O primeiro que conseguiu foi de atendente num *retirement home*, um asilo privado para idosos, cuja clientela era composta majoritariamente de cubanos. Engenheira habituada ao ambiente do escritório da Tenerías Habana, Olga não se adaptou à nova atividade. Além da exaustiva jornada de trabalho, logo ela descobriu que entre suas atribuições estava até o cuidado com a higiene íntima de anciãos à beira da senilidade. Acabou pedindo demissão antes mesmo de completar o primeiro mês no asilo. A segunda tentativa também não iria durar muito. Com a ajuda dos amigos do marido, em seguida ela seria admitida como operadora de telemarketing da Funeral Homes, uma grande agência funerária de Miami. O trabalho consistia em fazer ligações telefônicas para uma lista de nomes previamente preparada pelos patrões — quase todos de pessoas idosas ou familiares de doentes terminais — oferecendo os serviços e produtos comercializados pela empresa. O potencial defunto ou seus parentes tinham à disposição desde simples velórios até cerimônias com coquetéis, animadas com música de câmara ao vivo, serviços religiosos católicos, protestantes ou evangélicos, caixões de vários preços e modelos, cremações, túmulos e sepulturas para todos os gostos e bolsos. Maquiagens davam aparência de vivos aos mortos mais vaidosos, que podiam ser enterrados trajando roupas de grifes europeias — legítimas ou falsas, dependendo da disponibilidade financeira. A decisão de abandonar também esse emprego nem se devia tanto ao fato de que nove entre dez ofertas feitas por Olga eram respondidas com cabeludos palavrões. O problema era que se tratava de um trabalho remunerado por comissões sobre as vendas, com um salário fixo insignificante, quase simbólico — e a maioria das pessoas decididamente não parecia interessada no seu futuro após a morte.

O único ponto positivo da breve e desagradável experiência na funerária acabou sendo a familiaridade que a cubana adquiriu com o sistema de vendas por telefone, o que facilitou a obtenção do emprego seguinte, numa escola de línguas de propriedade de um cubano chamada Inglés Ahora, no qual permaneceria durante todo o tempo que viveu em Miami. Dessa vez era para vender cursos de inglês por telefone para a comunidade hispânica. O público-alvo da empresa, notadamente imigrantes recém-chegados ao país, se concentrava numa extensa franja do sul do território americano que vai da Flórida à Califórnia, passando pelos estados do Texas, Novo México e Arizona. Como a diferença de fuso horário entre os dois extremos dessa área chega a cinco horas, o expediente das teleatendentes começava à uma da tarde e se estendia até onze horas da noite. Ao salário de cinco dólares por hora trabalhada somavam-se as comissões calculadas sobre o que se conseguisse vender. Os produtos oferecidos pela Inglés Ahora iam de simples dicionários até pacotes de aulas em fitas cassete ou em videoteipes. Mesmo que não vendesse um só dicionário, o que raramente acontecia, no final do mês Olguita recebia, líquidos, cerca de mil dólares. Somados, os ganhos dela, o salário de René na Arrow Air e os bicos que ele fazia como piloto do Movimento Democracia asseguravam à família uma vida modesta mas sem preocupações — condição para a qual certamente contribuía o baixo custo de vida de Miami. O primeiro luxo do casal foi comprar um carro de segunda mão. Aparentemente animado pela pequena folga no orçamento doméstico e, claro, pela certeza de que sairia ileso da perigosa missão em que se encontrava, René sugeriu à esposa que começassem a pensar na realização de um sonho adiado desde a separação do casal: ter um segundo filho.

Conforme mãe e filha confessariam muitos anos depois, o ambiente de felicidade da casa só era turvado por um fantasma sobre o qual ninguém da família jamais disse palavra: a verdadeira atividade do marido e pai. No relacionamento com a menina, René era obrigado a andar sobre o fio de uma navalha. Era inevitável que ele a levasse, por exemplo, aos encontros familiares de fins de semana que costumavam reunir militantes e lideranças de organizações anticastristas. E percebia o espanto de que era tomada a filha adolescente, criada e educada numa sociedade comunista, ao ver o pai participando de "correntes de oração", no fim das quais todos, de mãos dadas, gritavam em coro: "Morra Fidel!". "Eu já não era boba e comecei a juntar as pontas dos fios", Irmita se lembraria quinze anos depois, já casada e com planos de dar logo aos pais o primeiro neto. As pontas de fios mais visíveis foram dois episódios vividos com o pai. Um dia René viu sobre o criado-mudo do improvisado quarto dela uma foto do presidente Fidel Castro recortada de alguma revista. Delicadamente, sugeriu à garota que era prudente manter a fotografia guardada dentro de um livro. Irmita já tinha discernimento para entender que um *gusano* de verdade picaria a foto em pedacinhos. Ou pelo menos explicaria à filha quem era "o tirano comunista que escravizou Cuba", como os amigos do pai costumavam se referir ao líder barbudo. Noutra ocasião, também numa confraternização familiar de fim de semana, a mulher de um dos caciques da contrarrevolução, encantada com a beleza da menina, anunciou aos presentes que iria promover o namoro dela com ninguém menos que o neto de Jorge Mas Canosa, o cabeça da Fundação Nacional Cubano-Americana, a mais importante e poderosa organização anticastrista dos Estados Unidos. Ao ser consultado sobre se autorizava a alcovitagem, René manteve-se fiel à fachada e reagiu sorridente: "Quem não se orgulharia", respondeu, "de ter a filha casada com o neto do bilionário que será o primeiro presidente da Cuba livre?". No carro, a caminho de casa, Irmita decidiu pôr à prova a sinceridade do pai e simulou entusiasmo com a proposta de conhecer e, quem sabe, namorar o neto do inimigo número um da Revolução Cubana. René parou o veículo e se dirigiu à filha com ar sério. "Irmita, faça-me o favor", falou quase sussurrando, como se temesse ser ouvido por alguém. "Você não está mesmo querendo namorar esse rapazinho, correto?" Ela desarmou o clima tenso com uma risada. "Não, papai, eu nem quero conhecê-lo", respondeu. "E fico muito feliz em ver que de verdade você também não quer que eu o conheça", concluiu, visivelmente confortada com o que ouvira. "Sem que ele me dissesse nada", Irmita se lembraria muito mais tarde, "naquele momento se estabeleceu uma cumplicidade entre nós dois."

Poupada das encenações que a fachada impunha ao marido, Olga era uma presença menos frequente nesses encontros. A amizade entre René e Juan Pablo Roque contribuiu para uma aproximação dela com Ana Margarita, mãe de um casal de filhos do primeiro casamento, ambos da mesma faixa de idade de Irmita, mas, ainda assim, as duas nunca chegaram a se tornar amigas. Olga se esforçava para disfarçar uma ponta de antipatia pela mulher de Roque, sentimento que parecia ser recíproco. "Nunca houve uma boa química na nossa relação", confessaria Margarita, muitos anos depois. "Nosso convívio nunca produziu uma relação de amizade." De qualquer forma, mesmo que a química fosse boa, não haveria tempo suficiente para que alguma amizade florescesse entre as duas mulheres: quando Olga e Irmita pisaram em Miami, já estava em curso uma silenciosa operação para recambiar o piloto de MiGs para Havana. Insatisfeita com o desempenho e, sobretudo, com o que considerava "comportamento exibicionista" de Roque na Flórida, no final de 1995 a direção do DSE desencadeara uma ação para retirá-lo em segurança dos Estados Unidos, à qual dera o sugestivo nome de *Operação Vedete*.

7

JOSÉ BASULTO DESAFIA A CASA BRANCA E OS MIGS CUBANOS E DECIDE VOAR MAIS UMA VEZ SOBRE HAVANA

Comparada às privações a que a população cubana fora submetida pelo chamado "período especial", a vida de Juan Pablo Roque em Miami era um mar de rosas. Para ele, entretanto, voltar para Havana estava longe de ser um castigo. Um informe confiscado pelo FBI nos arquivos da Rede Vespa revela que meses antes o militar reivindicara junto ao Centro Principal seu retorno à base. Para quem imagina um agente secreto como um ser humano frio e desprovido de sentimentos, a justificativa apresentada por ele para voltar a Cuba parece surpreendente: o piloto de caças-bombardeiros estava com saudade. Saudade de casa, da mulher e dos filhos. Os primeiros indícios de que suas relações com Havana podiam estar desgastadas aparecem num documento enviado ao DSE poucos meses antes do casamento do major. Assinada pelo agente *A-4*, um dos nomes de guerra de Alberto Ruiz, que na época substituía Gerardo-Viramóntez no comando da operação, a correspondência deixa claro que o casamento com Ana Margarita não tinha sido uma ideia de Roque, mas uma determinação de Havana. Ao receber a orientação para se casar, o piloto reagira negativamente, alegando que "não podia fazer tal coisa com Amelita", a esposa que abandonara em Cuba. Na ocasião, também segundo o relato de *A-4*, "Germán insistiu em seu desejo de retornar antes do casamento".

Por alguma razão nunca esclarecida, só oito meses depois da elegante cerimônia na University Baptist Church é que o DSE poria em curso a *Operação Vedete*. Como se estivessem numa partida de xadrez, os homens de Villa Marista já preparavam a jogada seguinte à volta de Roque. Quando o retorno do piloto se tornasse público, seria natural que os militantes das organizações anticastristas passassem a desconfiar de René, seu melhor amigo em Miami. Para se prevenir contra as suspeitas que pudessem recair sobre ele, Havana recomendara a René que simulasse um rompimento com Roque. O marido de Olguita foi orientado a fazer uma campanha de intrigas para minar a reputação do amigo entre as lideranças das organizações que eram frequentadas por ambos. O receituário a ser adotado na desmoralização de Roque, no qual o piloto é tratado como *Germán*, seu nome de guerra na missão, foi enviado a Miami no final de 1995:

> Como parte da campanha para sujar e desacreditar Germán, fazemos as seguintes recomendações a Castor: aproveitar todas as oportunidades para contradizê-lo em público durante reuniões e atividades de organizações contrarrevolucionárias; afirmar que o livro dele não tem nenhum valor e só expressa seu egocentrismo, sua obsessão por publicidade e seu desejo por lucro; ressaltar que as entrevistas dadas por Germán a rádios, jornais e estações de TV têm como único objetivo angariar notoriedade em benefício próprio, nunca em benefício das organizações; lembrar que ele gosta de se ligar a pessoas conhecidas, como Basulto e o general Rafael del Pino, sempre pensando em aumentar seu prestígio pessoal; queixar-se das ideias mirabolantes de Germán e lembrar a história da "arma secreta usada apenas na Segunda Guerra Mundial" que ele sugeriu que Basulto adquirisse para realizar ações contra Cuba. Insistir em que, se a famigerada arma está em desuso há cinquenta anos, sua eficácia merece ser posta em dúvida.

Juan Pablo Roque sentiu-se aliviado ao saber que iria voltar para Cuba — ainda que não fosse exatamente um retorno coberto de glórias. Além do desejo sincero de reencontrar a antiga família, com o correr dos meses o tempo lhe dera a certeza de que seria impossível manter o casamento com Ana Margarita. Desde o dia do lançamento do livro *Desertor* ela passara a exercer sobre o marido uma sutil mas rigorosa vigilância. Ana se irritava e ficava cada vez mais desconfiada quando ele dava respostas esfarrapadas às perguntas indiscretas que ela fazia. Para não ter que dar explicações, Roque alegava que "determinadas coisas" era melhor que ela não soubesse mesmo. A esposa estranhava também a elevação do padrão de vida do marido, muito acima do orçamento do casal, que continuava levando uma existência modesta. Roque começara a usar roupas de grife e com frequência aparecia em casa com algum sinal exterior de riqueza — como o relógio Rolex submarino de 3 mil dólares. O decrépito Toyota Corolla deu lugar a um imponente jipe Cherokee verde-oliva, e em lugar do beeper ele agora usava um telefone celular, aparelho que ainda era considerado um luxo restrito a usuários endinheirados. A cada novidade o piloto era obrigado a se submeter a um interrogatório da mulher, que insistia em querer saber de onde vinha o dinheiro para tais extravagâncias. Como sempre, ele dava uma resposta enrolada ou repetia que sobre "determinadas coisas" era melhor que ela nem perguntasse. A atmosfera de suspeição envenenou de tal forma o casamento que os dois decidiram passar um período separados. Meses depois estavam juntos de novo, mas era visível que a desconfiança que provocara a separação continuava coabitando com o casal.

Além da decisão de reconstruir a vida em Cuba e dos problemas conjugais com Ana Margarita, uma instintiva suspeita parecia querer dizer a Roque que estava na hora de encerrar sua participação na operação. De um momento para outro ele passou a temer que estivesse sendo vigiado. Não pelos agentes do FBI, que de fato monitoravam todos os membros da Rede Vespa já fazia mais de um ano, mas por José Basulto. Um informe enviado por Gerardo a Havana descreve o clima de desconfiança recíproca em que mergulhara a comunidade cubana na Flórida:

Germán disse que Basulto lhe telefonou querendo falar com ele. Combinaram se encontrar no domingo, dia 4, na igreja. Foi quando Germán desconfiou que Basulto e Cossío, seu acompanhante, tomavam em relação a ele o que poderia ser uma medida de vigilância. Ele chegou em seu carro, viu a van de Basulto estacionada, dirigiu até lá e estacionou. Desceu do carro e não viu ninguém. Em seguida percebeu que Basulto e Cossío o observavam, num jipe, do outro lado do estacionamento, com um ângulo de visão muito bom. Só então foram a seu encontro.

Germán diz que, de uma maneira que nunca havia ocorrido antes, Basulto e Cossío falaram com ele usando linguagem de espionagem, com termos como *brush pass*, *caixa de correio* etc. Contaram que alguns homens foram vê-los dizendo ser membros de uma organização chamada Coalizão Patriótica Martiana, ou algo parecido, cujo principal objetivo era eliminar Fidel Castro. Eles são da teoria de que, se você destruir o topo, a pirâmide inteira desabará. Essas pessoas pediram que colaborassem financeiramente, mas eles não lhes deram dinheiro. Basulto disse a Germán que não sabia se essas pessoas eram infiltradas ou o quê.

No dia 10 de outubro de 1995, quando a *Operação Vedete* começava a ser planejada, Miami foi agitada com o anúncio da constituição do Concílio Cubano, mais um grupo que prometia lutar pelo fim do regime socialista de Cuba. A novidade era que, ao contrário das dezenas de organizações anticastristas que pululavam pelas esquinas da Little Havana, o Concílio não propunha a derrubada do governo pelos exilados da Flórida, mas pela dissidência residente na Ilha. O papel que o Concílio se atribuía era apoiar e organizar a oposição interna. Para comprovar o acerto de sua estratégia, a nova frente contrarrevolucionária anunciou a adesão prévia de nada menos que 101 "organizações independentes" que atuavam dentro do território cubano. Na lista de nomes da constelação de "partidos", "frentes" e "movimentos" que compunham o corpo de fundadores do Concílio, era possível ler a palavra *democracia* trinta vezes. O segundo colocado era José Martí — o apóstolo cubano cultuado tanto pelo governo quanto por seus opositores —, cujo sobrenome aparece na denominação de onze grupos. Dez se apresentavam como liberais, sete eram organizações cristãs, sete pacifistas, três ambientalistas e três feministas. Duas delas se autodenominavam "agências de notícias independentes". Dos 101 nomes que subscrevem o documento de lançamento do Concílio, pelo menos quatro já eram conhecidos da imprensa internacional como dissidentes que continuavam residindo em Cuba: Raúl Rivero, representando uma certa Agência de Notícias Cuba Press, Elizardo Sánchez (Comissão Cubana de Direitos Humanos e Reconciliação Nacional), Oswaldo Payá (Movimento Cristão de Libertação) e Vladimiro Roca (Corrente Socialista Democrática). Roca adquirira notoriedade menos por seu ativismo que pelo fato de ser filho do histórico dirigente sindical e membro do Comitê Central do PC cubano, Blas Roca, que morrera em 1987 aos 78 anos. A principal notícia foi guardada para o final: a nova organização estava solicitando formalmente ao presidente Fidel Castro autorização para a realização em Havana, nos dias 24, 25, 26 e 27 de fevereiro do ano seguinte, de sua primeira assembleia. Do encontro participariam representantes das 101 entidades fundadoras, "representantes da Igreja Católica e observadores internacionais da ONU". Ao cair a noite, naquela fresca terça-feira de outubro, havia no ar de Miami uma perceptível atmosfera de confrontação à vista.

A partir de então os grupos anticastristas iniciaram uma ruidosa contagem regressiva dos 137 dias que os separavam do esperado 24 de fevereiro. A data fora escolhida por ser o dia do 101º aniversário do Grito de Baire, estopim da guerra que livraria o país do jugo espanhol. Enquanto Havana parecia simplesmente ignorar a solicitação entregue na embaixada de Cuba na ONU, a Casa Branca apoiava abertamente o Concílio. Numa de suas preleções dirigidas a lideranças anticastristas na Flórida, o subsecretário de Estado Richard Nuccio deixara clara a posição do presidente Clinton para a "questão cubana". "Vocês dão demasiada ênfase a Fidel, e a solução não está nas mãos dele, mas nas mãos das comunidades de direitos humanos dentro da Ilha", dizia o funcionário. "Se o exílio cubano ajudar massivamente entidades como o Concílio, poderá trazer enormes benefícios para Cuba e dar à comunidade cubana no exterior um papel positivo na solução da crise." A temperatura começou a subir dias depois da criação do Concílio, quando José Basulto anunciou que no sábado seguinte, 21 de outubro, aviões da Hermanos fariam incursões no espaço aéreo cubano e despejariam sobre Havana sacos de panfletos convocando a população para a assembleia de fevereiro. Ao mesmo tempo, uma flotilha do Movimento Democracia, comandada por Ramón Saúl Sánchez, navegaria em zigue-zague junto ao limite das doze milhas do mar territorial de Cuba — uma aventura de alto risco, já que do outro lado da fronteira invisível estariam as bem armadas lanchas da Guarda Costeira cubana. A ampla divulgação que Basulto e Sánchez haviam dado ao plano acendeu um sinal de alerta em Washington. Mais exatamente no gabinete de Cecilia Capestany, diretora da FAA — Federal Aviation Administration, repartição federal à qual cabe, entre outras responsabilidades, fiscalizar o cumprimento das leis aéreas dos Estados Unidos. Três dias antes da prometida panfletagem aérea, a funcionária fez circular entre diretores de outras áreas envolvidas com o problema um memorando sobre o assunto:

> Um evento com uma flotilha parece ter sido programado por lideranças cubano-americanas do Movimento Democracia para o dia 21 de outubro. Até agora só sabemos que planejam utilizar barcos grandes e realizar transmissões de rádio para Cuba a partir de águas internacionais. Não sabemos se a Hermanos participará com aeronaves. Durante uma reunião de planejamento de contingên-

cia convocada pelo Departamento de Estado na última sexta-feira, o Departamento solicitou que a FAA emita advertências a fim de evitar e dissuadir possíveis violações do espaço aéreo cubano. O governo cubano não abandonou sua decisão de tomar sérias medidas para defender sua soberania nacional. Para piorar as coisas, Fidel Castro deverá estar em Nova York para atividades na ONU no dia programado para a flotilha, o que pode exacerbar a reação do governo cubano ante possíveis violações. Como parte do esforço entre as várias agências do governo para preparar-se para as atividades de 21 de outubro, emitiremos um Notam de advertência a pilotos e operadores dos Estados Unidos para que não penetrem sem autorização no espaço aéreo cubano. O Notam coincidirá com advertência semelhante feita aos marinheiros pela Guarda Costeira e com uma nota oficial do Departamento de Estado. Além disso, instruiremos fiscais da FAA para que se reúnam com os pilotos da Hermanos, antes do evento, para recordar-lhes que vamos investigar pormenorizadamente as eventuais violações de regulamentos americanos ou internacionais. Assinado: Cecilia Capestany.

Emitido por Capestany na tentativa de impedir que um grave incidente diplomático se consumasse, horas depois chegava a todos os aeroportos americanos o referido Notam — nome pelo qual é conhecida internacionalmente a notificação dirigida a pilotos e controladores de tráfego aéreo de determinada região:

Notam — Cuba: Aviso especial.

Atenção, pilotos e operadores dos Estados Unidos. Devido a um possível incremento do tráfego aéreo no estreito da Flórida no dia 21 de outubro de 1995, a FAA recomenda a todos que realizam voos na zona que se mantenham alertas e acatem estritamente os regulamentos da aviação internacional e federal da FAA. O governo de Cuba reafirmou em várias ocasiões sua decisão de tomar medidas contra aeronaves que violem seu espaço aéreo. Essas medidas

> se destinam a defender a soberania nacional cubana e evitar sobrevoos de aeronaves não autorizadas. Quem entrar no espaço aéreo cubano sem autorização estará sujeito a prisão e poderá submeter-se e submeter terceiros a sérios riscos pessoais. Todas as aeronaves deverão cumprir os regulamentos internacionais, assim como as leis, normas e regulamentos cubanos aplicáveis em relação a operações dentro do espaço aéreo cubano. FAA/AIA-120, 10/95.

O temido fim de semana acabou transcorrendo sem incidentes. Embora tanto Basulto quanto Sánchez tivessem feito exatamente o que haviam prometido, não houve reações da parte do governo cubano — salvo as previsíveis notas diplomáticas denunciando as agressões e pedindo providências a Washington. Mas as incursões sobre Cuba pareciam não ter fim. No dia 9 de dezembro, um sábado, Billy Schuss convocou Juan Pablo Roque para mais um voo a bordo de um Piper Aztec de prefixo N58KM. Mesmo vigiado a pequena distância por MiGs da Força Aérea cubana, o aparelho invadiu duas milhas das águas territoriais de Cuba e despejou sobre Havana panfletos, decalques plásticos da Hermanos e medalhinhas de alumínio da Virgem da Caridade do Cobre. No dia 13 de janeiro foi a vez de Basulto e René pulverizarem os céus da capital cubana com folhetos que estimulavam a dissidência interna a comparecer em massa ao ato programado para o mês seguinte. No final do mês Cecilia Capestany enviaria a Michael Thomas e Charles Smith Jr., seus superiores na FAA, um memorando reiterando as preocupações de antes. Ao comentar mais uma incursão de Basulto, a funcionária afirmava que "esses sobrevoos só podem ser vistos como um escárnio ao governo cubano". Segundo ela, o Departamento de Estado estava cada vez mais preocupado com as reações de Cuba a "essas flagrantes violações", a ponto de o subsecretário Richard Nuccio ter mandado averiguar como andava um processo aberto pela FAA contra Basulto por infringência da legislação aérea. "O pior cenário seria Cuba derrubar uma dessas aeronaves", concluía, "mas, se isso acontecer, o melhor é que nós da FAA estejamos com todos esses processos em ordem." Na verdade a FAA já tinha suspendido por quatro meses o brevê de Basulto — período em que ele continuou participando dos sobrevoos na condição de passageiro.

A ampla cobertura dos veículos de comunicação da Flórida e o apoio recebido pelo Concílio Cubano de lideranças da política internacional, como a premiê Margareth Tatcher, da Inglaterra, e os presidentes José María Aznar, da Espanha, e Václav Havel, da República Tcheca, tiveram o efeito de uma injeção de adrenalina na veia das organizações anticastristas de Miami. A maioria destas planejava apoiar "moral e politicamente" a instalação do Concílio prevista para Havana — fosse ela autorizada ou não — realizando sobrevoos no Malecón e levando para as águas territoriais uma numerosa flotilha. Uma suíte do hotel Hyatt Regency, em Coral Gables, foi reservada por 11 mil dólares do dia 24 a 27 de fevereiro para as lideranças que, a embarcar em aviões e barcos, preferissem permanecer em terra firme "monitorando os acontecimentos". Quando faltavam dez dias para a assembleia, Basulto concedeu uma rápida e desafiadora entrevista aos jornalistas David Hall e Pepe Vives, do programa *Cuba in The News*, transmitido pela Voz da América, estação de rádio mantida pelo Departamento de Estado. O líder da Hermanos festejava mais um fim de semana de incursões no espaço aéreo cubano:

> DAVID HALL: Está na linha José Basulto, da organização humanitária Hermanos, que há anos se dedica a socorrer balseiros que fugiam de Cuba em busca da liberdade. Desafortunadamente, desde que Estados Unidos e Cuba assinaram os novos acordos migratórios, essas fugas acabaram. Mas não é disso que vamos falar. Parece que neste sábado choveu muito em Havana, não foi, Pepe?

PEPE VIVES: Sim! E não foi água o que caiu do céu.

DAVID: Era uma chuva de panfletos com protestos contra o governo de Castro. Parece que Basulto assumiu a responsabilidade por isso. Bem-vindo ao nosso programa, Basulto. É um prazer tê-lo conosco.

VIVES: Basulto, em que zonas de Cuba se atiraram panfletos?

BASULTO: Não posso dar detalhes, mas praticamente em toda a cidade de Havana. Como ventava forte, os panfletos se espalharam por zonas no entorno da capital.

DAVID: A que o senhor atribui a ausência de resposta militar por parte do governo cubano contra vocês? Desorganização? Surpresa?

BASULTO: Esse regime não é invulnerável. Castro não é impenetrável. Nossos compatriotas na Ilha deveriam saber que temos assumido riscos pessoais para fazer o que fazemos. Eles deveriam fazer o mesmo. Temos que nos livrar, de uma vez por todas, dessa polícia interna que levamos dentro de nós e que nos faz pensar que estão sempre nos vigiando. O que estamos pedindo a nosso povo é que considere a possibilidade de fazer as coisas que for possível fazer.

VIVES: Qual tem sido a reação do governo dos Estados Unidos nos casos de voos como os de sábado?

BASULTO: Para nossa sorte, parece que o governo dos Estados Unidos está sempre de férias...

A excitação aumentou quando a *radio bemba* fez circular o rumor de que os Estados Unidos estavam dispostos a intervir caso o governo cubano reprimisse a assembleia do Concílio. Atentos à efervescência, os agentes da Rede Vespa redobravam a vigilância, enviando informes diários a Cuba sobre a movimentação nas organizações vigiadas. O boletim transmitido a Gerardo por René reflete o clima de euforia que tomava conta da reunião realizada no dia 18 de fevereiro por um dos grupos de apoio ao Concílio:

Todos os presentes à reunião têm, evidentemente, grandes expectativas de que o encontro do Concílio possa criar uma situação danosa à Revolução. Eles expressam a esperança de que o encontro venha a provocar distúrbios de rua. Em minha opinião, a visão que essas pessoas têm da situação em Cuba é muito triunfalista e superestima as dificuldades por que o país está passando. Segundo elas, o pedido do Concílio nos coloca entre a cruz e a espada. Se permitirmos o encontro, perderemos terreno ao fazer essa concessão. Se o proibirmos, isso pode nublar nossa imagem diante da comunidade internacional. O ponto fraco dessa argumentação é que eles atribuem ao Concílio uma ressonância internacional comparável à que os meios de comunicação lhe deram em Miami.

Na expectativa de que o governo americano detenha informações sobre mudanças rápidas na Ilha, fizeram uma lista de pilotos que, em conjunto com autoridades do Departamento de Estado, serão autorizados a viajar imediatamente transportando assistência médica para Cuba assim que uma mudança abrupta ocorrer. Entre os pilotos selecionados estão Freddy Flaker, Jorge Bringuier e eu. Já entreguei uma cópia do meu passaporte e meus dados pessoais para que sejam enviados ao Departamento de Estado.

A frenética mobilização do exílio levou os serviços de inteligência de Cuba a pôr em andamento a *Operação Escorpião*, destinada a "aperfeiçoar a confrontação com as organizações contrarrevolucionárias" envolvidas no apoio ao Concílio e sua pretendida assembleia. O plano previa executar imediatamente a *Operação Vedete* de forma a que Juan Pablo Roque já estivesse em solo cubano no dia 24. Quando começassem as manifestações aéreas e navais de solidariedade ao Concílio, o piloto concederia à imprensa internacional em Havana uma entrevista em que denunciaria "o caráter terrorista" das organizações anticastristas — principalmente aquela que ele conhecia de perto, a Hermanos. A

O piloto Juan Pablo Roque, o *Germán*, em plena atividade nos Estados Unidos. De cima para baixo: com José Basulto e René González, ao lado de um avião da Hermanos al Rescate; numa roda de oração, antes de mais um voo sobre Havana; com a deputada Ileana Ros-Lehtinen; numa manifestação anti-Clinton na porta da Casa Branca, em Washington.

ideia original — segundo a qual Roque roubaria um dos aviões de Basulto e desceria triunfalmente em Cuba — teve que ser abortada porque o agente fraturara o braço esquerdo num acidente com um contêiner e ficara impedido de pilotar. Com isso decidiu-se que na sexta-feira, 23 de fevereiro, ele iniciaria o caminho de volta. Sempre acompanhado de Gerardo e portando documentação falsa, Roque deveria ir de ônibus até a vizinha Fort Lauderdale e lá tomar um avião para Tampa, situada a quatrocentos quilômetros de distância, no noroeste da Flórida. Nessa cidade ele seria recebido por Alberto Ruiz, o agente *A-4*, que lhe entregaria uma passagem para o voo 478 da Northwestern que sairia ao meio-dia em direção a Cancún, no México, de onde embarcaria num voo direto para Havana. A orientação dada a René era para "reagir primeiro com incredulidade e depois com condenação" tão logo o regresso de Roque se tornasse público. O Centro Principal recomendava também que, assim que recebesse a notícia, ele telefonasse para o agente do FBI Oscar Montoto "para verificar se aquilo era verdade".

Na quarta-feira, dia 21, ao chegar em casa à noite, Ana Margarita notou que estava vazia a metade do guarda-roupa onde o marido guardava seus ternos, paletós, calças e camisas sociais. Indagado sobre o significado daquilo, ele respondeu que a roupa fora levada para a lavanderia, já que todas as peças estavam respingadas da tinta usada para pintar o quarto do casal, dias antes. Roque contou-lhe também que tinha conseguido um trabalho extra para o fim de semana, o que o obrigaria a ficar fora de Miami da madrugada de sexta até domingo. Na noite seguinte ele parecia melancólico, mal tocou no jantar que Ana deixara preparado e propôs que fossem dormir mais cedo naquela quinta-feira. "Lembre-se que amanhã tenho que acordar às três horas da madrugada." Ela quis saber como faria para falar com ele no fim de semana, no caso de alguma emergência, e Roque prometeu que deixaria o celular ligado. Passados catorze anos, Ana Margarita conseguiria reconstituir com minúcias o que foram seus últimos momentos ao lado do marido:

> Eu me lembro como se fosse hoje da noite em que Roque partiu. Ele me disse que ia fazer um bico no fim de semana transportando uma embarcação. Teria que despertar de madrugada e nessa noite, antes de dormir, fizemos amor com carícias ternas, quase dolorosas. Depois de viver um casamento anterior desastroso e abusivo, dessa vez eu me sentia amada, protegida, segura. "Eu sou seu guarda-costas", ele costumava dizer-me, como no título do filme com Kevin Costner e Whitney Houston que tínhamos visto juntos. Agora, sim, eu pensava naquela noite, chegou a minha vez de ter um amor maduro e sólido, que me salvaguarde, a mim e a meus filhos, da dureza da vida nos Estados Unidos. "Nunca se esqueça de que você é minha mulher", sussurrou Juan Pablo em meu ouvido ao beijar-me antes de dormir. Nesse momento, como ele já havia me pedido algumas vezes, considerei a possibilidade de termos um filho. Preferi fazer-lhe uma surpresa e só revelar minha decisão no domingo à noite, quando ele retornasse.

Como Ana viria a saber no dia seguinte, Roque jamais retornaria. Na madrugada ele desapareceu sem deixar rastros, para nunca mais voltar. Ao sair para o trabalho, na manhã de sexta, ela estranhou que o carregador de bateria do celular do marido estivesse sobre a mesa da sala — esquecimento raro em alguém metódico como Roque. Passou o dia ligando para o número dele, mas a gravação que ouvia era sempre a mesma: "Este telefone está desligado". Em casa, no final do dia, ao remexer nas gavetas e armários, descobriu que ele levara tudo embora, exceto a carteira com documentos, cheques e cartões de crédito. A confusão em sua cabeça só fez aumentar quando ela ligou a televisão e ouviu a notícia de que o governo cubano acabara de prender uma centena de dissidentes e proibir a assembleia marcada para o dia seguinte. Sob intensa ansiedade e tentando buscar algum nexo entre a notícia vinda de Cuba e o estranho comportamento do marido, Ana Margarita decidiu ir até o prédio onde morava sua mãe, em cujo estacionamento Roque guardava o jipe Cherokee quando se ausentava da cidade. A esperança era que ele tivesse deixado no carro alguma mensagem, algum sinal ou indício que explicasse o que estava acontecendo. Com as pernas trêmulas, ao abrir a porta do veículo com a chave reserva que levara de casa, ela viu sobre o assento o celular do marido, o chaveiro com as chaves de casa e do carro e, intacta, a bolsa cor de vinho com as mudas de roupa para os três dias que ele ficaria fora de casa. O bom senso indicava haver alguma relação entre o que acontecia em Cuba e a misteriosa viagem de Roque, mas Ana Margarita não conseguia atinar com o elo que juntasse as duas coisas. Com o coração aos pulos, voltou para casa, tomou uma dose reforçada de soníferos e desabou na cama.

Situado dez quilômetros ao norte de Miami Beach, o aeroporto de Opa-locka fervilhava na manhã de sábado. Aguardados por equipes de telejornais e repórteres dos principais veículos da Flórida, pilotos, militantes e dirigentes de organizações anticastristas começaram a chegar com os primeiros raios de sol. Durante toda a manhã ninguém se animou a decolar. O único assunto entre os presentes eram os acontecimentos da véspera em Havana. As opiniões se dividiam sobre como reagir às prisões e à proibição da assembleia do Concílio pelo governo de Cuba. Basulto defendia que não se devia mudar nada do que fora planejado e anunciou que depois do almoço algumas aeronaves da Hermanos iriam derramar em Havana panfletos denunciando o governo pelo ocorrido na véspera. A meia hora dali, em Kendall, após uma noite de sono letárgico Ana Margarita era despertada pela insistente campainha do telefone em seu criado-mudo. Do outro lado da linha uma voz masculina grave pediu para falar com Juan Pablo Roque. Com surpreendente agilidade para quem segundos antes parecia desmaiada, Ana saltou da cama e quis saber, quase aos gritos, quem estava no telefone. Era um agente do FBI. Ela suplicou: "O que o senhor sabe do meu marido? Onde ele está?". O homem do outro lado da linha foi seco — "Não posso falar disso com a senhora neste momento" — e desligou.

Se naquela noite Ana conseguira dormir, ainda que a poder de remédios, sorte igual não havia tido Richard Nuccio. O calvo e suave subsecretário de Estado americano varara a madrugada em claro, em sua casa de Washington, atormentado por um péssimo presságio: alguma coisa muito grave estava para acontecer. "Dormi pouco naquela noite", relembraria tempos depois. "Estava preocupado, achava que haveria algum incidente." Como muitos anos mais tarde ele próprio se encarregaria de esclarecer, seus temores não provinham de premonições, mas de deduções lógicas de quem quer que observasse a altíssima tensão a que o governo cubano fora levado pela ousadia das organizações anticastristas, particularmente a Hermanos. Na opinião do assessor de Clinton, os acordos migratórios tinham movido Basulto a redefinir os rumos da Hermanos. "A partir daí eles põem em prática uma agenda política de hostilidade e ameaça ao governo cubano, realizando sobrevoos e lançando panfletos sobre Cuba", recordaria Nuccio. Invariavelmente as tentativas da Casa Branca de colocar um limite às provocações de Basulto acabavam batendo de frente com o poderoso lobby cubano em Washington. "Quando reiterávamos nossas advertências à Hermanos, eles corriam ao Congresso para reclamar com seus representantes", revelaria o subsecretário de Estado. "Era o suficiente para que os congressistas cubano-americanos acusassem o governo de estar perseguindo exilados." Mesmo sabendo que poderia se tornar alvo da bancada anticastrista no Congresso, naquela manhã de sábado o insone Nuccio conseguiu que a FAA suspendesse o brevê de Basulto por tempo indeterminado, punição que, pelo menos teoricamente, o impediria de pilotar seu Cessna N2506 durante a revoada prevista para a tarde. Passados mais de dez anos, Nuccio faria um emocionado mea-culpa ao se lembrar dos acontecimentos daquele sábado de fevereiro de 1996:

— Fiz tudo o que podia, mas gostaria de ter feito mais coisas do que simplesmente escrever memorandos, mandar faxes, dar telefonemas, soar alarmes. Eu deveria ter pulado, gritado, berrado, invadido o gabinete do presidente.

Os funcionários americanos tinham motivos de sobra para se preocupar. O Departamento de Estado reafirmara que tratava "com seriedade" a advertência feita pelo governo cubano de que qualquer barco vindo do estrangeiro poderia ser afundado e qualquer avião, abatido. Em nota oficial, o governo tentava desencorajar qualquer aventura das organizações anticastristas: "A liberdade para viajar, reconhecida por acordo internacional, não dá a ninguém o direito de entrar num país em particular, inclusive Cuba, sem autorização prévia. Todos os viajantes estão sujeitos às autoridades aduaneiras e de imigração e a outras leis aplicáveis do país em questão". Nada disso, porém, parecia surtir efeito. Mesmo notificado de que sua licença de pilotagem estava suspensa, pouco depois da uma da tarde Basulto decolava no comando do seu Cessna, transgressão que viria a lhe custar a cassação definitiva do brevê. Junto com ele haviam embarcado o copiloto Arnaldo Iglesias e o casal Silvia e Andrés Iriondo, ele empresário e ela dirigente do grupo intitulado MAR — Mulheres Antirrepressão. Com um minuto de diferença, em seguida decolaram mais dois Cessna 337 idênticos ao de Basulto: o *Spirit of Miami* e o *Habana DC*, este batizado com o nome de uma canção do doador do avião, o cubano exilado Willy Chirino. O "DC", naturalmente, significava "Depois de Castro". No primeiro viajavam Carlos Costa e Pablo Morales, e no segundo Mario de la Peña e Armando Alejandre. Ao cruzar o Paralelo 24, às 14h39, Basulto dirigiu à torre de Cuba a mensagem de sempre: "Boa tarde, Centro Havana. Aqui é o novembro-dois-

-cinco-zero-seis, cruzando o Paralelo 24. Hoje nossa área de operações será a região norte de Havana. Receba a saudação cordial da Hermanos al Rescate e de seu presidente, José Basulto, que é quem está falando". Um controlador de voo da torre de Havana informou que o espaço aéreo ao norte da cidade estava "ativado" e que qualquer incursão abaixo do Paralelo 24 estava sujeita a riscos. Basulto não se intimidou. "Como cubanos livres", respondeu, "temos o direito de estar aqui."

Faltavam cinco minutos para as três da tarde quando os aviões da Hermanos, sob a forma de três pontinhos pretos, apareceram na tela dos radares da Defesa Antiaérea de Cuba. No mesmo instante um caça-bombardeiro MiG-29UB Fulcrum decolou da base militar de San Antonio de los Baños, aprazível vilarejo situado a meia hora de Havana, onde também está instalada a Escola Internacional de Cinema criada pelo escritor Gabriel García Márquez. O jato era comandado por dois irmãos gêmeos, os tenentes-coronéis Lorenzo e Francisco Pérez-Pérez, de 44 anos, ambos veteranos de Angola, o primeiro com mil e o segundo com 2 mil horas de voo naquele tipo de aeronave. Logo atrás dele decolou um MiG-23 pilotado pelo major Emilio Palácios, de 35 anos. O movimento dos caças foi detectado a 4 mil quilômetros de distância de Cuba pelo major Jeffrey Houlihan, responsável pelos radares da base aérea de Riverside, na Califórnia. Houlihan transmitiu a informação à base da Força Aérea em Tyndall, na Flórida, mas foi tranquilizado pelo interlocutor. "Não se preocupe", respondeu o oficial que o atendeu. "Já estamos cuidando disso." Insatisfeito com o que ouvira, o major ligou para o oficial de guarda da base de Homestead, também na Flórida. Conforme o que Houlihan revelaria, em entrevista concedida ao canal de TV CBS, uma esquadrilha de caças F-15 e F-16 já estava estacionada na cabeceira da pista de Homestead, pronta para entrar em ação, mas "ordens superiores" tinham proibido a decolagem dos bombardeiros americanos. "O oficial que me atendeu estava literalmente dando socos na mesa, exigindo que deixassem os aviões partir", contou Houlihan, "mas havia ordens expressas para que nenhuma aeronave decolasse." Se a paciência de Havana chegara ao fim, o governo americano não parecia interessado em salvar a pele de Basulto.

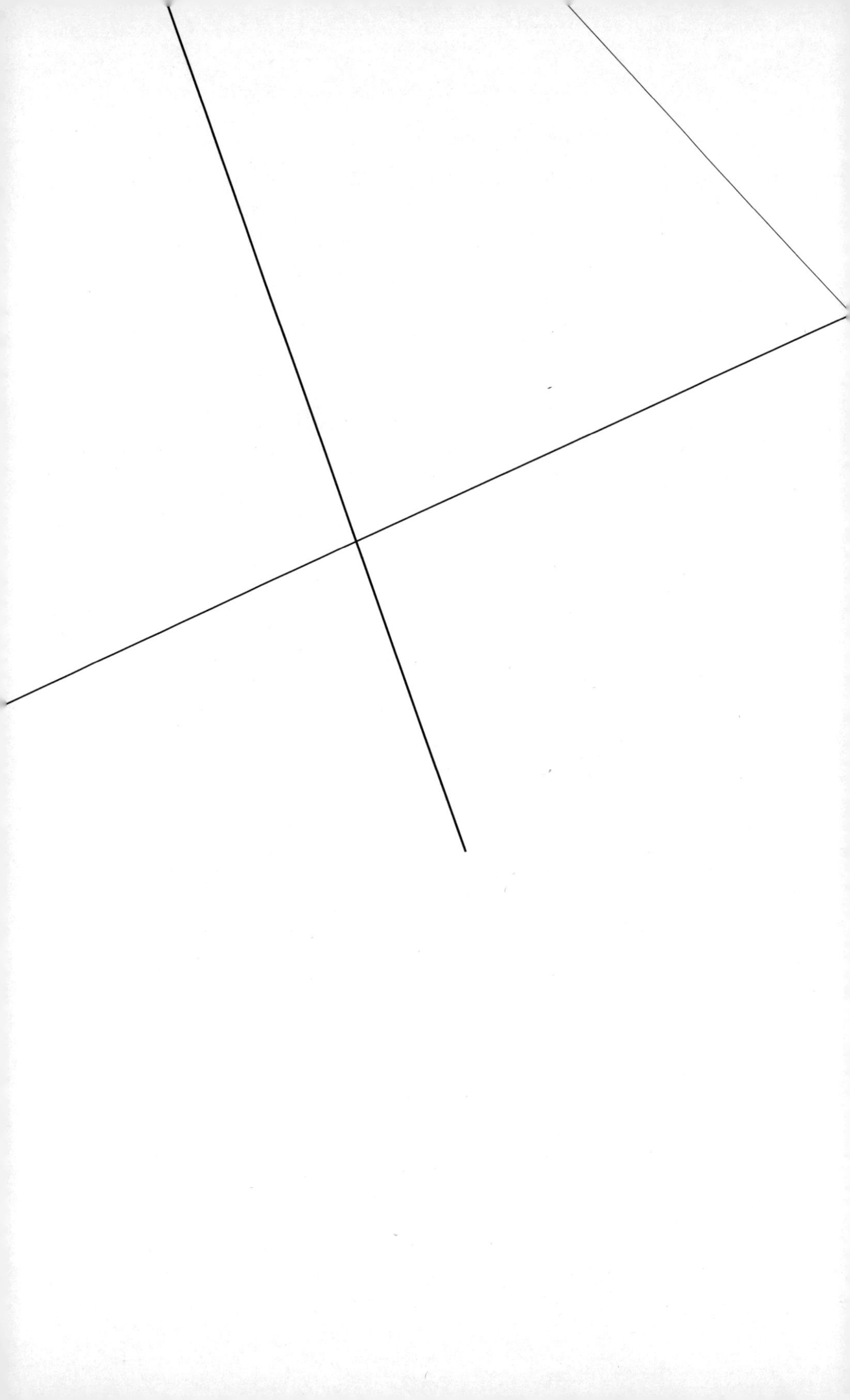

8

A TORRE CUBANA AUTORIZA OS CAÇAS MIG A DISPARAR: SEGUNDOS DEPOIS, DOIS CESSNAS SÃO PULVERIZADOS SOBRE O ESTREITO DA FLÓRIDA

As chamas expelidas pelas duas turbinas do caça supersônico deixavam no ar uma cauda de fogo, como se um cometa tivesse cortado o azul do céu em plena luz do dia. Pesando dez toneladas, o MiG-29 cinza-escuro estava armado com quatro mísseis ar-ar, um estoque de bombas guiadas a laser e um canhão de trinta milímetros com capacidade para 150 disparos. A certa altura um dos irmãos Pérez-Pérez informou ao major Palácios, piloto do MiG-23, que seu radar detectara a presença de "um barco muito grande" navegando sob os aviões. "Eu o tenho debaixo de mim", respondeu o major. "Parece ser um navio de cruzeiro." Os militares se referiam ao *Majesty of the Seas*, luxuoso transatlântico de 70 mil toneladas e quase trezentos metros de comprimento. Naquela tarde de sábado o *Majesty*, com mais de 2 mil passageiros a bordo, retornava de um minicruzeiro de três dias de duração pelo trajeto Miami-Key West-Nassau-Coco Cay-Key West-Miami. Tanto na ida quanto na volta do trecho entre Key West e Coco Cay, uma minúscula ilha de sete por dez quilômetros de extensão, o navio contornava toda a costa norte de Cuba, sempre evitando ultrapassar a linha que demarca os limites do mar territorial cubano. Captadas por nove radares — sete nos Estados Unidos e dois em Cuba —, as comunicações entre a torre de controle de Havana e os dois aviões adquiriram tons dramáticos logo depois das três da tarde:

TORRE PARA MiG-29: Qual sua altitude?

MiG-29 PARA TORRE: Mil e setecentos metros. Estamos vendo três aviões no ar, às vezes voando juntos, às vezes separados.

MiG-23 PARA TORRE: Estou fazendo uma busca à esquerda e posso ver um deles, vindo do norte.

TORRE PARA MiG-23: Qual é sua altitude?

MiG-23 PARA TORRE: Duzentos metros.

TORRE PARA MiG-29 E MiG-23: Liguem seus radares.

MiG-29 PARA TORRE: Ligado.

MiG-23 PARA TORRE: Ligado.

MiG-29 PARA TORRE: O alvo está à vista. É um avião pequeno.

MiG-23 PARA MiG-29: Vou subir para 2 mil metros.

TORRE PARA MiG-23: Qual a cor dele?

MiG-23 PARA TORRE: É um Cessna 337 branco e azul, voando a baixa altitude.

Era o *Spirit of Miami*, o segundo a decolar de Opa-locka duas horas antes. Com um histórico de quase 150 voos realizados para a Hermanos, Carlos Costa parecia habituado à presença de caças cubanos à sua volta. Confiantes em que Cuba não cometeria a ousadia de derrubar aviões civis norte-americanos, o único temor dos pilotos da Hermanos era enfrentar a manobra aérea conhecida como "interceptação para pouso forçado". Nesses casos, o aparelho era rodeado por helicópteros militares que o obrigavam a voar em círculos até que, sem combustível para retornar aos Estados Unidos, ao piloto só restasse a alternativa de pousar em solo cubano — com todos os riscos daí decorrentes. Assim, ao ver a silhueta do MiG-29 fazendo evoluções no ar diante do seu para-brisa, Carlos Costa apenas comentou com o copiloto Pablo Morales: "Temos a companhia de um MiG... Há um MiG à nossa volta...". A terrível premonição do subsecretário Richard Nuccio, porém, parecia fadada a se cumprir. A gravação do diálogo mantido pelo rádio entre a torre de controle de Havana e os dois aviões revela que às 15h20 o MiG-29 ficou cara a cara com o Cessna de Costa e Morales:

> MiG-29 PARA TORRE: Ele está na minha mira.
> MiG-23 PARA TORRE: Precisamos de autorização.
> TORRE PARA MiG-29: Autorizados a destruir.
> MiG-29 PARA TORRE: Vou disparar.
> TORRE PARA MiG-29: Autorizado a disparar.
> MiG-29 PARA TORRE: É agora, caralho!
> TORRE PARA MiG-29: Disparou?
> MiG-29 PARA TORRE: Acertamos, caralho! Acertamos!
> MiG-29 PARA MiG-23: Partimos os colhões dele!
> MiG-23 PARA MiG-29: Espera! Espera para ver onde ele caiu!
> MiG-29 PARA MiG-23: Marca o lugar onde o derrubamos.
> MiG-23 PARA MiG-29: Esse não nos fode mais.
> MiG-29 PARA TORRE: Estamos subindo. Vamos regressar.
> TORRE PARA MiG-29: Permaneçam aí, voando em círculos.
> MiG-29 PARA TORRE: Sobre o objetivo?
> TORRE PARA MiG-29: Correto.
> TORRE PARA MiG-29 E MiG-23: Subam para 4 mil metros. Permaneçam sobre o objetivo destruído e mantenham-se em baixa velocidade.

Seis minutos depois o radar do MiG-29 detectava a presença do *Habana DC*, o terceiro avião da Hermanos. Era o Cessna de prefixo N5485S pilotado pelo mais velho do grupo, o experimentado ex-marine Armando Alejandre Jr., de 45 anos, dois dos quais vividos como combatente voluntário na Guerra do Vietnã. Com ele viajava o copiloto Mario de la Peña, de 25 anos, o mais jovem de todos os que voavam naquele sábado. Às 15h26 a voz do piloto cubano reapareceu no rádio:

> MiG-29 PARA TORRE: Temos outro avião à frente.
> TORRE PARA MiG-29 E MiG-23: Não o percam de vista.

MIG-29 PARA TORRE: Ele está na área onde caiu o primeiro.
TORRE PARA MIG-29 E MIG-23: Permaneçam aí, acima dele.
TORRE PARA MIG-29: Ele ainda está à vista?
MIG-29 PARA TORRE: Estamos em cima dele.
TORRE PARA MIG-29: Disparo autorizado.
MIG-29 PARA TORRE: Está destruído! Pátria ou morte, caralho!

A poucas dezenas de metros de distância, a bordo do N2506, José Basulto reagiu com uma gargalhada descontrolada e um grito ao abate que acabara de testemunhar: "São MiGs! Vão disparar contra nós!". No banco de trás do bimotor, a aterrorizada Silvia Iriondo tirou um rosário da bolsa e se pôs a rezar. Em pânico com o risco de ver também seu avião pulverizado pelo disparo de um míssil, para não ser identificado pelos radares dos MiGs Basulto cortou todo o sistema de comunicações do Cessna, embicou o aparelho no rumo norte e partiu em fuga, voando a poucos metros da superfície do mar.

A notícia da derrubada dos dois aviões e da morte dos quatro pilotos desabou sobre a Flórida com o impacto de um furacão. Ana Margarita só ficou sabendo do ocorrido no final da tarde, quando o piloto argentino Guillermo Lares, da Hermanos, ligou para convocar Roque para uma entrevista coletiva que Basulto tinha marcado para o início da noite no hangar de Opa-locka. Sem muita convicção, ela contou que o marido estava fazendo um trabalho fora de Miami e que havia esquecido o celular em casa. Tão logo as rádios e TVs começaram a noticiar o incidente, seu telefone não parou mais de tocar — eram amigos e parentes preocupados com a possibilidade de que Juan Pablo Roque estivesse num dos aviões abatidos. A todos repetia a mesma resposta: "Não, graças a Deus, Roque não estava em nenhum dos dois aviões". Inexplicavelmente, porém, do marido ela não recebera notícia — nem mesmo uma chamada a cobrar para dizer que estava bem. Nada, nada. Sem conseguir comer nem dormir direito,

Os quatro pilotos da organização Hermanos al Rescate mortos pelos MiGs cubanos durante o voo sobre o estreito da Flórida.
Da esquerda para a direita, a partir do alto: Pablo Morales, Mario de la Peña, Armando Alejandre Jr. e Carlos Alberto Costa.

Ana virou a noite e passou o domingo grudada na televisão em busca de alguma informação que pudesse ajudá-la a encontrar respostas para o misterioso comportamento de Juan Pablo.

A única novidade no noticiário era a divergência entre o governo dos Estados Unidos e o de Cuba a respeito do local em que os dois aviões foram derrubados. Em ameaçadora nota oficial de protesto, o secretário de Estado Warren Christopher qualificou o fato de "flagrante violação das leis internacionais e das normas de um país civilizado". Afirmou que os Estados Unidos tinham "chegado à conclusão" de que o ataque tivera lugar sobre águas internacionais e terminou com uma promessa: medidas "imediatas e apropriadas" seriam adotadas pelo presidente Clinton em resposta ao ocorrido. "Não nos limitaremos a ações multilaterais", rugiu o secretário. "Vamos considerar respostas que os Estados Unidos possam dar unilateralmente ao governo cubano." O Ministério das Relações Exteriores de Cuba respondeu acusando Christopher de "mentir de forma cínica" e afirmando dispor de "provas inequívocas" de que os dois aparelhos — chamados de "aviões piratas" — voavam sobre águas territoriais do país. Havana punha à disposição das autoridades americanas mapas que revelavam, minuto a minuto, tudo o que fora captado pelos radares cubanos, gravações das comunicações da torre com os dois caças, e até objetos pessoais de um dos pilotos mortos que haviam sido recolhidos pela Guarda Costeira em águas cubanas ao norte da capital. Aferrada sabe Deus a que esperanças, Ana não viu quando o âncora de um programa de TV leu o parágrafo final da nota oficial cubana, no qual estava a chave para ela entender o que acontecera com o marido:

> Finalmente, para não deixar dúvidas de que o senhor Christopher mente de maneira descarada, comunicamos que está entre nós um piloto desses grupos que realizaram tantas ações contra nosso país. Esteve com eles até poucas horas atrás. Esse piloto sabe muito. Há elementos irretorquíveis de que esses grupos estão longe

de realizar ações humanitárias, como ridiculamente alega o senhor Christopher. Eles constituem uma máfia terrorista que elaborou planos sangrentos contra nosso povo. Sobre esses temas estamos dispostos a discutir com o senhor Christopher no Conselho de Segurança da ONU ou onde ele preferir.

Tudo indicava que o piloto a que se referiam era Juan Pablo Roque, mas Ana Margarita só iria saber disso horas depois. A noite de domingo chegou e o marido não deu sinal de vida. De novo à custa de soníferos, ela caiu na cama para despertar apenas na manhã seguinte com a barulheira que vinha da rua — incômodo raro na pacata região de Hialeah. Olhou pela janela, assustada, e se viu sitiada por veículos de rádio e TV com pequenas antenas parabólicas espetadas nas capotas, repórteres de microfone em punho e cinegrafistas apontando ameaçadoras câmeras contra portas e janelas do simpático sobrado amarelo em que vivia. O telefone tocou, e uma amiga, muito nervosa, sugeriu aos gritos que ela ligasse a televisão na CNN. A um clique apareceu na tela do televisor do quarto do casal a imagem sorridente do marido. De barba feita, cabelo aparado, usando o relógio Rolex mas, como Ana observou, sem a aliança de casado no dedo, Roque recebia em Havana a repórter Lucia Newman, da CNN International, para a primeira entrevista a um veículo estrangeiro. O falso desertor, ou desertor arrependido, como ele se apresentava, negou que fosse um espião a serviço de Cuba ou mesmo que pertencesse aos quadros de inteligência do Estado. Declarou que de fato desertara de Cuba, mas que se arrependera depois de viver quatro anos em Miami. Revelou que fora recrutado pelo FBI para espionar não somente a Hermanos, mas praticamente todas as organizações anticastristas importantes da Flórida — e que a verdadeira função do agente Oscar Montoto, o *Mr. Slingman*, era fiscalizar violações das leis de neutralidade internacional pelos grupos anticastristas dos Estados Unidos. Contou também que Montoto o advertira de que não voasse com a Hermanos no dia 24 "porque Cuba estava determinada a derrubar qualquer avião que invadisse seu espaço aéreo" e acusou Basulto de infiltrar armas e explosivos para a realização de atentados terroristas na Ilha. Mas Ana Margarita só sentiu o coração bater acelerado quando a jornalista quis saber qual era a melhor lembrança que o piloto guardava dos quatro anos passados nos Estados Unidos. Com um sorriso nos lábios, Juan Pablo Roque deixou estatelada a ex-mulher, do outro lado do estreito da Flórida, ao afirmar que só ia sentir saudade "do meu jipe Cherokee...". Horas antes ele concedera longa entrevista a um programa da TV estatal cubana, no qual foi apresentado apenas como "um membro da organização contrarrevolucionária Hermanos al Rescate" — sem nenhuma informação sobre as circunstâncias em que deixara Cuba ou sobre como retornara ao país.

A semana seguinte foi ocupada por uma sucessão de protestos, denúncias e entrevistas coletivas convocadas por organizações anticastristas da Flórida. Na segunda-feira a embaixadora norte-americana na ONU, Madeleine Albright, que um ano depois seria nomeada secretária de Estado pelo presidente Bill Clinton, pronunciou um duro discurso de condenação do governo cubano pelo abate dos dois aviões, encerrando-o com uma resposta à fala do piloto do MiG-29 após o primeiro disparo. A pequenina e enérgica embaixadora surpreendeu a todos ao recorrer a linguajar pouco apropriado a uma dama elegante e a uma tribuna solene como aquela. "Francamente, isto não é ter colhões", bradou Albright, de dedo em riste, usando o termo chulo em espanhol, *cojones*. "Isto é covardia." Pronunciado por aquela senhorinha com ar de avó de histórias infantis, o palavrão parecia adquirir força ainda maior. O prefeito de Miami, o cubano-americano Joe Carollo, anunciou que baixaria decreto batizando com os nomes dos pilotos mortos quatro avenidas da cidade. Até ali, de qualquer forma, as reações ouvidas em Nova York, Miami e Washington permaneciam no universo da retórica. A primeira medida concreta contra Cuba seria divulgada à noite pela Casa Branca. Convencido de que nenhum dos dois aviões tinha invadido o espaço aéreo cubano — "e, mesmo que tivessem, ainda assim a derrubada teria violado normas internacionais" —, o presidente Clinton anunciou um pacote de providências punitivas ao governo da Ilha, como ele próprio relembraria anos depois:

— Suspendi voos fretados para Cuba, restringi viagens de funcionários cubanos aos Estados Unidos, ampliei o alcance da Radio Martí e pedi ao Congresso autorização para retirar dos ativos cubanos bloqueados nos Estados Unidos as indenizações para as famílias dos pilotos mortos.

A entrada em cena do presidente americano em pessoa obrigou Fidel Castro a tratar do tema publicamente. Num ato de massas na província de Matanzas, o líder cubano referiu-se à derrubada dos aviões como um incidente que poderia ter sido evitado:

— Nós previmos que isso ia acabar acontecendo, e advertimos várias vezes os Estados Unidos desse risco. Mas vocês viram as violações de nosso espaço aéreo, viram as aventuras cada vez mais atrevidas sobre nossa capital, algo que nenhum país do mundo permitiria. Agora inventam que são aviões civis e que voavam em águas internacionais... São aviões de guerra, que os Estados Unidos usaram na Guerra do Vietnã.

De fato, dois meses depois a agência das Nações Unidas OACI — Organização da Aviação Civil Internacional — reconheceu que pelo menos um avião pertencente à Hermanos ainda tinha insígnias da Força Aérea dos Estados Unidos pintadas em sua fuselagem. Nada daquilo tinha muita importância para o governo americano. Naquele momento Washington parecia interessar-se apenas pelo ajuste de contas com Havana. Dez dias após a derrubada, Bill Clinton sancionou ao vivo, em rede nacional de televisão, a Lei para a Liberdade e Solidariedade Democrática em Cuba, ou simplesmente "Lei Helms-Burton", que cochilava nas gavetas da Casa Branca desde sua aprovação pelo Congresso americano, quatro meses antes. Ao fazê-lo, Clinton, conforme admitiria em suas memórias, não estava movido só pelo desejo de provocar mudanças internas em Cuba, mas também por interesses meramente eleitorais. "Apoiar essa lei era uma boa política para a Flórida em um ano eleitoral", confessou o presidente, mesmo reconhecendo que a decisão "solapava qualquer chance, se eu fosse reeleito, de levantar o embargo em troca de mudanças positivas em Cuba." Destinada a arrochar ainda mais o estrangulamento econômico da Ilha e a restringir a autoridade do presidente da República para suspender o bloqueio sem aprovação do Congresso, a lei era de autoria do senador republicano Jesse Helms, da Carolina do Norte, e do deputado democrata Dan Burton, representante de Illinois, ambos conhecidos pelo comprometimento com os setores mais conservadores do Congresso e da comunidade cubana no exílio. Com a ampla maioria parlamentar adquirida nas eleições de 1994, a oposição ao presidente Clinton conseguiu aprovar a lei em outubro de 1995 com dois terços do total dos votos, o que inviabilizava um eventual veto presidencial.

Além de incorporar todas as restrições impostas a Cuba desde 1962, o texto sancionado por Clinton era uma explícita coação sobre a comunidade internacional para aderir ao bloqueio americano à Ilha. O arsenal de sanções ameaçava negar vistos de entrada nos Estados Unidos a diretores de qualquer empresa estrangeira que negociasse — o verbo empregado na lei é *traficar* — com o governo cubano e previa multas que poderiam chegar, como de fato chegaram, a centenas de milhões de dólares. Navios mercantes que atracassem a portos cubanos, não importava de que bandeira fossem, eram submetidos a uma quarentena que os proibia de usar portos norte-americanos pelo prazo de seis meses. Investidores ou empresas estrangeiras que utilizassem bens ou ocupassem propriedades de cidadãos americanos expropriadas por Cuba seriam responsabilizadas civilmente nos Estados Unidos. Vistas no papel, as prescrições pareciam sob medida para coroar o processo de asfixia da economia da Ilha que começara com o bloqueio, em 1961, e se agravara em 1991, com o fim da URSS. Se os Estados Unidos conseguissem que fosse cumprida, a lei ameaçava ser a missa de réquiem da Revolução Cubana. Antes mesmo que Havana reagisse, no entanto, as condenações ao caráter extraterritorial da Helms-Burton pipocaram em todos os cantos. A União Europeia, a Organização Mundial do Comércio, a Unesco, o Unicef e até mesmo a Organização dos Estados Americanos, da qual Cuba fora suspensa em 1962 e que raramente se opunha a Washington, criticaram com dureza a decisão de Clinton de sancionar o pacote de medidas — muito embora ele, segundo a Constituição americana, não tivesse alternativa. Para esses organismos, na prática a Helms-Burton forçava o mundo a escolher entre comerciar com Cuba e comerciar com os Estados Unidos, em flagrante violação de leis e tratados internacionais. Até um velho aliado de Clinton condenaria a decisão de promulgar lei tão draconiana. "Na minha opinião, assinar a Lei Helms-Burton foi um sério erro de Clinton", diria depois o ex-presidente Jimmy Carter.

O primeiro choque da lei com a realidade ocorreu quando uma carta do governo americano chegou aos escritórios da Sol Meliá Hotels & Resorts. Fazia seis anos que a maior empresa hoteleira da Espanha se convertera no principal parceiro comercial de Cuba. Era previsível que a maioria das dezenas de hotéis construídos na Ilha pela gigante espanhola estivesse em terrenos expropriados pela Revolução, mas a empresa não pareceu se assustar com o ranger de dentes de Washington. "Nenhum de nossos executivos está tão interessado em visitar a Disneyworld", ironizou o porta-voz da Sol Meliá. "E, se for compelido a optar entre os dois países, o grupo não terá dúvidas em fechar a rede de hotéis que mantém na Flórida." Quem quer que negociasse — ou traficasse, como preferia o governo americano — com os cubanos seria notificado dos riscos a que se submetia. Não escapavam nem mesmo grandes conglomerados multinacionais, como a Sherritt

International, a maior empresa de mineração do Canadá, que explorava jazidas de níquel em Moa, no extremo leste de Cuba, ou a fábrica francesa de bebidas Pernod Ricard, distribuidora do rum Havana Club na Europa.

No Brasil a pressão do Departamento de Estado tentou alcançar a Companhia de Cigarros Souza Cruz, controlada pela britânica BAT — British American Tobacco. Um dos maiores pagadores de impostos do país e dona de 80% do mercado brasileiro de cigarros, com uma produção anual de 4 bilhões de unidades, a Souza Cruz construíra em Cuba uma moderna fábrica cujo controle dividia, meio a meio, com o Estado cubano. Na primeira notificação o governo americano advertia a empresa do fato de que o imóvel utilizado por ela em Havana pertencera à norte-americana Henry Clay & Co., responsável pela produção em Cuba de marcas célebres, como Lucky Strike e Pall Mall, até ser confiscado em 1960 pelo governo comunista — o que configurava violação das leis americanas e sujeitava o infrator a sanções impostas pelos EUA. O passo seguinte foi uma visita do cônsul dos Estados Unidos à sede da Souza Cruz, no Rio de Janeiro. Recebido pelo vice-presidente Milton Cabral, o diplomata consumiu quase duas horas arrolando os artigos da Helms-Burton infringidos pela Souza Cruz ao "traficar" com o governo de Fidel Castro. Assim como seu colega da Sol Meliá, o executivo brasileiro não parecia disposto a engolir desaforos. "A associação com Cuba é uma iniciativa da Souza Cruz, uma empresa brasileira que se rege pelas leis do Brasil. O nosso acionista majoritário é inglês, e se rege pelas leis do Reino Unido", reagiu Cabral polidamente, mas sem deixar dúvidas de que aquela conversa terminava ali. "Sendo assim, as leis americanas, com todo o respeito, não produzem efeitos sobre nossos negócios." O cônsul ignorava que tamanha segurança, na verdade, decorria de um fato que passara despercebido ao pente-fino do Departamento de Estado. Meses antes da sanção da Lei Helms-Burton, o controle da Henry Clay & Co. fora adquirido pela British American Tobacco — o que significava que a Souza Cruz operava em Cuba num imóvel que pertencia a ela própria.

Mesmo sem ter conseguido quebrar a espinha da Revolução Cubana, a lei continuaria fazendo estragos ao longo dos governos de George W. Bush e Barack Obama. A munição utilizada pelo Departamento de Estado, que atuava em conjunto com as pastas do Comércio, Defesa e Tesouro, atingia alvos de todos os tamanhos. A vítima podia ser tanto um gigante como o banco Credit Suisse — multado pela Procuradoria-Geral dos Estados Unidos em 536 milhões de dólares por ter realizado trinta operações de transferência de recursos para Cuba — quanto qualquer cidadão americano que fizesse uma inocente viagem turística à Ilha. Do longo braço da razia anticastrista nem sequer funcionários da Casa Branca escapariam, como aconteceu com Fred Burks, tradutor oficial do presidente Clinton. Três anos depois de sancionada a lei, Burks viajou para Havana com a namorada, via Cancún, para assistir a um espetáculo do grupo musical Buena Vista Social Club, grande sucesso da época. Monitorados pelo Departamento do Tesouro, ao retornarem a Washington ele e a namorada foram multados em 15 mil dólares como punição pela noitada com os músicos Ibrahim Ferrer e Compay Segundo. Do ponto de vista diplomático e político, não se tratava apenas de uma volta à estaca zero. Era pior. A partir do dia 24 de fevereiro de 1996 as relações entre Cuba e os Estados Unidos adquiriram tons cada vez mais sombrios, hostis e agressivos. De todos os avanços ocorridos desde a administração Jimmy Carter, só permaneceram de pé os acordos que tinham posto fim à crise migratória de dois anos antes.

Os acontecimentos do sábado fatídico produziram efeitos devastadores na comunidade cubana da Flórida. Após as revelações de Juan Pablo Roque à televisão, a atmosfera de Miami se tornara irrespirável. A primeira baixa ocorreria nos quadros do FBI: desnudado publicamente pelo cubano, que divulgara até os números de seu telefone e de seu beeper, o agente Oscar Montoto foi retirado de circulação por seus superiores e colocado temporariamente na geladeira. O ambiente de desconfiança e suspeição envenenou ainda mais as organizações anticastristas. Aquelas em que Roque havia atuado ou com as quais tinha tido mais familiaridade, como a Fundação Nacional Cubano-Americana, a Hermanos e o Movimento Democracia, tentaram reconstituir os passos do piloto nas semanas anteriores à fuga e realizaram investigações internas para buscar respostas a angustiosas perguntas que a maioria se fazia. Roque já era agente do governo cubano ao chegar aos Estados Unidos ou fora recrutado em Miami? Agira sozinho ou deixara cúmplices plantados entre os exilados? O FBI teria infiltrado outros informantes nos grupos do exílio?

Protegido pela simulação segundo a qual rompera com Roque meses antes do retorno deste a Cuba, René conseguiu atravessar incólume a selva de suspeitas em que se convertera Miami. Quando a poeira da desconfiança baixou, o marido de Olga foi procurado por Alex Barbeito e Al Alonso, os agentes do FBI que, graças a informações fornecidas por ele, haviam estourado a gangue de narcotraficantes que se escondia no PUND e colocado no xadrez o líder daquela organização anticastrista, Héctor *El Tigre* Viamonte. O FBI saíra com a imagem duplamente arranhada dos episódios de 24 de fevereiro. De um lado com a opinião pública em geral, por ter recrutado um agente sem saber que se tratava de um oficial de inteligência do governo cubano. E de outro com a totalidade do exílio — e de seu poderoso lobby no Congresso — quando Roque revelou que era pago pelo FBI para espionar a FNCA, a Hermanos e o Democracia. A proposta que Barbeito e Alonso tinham para fazer a René era delicada: substituir Juan Pablo Roque como informante nas organizações anticastristas em que estivesse atuando. O convite, aparentemente, revelava que eram infundadas as suspeitas de que o FBI tivesse outros informantes plantados nos grupos do exílio. O cubano pediu alguns dias para refletir — na realidade o tempo necessário para consultar Havana sobre como reagir. Na correspondência dirigida a Cuba, René traça um breve retrato dos dois policiais. Sobre Barbeito informa que se trata de um jovem com idade entre 25 e trinta anos, cabelos castanhos, estatura média, "aparentemente" de origem cubana. "Fala bem o espanhol, com leves interjeições em inglês, é dinâmico e espontâneo e não tem nenhum sinal físico visível." A descrição de Alonso é mais minuciosa:

> Tem cerca de 45 anos e pele clara, ligeiramente bronzeada. É alto e forte, mas não chega a ser atlético. Seu cabelo é levemente ondulado e ele fala devagar, com tendência um pouco efeminada. Está ficando grisalho. Seus traços faciais são bem parecidos com os de nosso companheiro Miguel. Dá a impressão de ser bastante metódico e capaz. Ao contrário de Alex, sempre pronto para a ação, Alonso parece ser acima de tudo analítico.

Conforme o resumo transmitido por René, os dois policiais lhe disseram que a necessidade de manter sob estreito controle as atividades políticas da comunidade cubana se tornara fundamental depois da derrubada dos aviões. Segundo eles, o governo americano estava preocupado com o risco de ser arrastado a um confronto militar "por um joguinho manipulado por provocadores de Miami". Quanto a trabalhar para o FBI, o cubano sugeria a Havana que a proposta fosse recusada. "Não me parece lógico que você apoie um grupo com o qual supostamente tem identidade de ideias e objetivos e, de um dia para outro, aceite espionar esse grupo", argumentou René. "Isso me parece tão baixo que nem mesmo os agentes do FBI seriam malucos de confiar em mim se eu aceitasse o convite." O Centro Principal concordava com ele. Além dos riscos apontados, Cuba tinha razões para reforçar a vigilância dos agentes da Rede Vespa sobre os grupos anticastristas. O comportamento agressivo do governo americano reacendera os ânimos e encorajara os setores mais radicais do exílio. Infiltrações de explosivos em território cubano e atentados a alvos turísticos prosseguiam com intensidade cada vez maior. Nem mesmo a dramática morte dos quatro pilotos da Hermanos parecia ter inibido a agressividade dos grupos anticastristas, já que as invasões do espaço aéreo e do mar territorial de Cuba se repetiam como se nada tivesse acontecido. Nos doze meses que se seguiram à derrubada dos aviões, Cuba foi vítima de dezenas de agressões planejadas e financiadas na Flórida. Graças aos informes enviados pelos agentes da Rede Vespa, em agosto os órgãos de segurança cubanos prenderam um cidadão americano que tentava entrar no país com uma carga de explosivos e em setembro um cubano de Miami foi apanhado quando desembarcava na praia de Punta Alegre, na província de Ciego de Ávila, com uma embarcação carregada de armas. As informações fornecidas pelos dois presos permitiram frustrar vários atentados, mas não estancaram a onda terrorista. No fim do ano, em entrevista à TV Univisión, de Miami, Luis Posada Carriles e Orlando Bosch reafirmaram a decisão de continuar patrocinando atividades terroristas contra a Ilha.

A impunidade e a desenvoltura com que circulavam pelos Estados Unidos autores ou mandantes confessos de crimes que ao longo dos anos tinham custado a vida de dezenas de inocentes deixavam as autoridades cubanas indignadas, mas não havia rigorosamente nada a fazer — senão o que já vinha sendo feito pelos agentes da Rede Vespa. Fidel acreditava que, assim como Jimmy Carter, Clinton não era um farsante. E alimentava a expectativa de que, se o presidente americano tomasse conhecimento da vida pregressa e do grau de periculosidade daquela gente, não hesitaria em dar um basta às provocações nascidas ou patrocinadas em Miami. O Comandante pretendia preparar para Clinton um dossiê sobre o tema, mas não dispunha de canais confiáveis para que o documento chegasse diretamente ao presidente americano, sem o risco de passar pelas mãos — e sob os olhos — da CIA e do FBI. A solução apareceu no final de abril, quando pousou no aeroporto de Havana um jato privado levando a bordo o ex-senador e ex-candidato democrata à Presidência dos Estados Unidos Gary Hart. Além do currículo, Hart contava com um privilégio que interessava especialmente ao presidente cubano: acesso direto a Bill Clinton. Nunca ficariam suficientemente esclarecidas as razões que teriam levado um político da importância de Hart a realizar uma viagem particular a Cuba em meio à caça às bruxas movida por Washington contra tudo o que cheirasse a castrismo. O que se sabe, porém, é que, ao retornar aos Estados Unidos, ele portava na bagagem um calhamaço de duzentas páginas, vários vídeos e fitas cassete com áudios, material cuja preparação fora supervisionada pessoalmente por Fidel Castro. Baseado em boa parte nos milhares de informes enviados pela Rede Vespa a Cuba, o dossiê relatava, um por um, todos os atentados executados contra a Ilha desde o início dos anos 90. Cada crime vinha com as indicações de quem o havia cometido, quem planejara e quem pagara — tudo comprovado com vídeos realizados clandestinamente e com gravações de telefonemas.

Três semanas depois que Hart recebeu a documentação das mãos de Fidel, uma bomba destruiu as instalações da agência de turismo cubana Cubanacan, na Cidade do México. As primeiras investigações revelaram que os métodos de trabalho e o tipo de explosivo utilizado no atentado guardavam muita semelhança com as ações realizadas contra alvos turísticos em território cubano. E o cruzamento de dados fornecidos à polícia pelos serviços de imigração e pela rede hoteleira da capital mexicana indicava que o autor — ou autores — do atentado era originário de um país da América Central. A suspeita coincidia com investigações que vinham sendo realizadas pela Rede Vespa em Miami. Já fazia algum tempo que o grupo chefiado por Gerardo-Viramóntez desconfiava que mercenários da Guatemala e de El Salvador estavam sendo contratados por exilados de Miami para executar atentados a bomba em Cuba. Mas ainda faltava alguma peça para que o quebra-cabeça se encaixasse.

9

O MERCENÁRIO CRUZ LEÓN NÃO QUERIA MATAR NINGUÉM. SEU SONHO ERA SER IGUAL A SYLVESTER STALLONE

Ainda ia demorar um pouco, mas as pistas levantadas pelos agentes cubanos acabariam levando a um jovem centro-americano que vivia a 2 mil quilômetros de Miami, quase nada sabia de Cuba e nem sequer imaginava que o segundo homem da hierarquia revolucionária era um xará seu, Raúl Castro. Com 26 anos, o salvadorenho Raúl Ernesto Cruz León gostava mesmo era de ouvir rock and roll, praticar esportes e treinar a pontaria em estandes de tiro privados da capital de seu país. Sem nenhum interesse por política, seu ídolo era o brutamontes Sylvester Stallone, de quem já vira todos os filmes, alguns deles mais de uma vez. Em 1995 trabalhava como guarda-costas na Two Shows, empresa encarregada de oferecer segurança pessoal a personalidades e artistas estrangeiros de passagem por El Salvador. Desde criança gostava de armas, familiaridade facilitada pela atividade do pai, soldado do Exército, e também pela circunstância de que, dos oito aos vinte anos de idade, vivera num país mergulhado numa brutal guerra civil, época em que era tão fácil comprar uma metralhadora como um par de sapatos. Quando Cruz León tinha quinze anos, sua família — mãe, dois filhos e duas filhas, dos quais ele era o primogênito — foi abalada pela trágica notícia de que o pai, que servia no quartel de Sensuntepeque, a cem quilômetros de San Salvador, se matara com um tiro na cabeça. E, como a guerrilha ocupara a estrada que liga a capital àquela cidadezinha, os Cruz León tiveram que esperar vários dias para recolher o cadáver da morgue local e sepultá-lo em San Salvador. Com enorme esforço da mãe, o rapazinho conseguiu chegar ao nono grau do Colégio Salesiano, de onde saiu falando inglês com fluência. Aos dezessete anos seus brinquedos prediletos eram uma pistola russa Makarov, uma Beretta italiana de nove milímetros e uma pistola Smith & Wesson com mira a laser. A paixão pelas armas o levaria a fazer o curso de cadetes do Exército, mas, mesmo tendo conquistado duas vezes o vice-campeonato interno de tiro, não se deu bem com a rígida disciplina do quartel e permaneceu por apenas um ano na academia militar. Não fumava, não bebia e nunca havia experimentado drogas. Nem maconha, que costumava ser consumida abertamente por seus clientes do showbiz. Seus únicos vícios eram as armas e os esportes radicais, como alpinismo, rafting e surfe. Não era muito dado a leituras e só se lembrava de dois livros que o marcaram: *O velho e o mar*, de Ernest Hemingway, e o recém-lançado *Manual do Guerreiro da Luz*, do brasileiro Paulo Coelho.

O herói do jovem salvadorenho, na verdade, não era o ator que diversas vezes interpretara John Rambo e Rocky Balboa no cinema. Seu modelo de bravura e valor era Ray Quick, o implacável demolidor vivido por Stallone naquele que considerava um clássico do cinema, o filme *O especialista*. E, quando Cruz León se comparava a Ray, o saldo não lhe era desfavorável. A paranoia não era a única, mas a principal diferença entre eles. Ray era seguro, enfrentava as situações de risco com invejável frieza. Cruz León não era alguém que se amedrontasse facilmente, mas desconfiava até da própria sombra. Naquilo que ele julgava essencial, porém, os dois eram muito parecidos: ambos eram pessoas de alma boa. Ray já dera várias demonstrações disso, às vezes em situações banais, como na cena em que, sozinho e desarmado, quebrou a cara de quatro hispânicos que ameaçavam uma adolescente num ônibus de Miami. Havia mais semelhanças: os dois tinham ojeriza a sangue: Ray jamais usava facas como instrumento de trabalho, e talvez até se acovardasse diante de uma lâmina afiada. Cruz León empalidecia ao ver uma seringa extraindo sangue de sua veia para exames de laboratório. Os dois gostavam de gatos. Ray andava com um angorá gordo e felpudo que certa noite o seguira silenciosamente por várias quadras de Miami Beach até ser adotado sob o nome de Timer — "temporizador", um instrumento de trabalho de ambos. Cruz León criava, desde que a vira nascer, uma gatinha vira-lata, Hija — "filha", em espanhol —, que convivia pacificamente com o canário que ele mantinha na gaiola. Eram da mesma estatura, em torno de 1,70 metro, e, embora tivesse 51 anos, quase o dobro da sua idade, Ray era uma caixa de músculos, um disciplinado halterofilista que levantava pesos todos os dias. O americano não era exatamente um homem bonito e tinha um lado da boca torcido para baixo, resultado de uma complicação no parto. Mas o outro também estava longe de ser um galã. Cruz León, típico mestiço centro-americano, tinha o queixo muito grande, característica que ressaltava o prognatismo que resistira a anos de inúteis aparelhos ortodônticos na arcada dentária inferior.

Mas a singularidade de Ray Quick era seu mais cobiçado e invejado bem: a deslumbrante, cinematográfica mulher, May Munro, papel interpretado por Sharon Stone. Dona de rosto e corpo estonteantes, ela o conhecera ao contratar seus serviços para exterminar os cabeças de um bando mafioso de Miami. Entre eles estavam os autores do assassinato de seus pais, crime que ela testemunhara quando tinha dez anos de idade. Convencida de que um matador de aluguel poderia não resolver seu problema ("Balas sempre podem se desviar", ela repetia), May decidiu recorrer a um profissional de explosivos. Não um vulgar detonador de muros, mas alguém que lhe garantisse precisão absoluta, um especialista. Era Ray Quick. Agente da CIA aposentado, na época ele morava num galpão no porto de Miami e prestava serviços tanto a governos quanto a pessoas físicas — desde que seu código de ética fosse respeitado: não praticaria nenhuma ação que envolvesse o risco de morte de inocentes ou de crianças. Quando tombou o último morto do contrato dele com May, os dois já estavam vivendo sob o mesmo teto. Cruz León achava o prêmio merecido: afinal, Ray não era apenas um especialista, mas um veterano vitorioso. Ele ainda era um iniciante, mas haveria de chegar o dia em que terminaria um contrato levando uma May Munro para a cama.

Cruz León foi despertado desses devaneios por uma breve turbulência enfrentada pelo Boeing 737 da Taca, empresa aérea centro-americana, o qual decolara uma hora antes em El Salvador, na manhã daquela quarta-feira, 9 de julho de 1997. Ele ainda teria que encarar uma escala de pelo menos três horas de duração em San José da Costa Rica para só então embarcar rumo a seu destino final: Havana, Cuba. O que poderia ser um voo direto de duas horas de duração costumava consumir até oito horas, tamanho era o tempo perdido em escalas e conexões. Por que diabos alguém como ele saberia tanto sobre Ray Quick? É verdade, ele seria capaz até de responder sobre Ray Quick num desses programas de perguntas e respostas da televisão. O conhecimento enciclopédico se devia ao fato de que ele já assistira dezenas de vezes ao filme *The specialist* — um clássico do cinema-demolição produzido em 1994 e que rendera mais de 100 milhões de dólares em bilheteria. Não importava que Ray Quick e May Munro fossem personagens inventados por alguém de Hollywood. Ainda que imaginários, eram o casal-modelo para Cruz León. Mas no fundo o salvadorenho sabia que faltava muito para chegar ao patamar de um Ray Quick. Ele dava os primeiros passos na carreira de especialista. Aquela, afinal, era sua primeira missão, para a qual ia armado até os dentes. Ou, mais precisamente, até os pés.

Embora calçasse sapatos 41, naquele dia Cruz León usava coturnos Timberland número 44. O espaço vazio entre os dedos e o bico de cada bota era ocupado por 250 gramas de C-4, o explosivo preferido por terroristas e heróis de filmes de ação. Capaz de produzir uma velocidade de detonação de nove quilômetros por segundo, mais de 30 mil quilômetros por hora, um punhado de C-4 do tamanho de uma bola de tênis é suficiente para derrubar paredes de concreto ou estruturas de aço. O que dava a Cruz León alguma segurança para viajar com material tão letal sob os pés, a salvo do risco de virar carne moída, era a certeza de que, sem a ajuda de um detonador, aquela meleca era tão inofensiva quanto uma massinha de modelagem. E os detonadores, assim como os fios e temporizadores, estavam prudentemente guardados na mochila Tommy Hilfiger de náilon azul que ele depositara no compartimento de bagagens do teto do avião. A não ser pelo imprevisto atraso de algumas horas, a escala na Costa Rica transcorreu sem incidentes e já era noite quando os passageiros foram chamados para tomar o avião que os levaria a Cuba.

A estressante aventura de Cruz León começara um mês antes. Seu recrutamento por Francisco Chávez Abarca se dera no final de maio, seis semanas antes daquela viagem. Na verdade, fora dele a iniciativa. Cruz León queria vender a van que a irmã caçula utilizava para fazer transporte escolar e alguém recomendou que procurasse Abarca, proprietário de uma loja de carros usados e de uma pequena locadora de automóveis chamada Geo Rent-a-Car, ambas instaladas numa garagem de San Salvador. Muita gente dizia que tanto a loja como a locadora eram a fachada usada por quadrilhas centro-americanas de roubo de carros, mas, como ele queria vender e não comprar, não havia o que temer. Já ouvira falar de Abarca, um sujeito jovem como ele, carrancudo, arisco, de poucas palavras e dono de uma barriga de dimensões monumentais — de onde veio o apelido de *Panzón*, ou *Barrigão*. No decorrer da negociação da van os dois descobriram o gosto comum pelas armas e combinaram um dia se encontrar no estande de tiro Xangai, perto da capital. Acabaram fechando negócio — em dinheiro vivo, como era costume do enigmático Abarca, que não utilizava cheques nem cartões de crédito. Passados alguns dias ele apareceu num fim de tarde na Two Shows para um café e na saída chamou Cruz León até o interior de seu carro, um reluzente Nissan Pathfinder branco. Tirou do porta-luvas uma bola disforme, semelhante a uma massa de pizza, e, enquanto moldava aquilo com os dedos, perguntou:

— Você sabe o que é isto?

— Já vi no cinema. Isso é C-4, não?

Sempre com ar misterioso, Abarca jogava a bola da mão direita para a esquerda:

— Sim, não há explosivo melhor que este. Você pode bater com um martelo sobre esta bolinha ou jogar beisebol com ela e não acontece nada. Pode colocá-la num forno a temperaturas de até trezentos graus centígrados e ela não explode. Mas basta um pulso elétrico de nove volts, energia gerada por uma pilha comum, dessas que acompanham brinquedos de crianças, para esta bolinha afundar uma embarcação ou tirar do chão um tanque de trinta toneladas.

Deu partida no carro e convidou Cruz León para uma demonstração:

— Vem comigo, vou te mostrar como funciona esta merda.

Saiu em disparada pelas ruas de San Salvador em direção ao litoral. No caminho dissertou sobre as virtudes do C-4: além de capacidade explosiva muito superior à da dinamite militar, ele tinha uma característica única, a maleabilidade. "Com o C-4 você pode arrancar apenas a tampa do porta-luvas deste carro sem arranhar o painel nem ferir ninguém", explicava ele, desviando do confuso trânsito local, "mas também pode produzir uma onda expansiva capaz de transformar um prédio de dez andares numa montanha de entulho." Cruz León sabia do que ele estava falando: produzir explosões com precisão cirúrgica era exatamente o que fizera de Ray Quick um especialista. Minutos depois o veículo estacionava nas areias de La Perla, uma restinga rochosa raramente frequentada por banhistas. Abarca tirou alguns objetos de uma bolsa e desceu com eles nas mãos, caminhando por entre

Acima, o terrorista e recrutador de mercenários
Francisco *Barrigão* Chávez Abarca na porta
de uma delegacia em San Salvador. Abaixo,
Raúl Ernesto Cruz León trabalhando
como guarda-costas do cantor Ricky Martin.

as pedras, seguido de perto por Cruz León. Escolheu uma rocha, agachou-se no chão e espalhou o material na areia: uma chave de fenda em miniatura, uma calculadora-despertador portátil, um detonador — um cilindro de metal semelhante a um prego grosso, sem cabeça — e dois pedaços de fios de cores diferentes. Com a chave de fenda soltou os parafusos, abriu a caixa da calculadora, retirou a campainha do tamanho de uma moeda e prendeu os fios soltos numa das pontas do detonador. A outra extremidade dele foi introduzida numa bolinha de C-4 das dimensões de um chiclete mastigado. Pôs o relógio para despertar dali a cinco minutos, amarrou tudo com um pedaço de fita isolante e enfiou o pacote atrás de uma rocha do tamanho de um automóvel. Cruz León apressou o passo para se proteger atrás de outro monte de pedras, mas Abarca o tranquilizou. "Não se preocupe, só vai explodir daqui a cinco minutos", explicou, enquanto caminhava pela areia. "E, mesmo que estivéssemos lá, não correríamos risco, porque o explosivo foi colocado de forma a fazer a pedra explodir do lado oposto ao que nós nos encontrávamos." Por segurança Cruz León preferiu aguardar atrás do tronco de uma palmeira, mas o confiante Abarca permaneceu na praia, sem se proteger. Passados cinco minutos um barulhão seco jogou para o alto metade da rocha — exatamente para o lado escolhido pelo gordão.

Semanas depois ele reapareceu na Two Shows e levou Cruz León para comer num restaurante italiano semideserto. Falando ainda mais baixo que de costume, foi direto ao assunto, sem recorrer a metáforas:

— Quer colocar duas bombas para mim? Você já sabe como é fácil montar uma.

Cruz León ouviu aquilo de queixo ainda mais caído:

— Bombas? Onde? Para você?

— Não é para mim, é para uns amigos de Miami.

O espírito humanista de Ray Quick parecia ter baixado nele:

— Colocar bombas para matar gente? Não conte comigo.

— Não é para matar ninguém, é só para assustar. Só queremos fazer *bulla*, fazer barulho.

— É aqui em El Salvador?

— Não. É em outro país.

— Que país?

— Não posso falar. Se você aceitar, eu direi onde será. Pago 15 mil *colones* por bomba, fora as despesas com viagem, hospedagem e alimentação.

Os "amigos de Miami", como se saberia depois, eram Posada Carriles, Guillermo Novo Sampol, Pedro Remón Crispín — o trio que seria preso e indultado no Panamá anos mais tarde —, Arnaldo Monzón Placencia e Francisco *Pepe* Hernández, diretor da Fundação Nacional Cubano-Americana. Os encontros de *Barrigão* com o grupo costumavam ocorrer na lanchonete Mister Don, na capital salvadorenha, ou numa suíte do hotel Radisson, na Cidade da Guatemala. Quinze mil *colones* não era exatamente uma fortuna, mas daria para comprar 1500 dólares no câmbio negro. Como eram duas bombas, tratava-se de 30 mil *colones*, 3 mil dólares. Ou três meses de salário na Two Shows. Cruz León quis saber quantos dias aquilo ia exigir — "Você sabe que tenho patrão e cumpro horários", disse ele — e foi tranquilizado. Entre a saída de San Salvador e a volta, a missão consumiria no máximo uma semana. Ele tinha um dia para decidir se topava. Como se estivesse fazendo a coisa mais natural da sua vida, Chávez Abarca devorou um prato de espaguete e uma travessa de almôndegas e bebeu uma garrafa de vinho enquanto via o companheiro de jantar tão excitado que mal tocava na comida. Anos depois Cruz León lembraria o êxtase de que fora tomado aquela noite:

— Sei que isso pode parecer ridículo, mas ali eu me imaginei Ray Quick. O que eu senti naquele momento foi isto: eu era Ray Quick, eu era Sylvester Stallone. Eu ia pôr bombas num país que nem sabia qual era, voltaria para casa e iria para a cama com a Sharon Stone. Me senti um espião, me senti o máximo.

O deslumbramento deu lugar à paranoia quando, no dia seguinte, Chávez Abarca revelou o nome do país onde as duas bombas seriam colocadas:

— Em Cuba? Você ficou maluco? Dizem que Cuba é o país mais militarizado, mais vigiado do mundo. Me disseram que existe em Havana até um muro, como o de Berlim. Deve haver policiais, câmeras e microfones para todo lado, até debaixo das camas dos hotéis!

Mais uma vez *Barrigão* o tranquilizou, afirmando que a tal supervigilância era conversa de comunista:

— Estive há menos de um mês em Havana, coloquei duas bombas num hotel e saí sem ser importunado por ninguém. E, na remota hipótese de você ser apanhado, contratamos um bom advogado e em poucas horas você estará aqui de novo. Como você pode ver, fui lá, pus as bombas e estou aqui, inteirinho.

De fato Abarca estivera em Cuba e na noite de 12 de abril ativara uma carga de C-4 no toalete da discoteca Aché, instalada no térreo do Meliá Cohiba, o mais luxuoso hotel do país, onde estava hospedado. Por milagre os banheiros estavam vazios na hora da explosão e não houve vítimas. Duas semanas depois, quando se preparava para fechar a conta, grudou mais um pacote com quatrocentos gramas do explosivo numa floreira do corredor do 15º andar do mesmo hotel, mas dessa vez os serviços de segurança desativaram a bomba antes que ela explodisse. O que *Barrigão* não revelou foi a dificuldade para receber o pagamento pelos atos de terrorismo. Como a bomba do 15º andar não chegara a explodir e o estouro na Aché ocorrera de madrugada, com a discoteca e o lobby do hotel já desertos, o governo cubano conseguiu segurar por algumas semanas a notícia dos dois atentados. Durante vários dias, nenhuma informação vazou na imprensa internacional. Abarca insistiu por telefone com os "amigos de Miami", cobrando o que lhe era devido, até receber como resposta um fax em sua agência de automóveis:

RESTAN POR PAGAR

DEL DINERO EN TU PODER ($3500) LE PAGAS
A MARLON $2500 Y LOS OTROS $1000 LES QUEDA
A TI Y A JOSE. ASI QUEDA LIQUIDADO LA CUENTA
DEL "HOTEL

MAÑANA RECIBIRAS MAS DINERO POR WESTERN

UNION, PASADO MAÑANA TE ENVIARE LOS
NOMBRES Y CANTIDADES PARA QUE LOS RE-
TIRES, ME LO GUARDAS HASTA MI REGRESO.

COMO YO TE EXPLIQUE, SI NO HAY PUBLI-
CIDAD EL TRABAJO NO ES UTIL, LOS PERIO-
DICOS AMERICANOS NO PUBLICAN NADA QUE
NO HAYA SIDO CONFIRMADO. NECESITO
TODOS LOS DATOS E LA DISCOTECA PARA
TRATAR DE CONFIRMARLO. SI NO HAY PU-
BLICIDAD NO HAY PAGO ESPERO NOTICIAS
HOY MISMO, MAÑANA ESTARE FUERA DOS
DIAS

RECIBA UN SALUDO

Solo

O fax assinado por *Solo*, um dos codinomes de Posada Carriles, com a advertência fatal: se não houver publicidade, não haverá pagamento pela colocação de bombas em hotéis de Cuba.

Como eu te expliquei, se não houver publicidade o trabalho é inútil. Os jornais americanos não publicam nada que não tenha sido confirmado. Necessito de todos os dados sobre a discoteca para poder confirmá-los.

Se não houver publicidade, não há pagamento.

Espero notícias hoje mesmo, amanhã viajo e fico fora por dois dias.

Receba a saudação do

Solo

Cruz León se animou e aceitou o serviço. Na época estava coordenando a segurança de uma banda de rock que se apresentava em El Salvador e não foi difícil conseguir uma semana de férias na Two Shows. Abarca pediu seu passaporte — Cruz León já havia feito curtas viagens de turismo pelo México e pela América Central — e na noite de terça-feira, 8 de julho, véspera do embarque, apareceu na casa dele, um modesto apartamento onde Cruz León vivia com a mãe e os irmãos no bairro de Cuscatlán, no centro da capital salvadorenha. Levava uma mala com as botas, uma bola de explosivo embrulhada em papel-alumínio e os demais apetrechos necessários aos atentados. Dispôs sobre o tampo da mesa de jantar as calculadoras, pedaços de fios, detonadores, pilhas e um voltímetro, aparelho plástico pouco maior que um maço de cigarros, com um pequeno visor e duas minipinças do tipo "jacaré", destinadas a medir se as pilhas de fato estavam gerando a voltagem necessária à detonação. Dessa vez vagarosamente, reproduziu a operação realizada na praia deserta, explicando os detalhes de cada passo. Para que não se repetisse o fiasco que ele próprio vivera em Havana, quando a bomba do 15º andar do hotel Meliá Cohiba acabou não explodindo, desenhou na agenda de Cruz León um diagrama rudimentar indicando onde e como plugar cada fio e de que forma o detonador deveria ser ajustado. As pilhas e fios viajariam escondidos dentro de um radiodespertador General Electric de cabeceira, do tamanho de um livro, e o voltímetro e um pequeno rolo de fita isolante seriam acondicionados no fundo da bolsinha junto com a escova de dentes, pasta dental, creme de barbear, gilete e um frasco de água-de-colônia. Os detonadores seriam transportados no lugar do miolo de dois marca-textos. Antes de se despedir, reiterou o objetivo das explosões:

— O pessoal de Miami não quer matar ninguém, mas mostrar aos estrangeiros que fazer turismo em Cuba pode significar um perigo mortal. Vou lhe passar alguns dos alvos sugeridos por eles, para você escolher os dois onde colocará as bombas.

Enquanto Abarca ditava, Cruz León escreveu em sua agenda de mão os nomes dos hotéis Meliá Cohiba, Nacional, Capri, Comodoro, Santa Isabel e Tritón (que, por engano, ele anotou como "Plutón"). Além deles, os "amigos de Miami" incluíram os dois mais frequentados pontos turísticos da capital cubana: o bar e restaurante La Bodeguita del Medio, celebrado como o lugar preferido por Ernest Hemingway para seus porres, na primeira metade do século XX, e a Tropicana, a mais tradicional casa de espetáculos do país. Ao sair, Abarca entregou a Cruz León quinhentos dólares em dinheiro e uma pasta de plástico da agência Joanessa, onde havia sido adquirido o pacote turístico com o qual viajaria para Cuba, com as passagens aéreas e dois vouchers, um para o traslado do aeroporto e outro para cobrir as diárias no hotel Ambos Mundos, com o café da manhã, almoço e jantar incluídos. A escolha do hotel foi o único pedido de Cruz León a Abarca. Ele poderia ter escolhido um hotel de luxo, como o Nacional ou o Cohiba, ambos situados no Vedado, o lado chique de Havana, mas Cruz León preferiu o romântico três estrelas da Havana Velha por um motivo especial, como revelaria anos depois:

— Eu tinha lido num folheto turístico que foi no Ambos Mundos que Hemingway escreveu o livro *Por quem os sinos dobram*. Por coincidência, reservaram para mim um quarto no

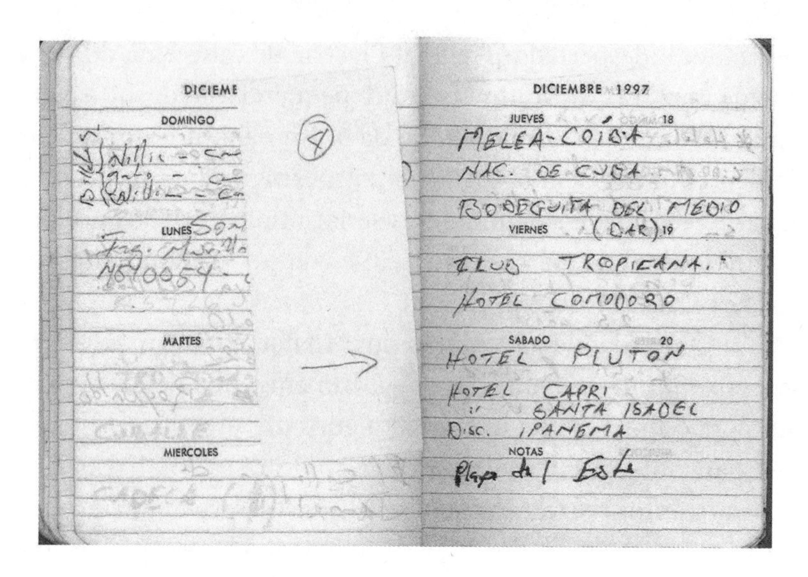

A caderneta do mercenário Raúl Ernesto Cruz León com a lista dos hotéis e casas de espetáculos de Cuba onde as bombas deveriam ser colocadas.

quinto andar, ao lado daquele em que o escritor vivia e que foi transformado em museu.

Na manhã de 9 de julho, já no táxi que o levaria ao aeroporto de San Salvador, Cruz León sentiu a paranoia bater mais uma vez. Por maiores que tivessem sido as garantias oferecidas por Abarca de que não havia nenhum risco em transportar o explosivo dentro das botas, o pânico fazia seus pés suarem abundantemente. Parou numa farmácia, comprou uma latinha de talco antisséptico e despejou metade do conteúdo em cada pé do coturno. Não houve nenhum imprevisto na saída do país. Habituado a receber e embarcar personalidades para a Two Shows, ele conhecia todo mundo no aeroporto e encontrou todas as portas abertas.

Já passava das onze da noite quando a comissária anunciou que o avião estava prestes a pousar no aeroporto José Martí, em Havana. Abarca tinha escolhido para ele um voo que chegasse tarde a Cuba, exatamente por acreditar que no final da noite os policiais e agentes de imigração costumam estar cansados e que as revistas se tornam menos rigorosas. Estava enganado. Todos os passageiros já haviam exibido seus passaportes nos guichês de entrada quando dois jovens fardados e de cara amarrada se aproximaram e ordenaram:

— Esvazie a mochila sobre o balcão e abra a mala.

Ele achou que ia ter um infarto, mas os oficiais pareciam mais interessados em localizar algum artigo de contrabando. Enfiavam os dedos entre as roupas, buscando algum objeto escondido, mas faziam isso vagarosamente, como se quisessem atrasá-lo de propósito. Apalpavam, mexiam aqui e ali, olhavam o passaporte e os vouchers sem encontrar nada suspeito. Certo de que já estava livre da revista, Cruz León resolveu bancar o valentão. Abriu a boca diante de um dos oficiais e fez a pergunta fatal:

— Você não quer ver se acha algum contrabando escondido entre meus dentes?

A resposta foi imediata:

— Ponha suas coisas de volta na mochila, feche a mala e venha conosco.

No final de um corredor os três entraram numa salinha cuja porta foi fechada à chave. Um dos policiais deu a ordem:

— Tire o boné e a camisa e abaixe as calças e a cueca.

Quando, já de peito nu e sem boné, Cruz León abaixou a cabeça para desafivelar o cinto e soltar as calças, percebeu que parte do talco com que polvilhara os pés saíra por entre os cadarços, salpicando de branco todo o bico das botas. "Naquele momento senti que por *una cabronería*, uma imbecilidade, eu tinha acabado de assinar minha sentença de morte", ele se lembraria depois. "Até uma criança desconfiaria que eu levava cocaína escondida nos pés. Eu estava irremediavelmente fodido." Por sorte, porém, quando desapertou o cinto, as calças e a cueca caíram sobre as botas, ocultando-as e impedindo que os policiais vissem o pó branco. Mandaram que ele levantasse os testículos e separasse as nádegas com as mãos, deixaram-no seminu por mais alguns minutos, enquanto folheavam de novo o passaporte e o resto da papelada para, só então, darem a ordem final:

— Pode vestir a roupa, você está liberado.

Na van que o levou ao hotel, cercado de ruidosos turistas, ele se sentia como Lázaro, um renascido. E repetia em silêncio para si mesmo:

— Eu sou Ray Quick. Eu sou Ray Quick. Eu sou Ray Quick.

Meia hora depois do susto Cruz León entrava no prédio cor-de-rosa de cinco andares na esquina das ruas Obispo e Mercaderes, a meio caminho da Plaza de Armas e da Bodeguita del Medio, onde ficava o hotel Ambos Mundos. Instalado no quarto 521, a duas portas do 511, o quarto-museu de Hemingway, desconfiou da segurança do cofre com segredo digital aparafusado dentro do guarda-roupa. Preferiu distribuir suas bugigangas eletrônicas em pequenos desvãos dos móveis, como o oco existente atrás das gavetas dos dois criados-mudos e a caixa de madeira que guardava a engrenagem da persiana no alto da janela voltada para a rua — sempre tomando cuidado para que os detonadores e as pilhas estivessem separados da massa de C-4 que retirara cautelosamente dos coturnos. Tomou um demorado banho de chuveiro, caiu na cama e mergulhou em profundo sono.

Acordou na manhã seguinte e desceu de bermudas, camiseta e sandálias para a cafeteria self-service no térreo do hotel. Talvez porque fosse muito cedo, no lugar não havia nenhum hóspede. Encheu um prato com omelete e pedaços de salsicha, pegou uma torrada, manteiga, uma xícara de café, e escolheu uma mesa ao acaso. Quando começava a comer, viu um jovem casal sair do elevador e se servir no bufê. Para sua surpresa, embora todas as outras mesas estivessem vazias, os dois atravessaram o salão e se dirigiram a ele. Foi o rapaz quem lhe disse, educadamente, despertando de novo a paranoia:

— Podemos nos sentar com você?

Com a frequência cardíaca batendo recordes, fingiu naturalidade e respondeu sorrindo:

— Sim, claro, com prazer.

A moça quis saber sua origem e ele achou melhor mentir:

— Sou hondurenho. E vocês, de que país são?

Cruz León não gostou da resposta:

— Somos daqui mesmo, somos cubanos.

Ele já tinha ouvido falar que era comum casais cubanos passarem a noite de núpcias em hotéis de turismo e acrescentou:

— Estão em lua de mel?

O rapaz respondeu sorridente, entre colheradas de iogurte:

— Não, nem somos casados. Somos policiais.

Cruz León sentiu a omelete revolver em seu estômago, mãos e pés começaram a suar, mas manteve o sangue-frio e brincou:

— Quer dizer que sou suspeito?

O cubano deu uma gargalhada:

— Não, nada disso! Como responsáveis pela segurança interna do hotel, fazemos nossas refeições aqui. Ao vê-lo comendo sozinho, resolvemos fazer-lhe companhia.

A fome deu lugar ao medo e ele achou melhor cair fora dali o mais depressa possível. Mas para onde? Pensou em ir para a rua, mas temia que as saídas já estivessem guardadas por outros tiras. Deu uma desculpa, levantou-se e caminhou em direção aos elevadores, olhando de rabo de olho para ver se o casal o seguia, mas eles continuavam na mesa, comendo normalmente. Subiu ao quarto com as mãos trêmulas e sentou na beira da cama para decidir o que fazer. Estava certo de que tinha sido apanhado, os caras deviam estar apenas esperando o melhor momento para lhe dar voz de prisão. Depois de alguns minutos de reflexão sem que nenhuma boa ideia o aliviasse, pegou a mochila, colocou o boné na cabeça e resolveu sair. Não seria nenhuma surpresa se abrisse a porta e desse com o casal à sua espera, de armas nas mãos, mas o corredor estava tão vazio quanto antes. Quando o elevador chegou ao térreo, notou que o casal não estava mais na cafeteria. O movimento de pessoas na rua já era grande — turistas, taxistas, camelôs oferecendo suvenires e charutos avulsos — e ele aproveitou para se misturar aos circunstantes, sempre olhando de viés para ver se alguém o seguia. Viu passar um bicitáxi, triciclo semelhante a um riquixá, tomou o veículo e pediu que o ciclista o levasse ao bairro Vedado, a quatro quilômetros dali. O condutor sugeriu que fossem pelo Malecón, a avenida à beira-mar, mas ele preferiu ir pelas ruas estreitas da Havana Velha, um trajeto mais longo e nem tão bonito mas que lhe permitiria checar com mais segurança se estava sendo seguido. Quarenta minutos depois desceu nas imediações do hotel Nacional convencido de que tudo não passara de mais um surto de paranoia.

Nos dois dias seguintes Cruz León circulou pela capital cubana de táxi, a pé e de bicitáxi. Visitou os oito alvos sugeridos por Abarca, alguns deles mais de uma vez, até se decidir pelos hotéis Capri e Nacional, separados por um quarteirão de cem metros de comprimento. Ambos faziam parte da história de Cuba. Inaugurado em 1955 num moderno edifício de 25 andares, o Capri fora propriedade, até o triunfo da Revolução, de um trio de americanos famosos no mundo do crime: o ator George Raft e os gângsteres Santo Trafficante e Meyer Lansky, este imortalizado por Lee Strasberg no filme *O poderoso chefão — Parte II*, de Francis Ford Coppola. Com apenas sete pavimentos em estilo neoclássico espanhol, o Nacional data de 1930, ano em que foi construído em meio a 30 mil metros quadrados de jardins. Considerado durante décadas o mais luxuoso hotel do Caribe, era o preferido de personalidades como Winston Churchill e os duques de Windsor e de estrelas do showbiz como Tyrone Power, Errol Flynn, Marlon Brando e Orson Welles. Em 1951 sua suíte presidencial fora recoberta de flores para receber os recém-casados Frank Sinatra e Ava Gardner.

Cruz León reservou a noite de sexta-feira, dia 11, para preparar as bombas. Jantou mais cedo, subiu para o quarto do Ambos Mundos, fechou a janela que dava para um pequeno jardim interno, cerrou as cortinas e espalhou sobre a cama todo o material que havia escondido. Ajoelhado no chão, abriu a agenda na página em que Chávez Abarca tinha desenhado o diagrama e desaparafusou as tampas das duas calculadoras. Prendeu uma extremidade dos fios na campainha e no pino detonador e a outra nos dois polos da pilha, não sem antes certificar-se, com a ajuda do voltímetro, de que a energia gerada era mesmo de nove volts. Fechou tudo com um pedaço de fita isolante e dividiu a massa de C-4 em duas bolotas iguais, colocando-as dentro de um saquinho de plástico opaco. Depositou tudo na mochila, tomando o cuidado de separar calculadoras, pilhas e detonadores num compartimento e o explosivo em outro. Recolheu os fragmentos de fios que haviam ficado sobre a colcha, jogou-os no vaso sanitário e foi dormir.

Acordou no dia seguinte às nove horas, tomou banho, vestiu sua roupa de turista — bermudas, camiseta, sandálias, boné e óculos escuros —, pendurou a mochila nas costas e desceu para o café da manhã pedindo a Deus para não cruzar com o casal de seguranças do hotel. Comeu um pratinho de salada de frutas e um iogurte e saiu em busca de um táxi. Quinze minutos depois estava sentado numa poltrona do lobby do hotel Capri. Além dos funcionários da recepção só viu uma mulher atrás da mesa de um quiosque com ofertas turísticas. Já se preparava para ir ao banheiro térreo enfiar o detonador na bola de explosivo e acionar o despertador quando foi abordado por um jovem negro magrelo, de gorro e avental brancos:

— O senhor é hóspede do hotel?

Só faltava isso, mais um cubano para conversar fiado com ele.

— Não, não sou. Estou esperando um amigo.

— É o seguinte: sou cozinheiro do hotel e estou precisando de cinco dólares emprestados para comprar uma passagem de ônibus e visitar um parente doente no interior...

Cruz León nem esperou o sujeito terminar a frase. Enfiou a mão no bolso, tirou uma nota de dez dólares e entregou-a ao cubano, que quase nem conseguiu agradecer:

— Muitíssimo obrigado. Vá ao restaurante na segunda-feira que eu lhe faço um prato especial.

O salvadorenho dispensou-o, mal-humorado:

— Está bem, está bem, agora me desculpe, estou esperando uma pessoa.

Trancou-se num dos banheiros da recepção, abriu a mochila, enterrou metade do detonador na bola de C-4, marcou o relógio para despertar dali a dez minutos e retornou ao lobby levando nas mãos o saquinho plástico com a bomba armada. Depositou-o atrás da poltrona onde estivera sentado e saiu a passos largos para a rua. Como havia cronometrado antes, levou um minuto e meio para percorrer um quarteirão e entrou no hotel Nacional. No banheiro armou a segunda bomba para dali a sete minutos, colocou tudo dentro do outro saquinho plástico e voltou para a recepção.

Os primeiros alvos das bombas colocadas pelo mercenário Raúl Ernesto Cruz León, contratado pelos "amigos de Miami": acima e ao lado, o hotel Nacional, o mais tradicional de Cuba. Abaixo, o hotel Capri, antigo ponto de jogo da Máfia em Havana.

Já se preparava para deixar o volume atrás de uma floreira quando apareceu na sua frente uma sorridente mocinha de minissaia, que ele logo percebeu tratar-se de uma *jinetera*, uma garota de programa em busca de clientes. Antes que ela abrisse a boca, cortou-a com uma ameaça:

— Não estou interessado em sexo. Se você não sair daqui agora, eu chamo a polícia.

A moça deu meia-volta, assustada, permitindo que ele caminhasse até a floreira encostada no final do saguão de chão de lajotas. O salvadorenho escondeu discretamente o saquinho no meio das folhagens e tomou o rumo da rua. Quando ele descia os primeiros degraus da pequena escada que dá para os jardins da frente, a bomba explodiu, transformando a enorme porta de entrada do hotel em milhares de cacos de vidro. Um grupo de turistas europeus que descia de um ônibus saiu em disparada por entre as árvores e Cruz León aproveitou para misturar-se a eles. Em meio ao pânico e à correria generalizada, andou durante alguns minutos e, ao chegar ao Malecón, ouviu a segunda bomba explodir no Capri. Caminhou por meia hora, tomou um táxi e pediu ao motorista que o levasse à Plaza de Armas. Com a desculpa de que estava muito suado, o que era verdade, trocou a camiseta verde por outra, branca, que carregava na mochila. Passou o dia zanzando sem destino entre os turistas que enchiam a Havana Velha e só à noite, depois de certificar-se de que não parecia haver nenhum policial à sua espera, retornou ao Ambos Mundos. No domingo de manhã comprou numa banca um exemplar do *Granma* e outro do *Juventud Rebelde*, os dois principais jornais de Cuba, e surpreendeu-se ao ver que não havia saído uma única sílaba sobre as duas explosões. Nem fotos, nem notícias, nada, absolutamente nada. No dia 14, segunda-feira, quando vencia o pacote turístico adquirido por Chávez Abarca, a van da agência recolheu-o na hora marcada no hotel e o transportou até o aeroporto. A partida aconteceu sem nenhum contratempo e ao meio-dia o avião da Taca decolou rumo à escala na Costa Rica. A missão tinha sido cumprida.

Treze anos depois, em abril de 2010, sentado numa cela da prisão de Villa Marista, em Havana, à espera de ser posto diante do pelotão de fuzilamento que executaria a pena de morte a que fora condenado, um Cruz León quinze quilos mais gordo se lembraria daquela remota e ensolarada manhã de domingo:

— Quando o avião sobrevoou Havana, eu só pensava numa coisa: eu era de fato um Ray Quick, um especialista. Eu merecia levar Sharon Stone para a cama.

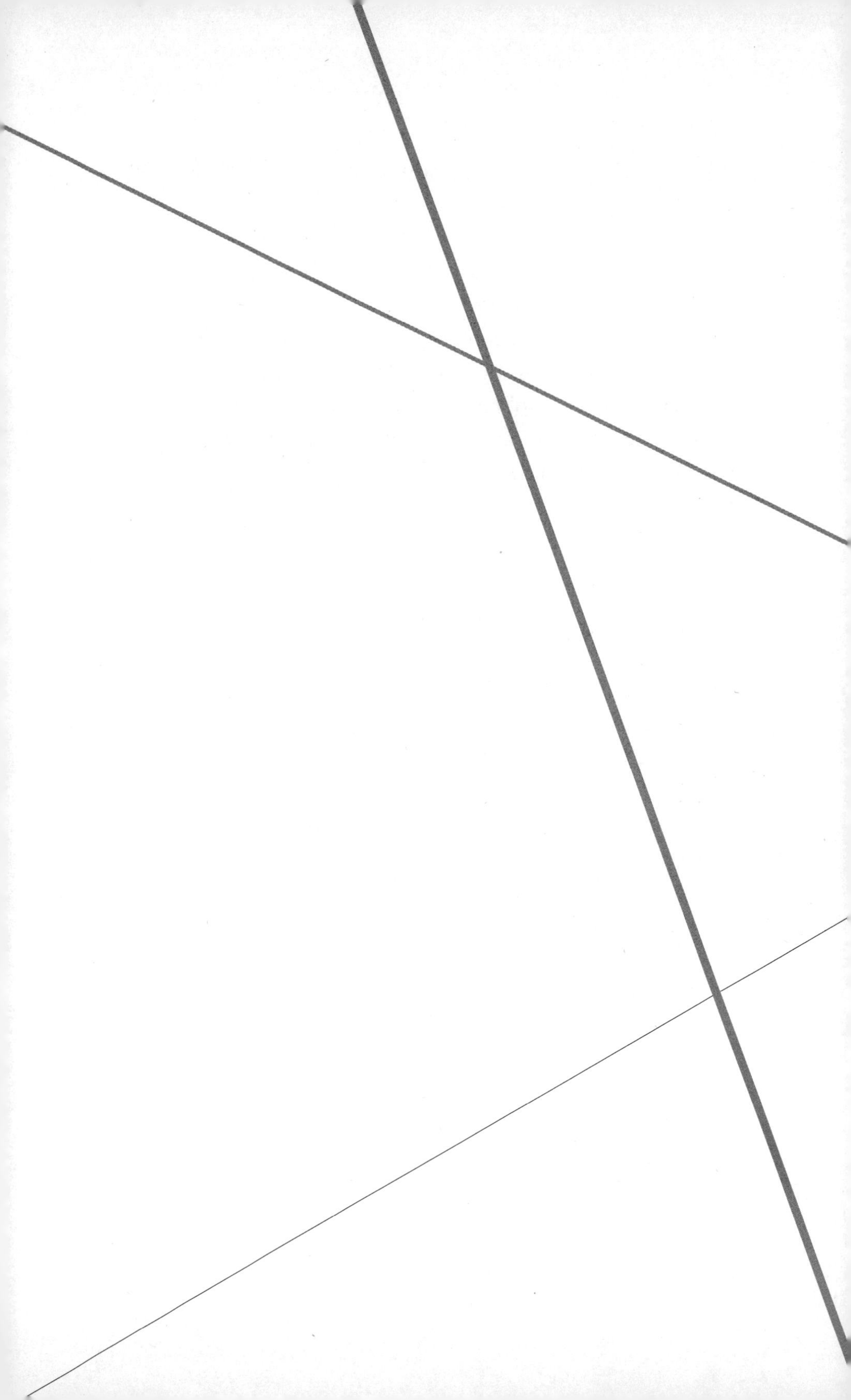

10

POR 7500 DÓLARES, O SALVADORENHO VOLTA A CUBA PARA COLOCAR MAIS CINCO BOMBAS EM HOTÉIS E RESTAURANTES

Embora a imprensa de Cuba não tivesse publicado nada sobre os atentados terroristas realizados contra os hotéis Capri e Nacional, quando Raúl Ernesto Cruz León chegou ao aeroporto de Comalapa era esperado por Chávez *Barrigão* Abarca, que lhe entregou, em dinheiro vivo, os prometidos 30 mil *colones*. Apesar dos esforços das autoridades cubanas para ocultar o ocorrido, as explosões tinham sido presenciadas por dezenas de testemunhas, entre elas muitos estrangeiros, e a notícia acabou sendo divulgada por agências internacionais. Só então o salvadorenho tomou conhecimento do resultado de seu trabalho em Cuba. Abarca contou-lhe que nenhuma das bombas provocara mortes. Pelo que diziam os jornais, no hotel Capri os atentados haviam produzido apenas prejuízos materiais, calculados em 50 mil dólares, mas a carga de C-4 colocada no Nacional espalhara cacos de vidro por todo o lobby central, deixando feridos uma faxineira cubana e três turistas estrangeiros que saíam do elevador na hora da explosão. Um jamaicano e um mexicano tiveram ferimentos leves e a chilena Maria Angélica Pinochet sofrera um corte na perna, o que a obrigou a passar quinze dias sob observação num hospital local. Do ponto de vista de Abarca, a operação fora coroada de êxito:

— O objetivo era exatamente este: aterrorizar turistas estrangeiros. Os amigos de Miami estão radiantes com seu trabalho.

Menos de três semanas depois da volta de Cruz León a El Salvador, o fluxo de turistas em Cuba entrava num declínio sazonal.

Com o fim das férias de julho milhares de estrangeiros esvaziavam os hotéis e resorts da capital e dos balneários distribuídos ao longo do extenso litoral. Na manhã de 4 de agosto, uma segunda-feira, o amplo lobby de mármore travertino do hotel Meliá Cohiba fervilhava de europeus, asiáticos e latino-americanos enfileirados diante dos caixas para fazer o check-out. O enorme relógio pendurado na parede atrás do balcão da recepção parou quando os ponteiros marcavam sete horas e trinta minutos — hora em que o lugar estremeceu com a explosão de uma bomba colocada sob um pesado sofá de cinco lugares. A onda expansiva atirou o móvel contra o teto, abriu uma cratera na parede onde ele estava encostado, espalhou cacos de vidro em todas as direções e deixou em estado de pânico turistas e funcionários, mas milagrosamente ninguém se feriu.

O verdadeiro prejuízo seria conhecido dias depois: tão logo a notícia da explosão ganhou as páginas da imprensa internacional, dezenas de operadoras turísticas de vários países procuraram a Sol Meliá para cancelar pacotes de viagens a Cuba. Nos oito meses seguintes, o mais caro e luxuoso hotel de Havana ficaria às moscas. "A imagem da segurança do Meliá Cohiba e de Cuba, como destino turístico, ficou seriamente afetada com o episódio", relatou o diretor da empresa espanhola em carta às autoridades cubanas. "É preciso levar em conta que um dos pontos fortes de Cuba como destino turístico era a segurança interna. Os prejuízos futuros são incalculáveis." O exame laboratorial dos fragmentos do artefato revelou que tanto o explosivo quanto os demais materiais que compunham a bomba do hotel Meliá Cohiba — calculadoras Casio equipadas com despertadores, pilhas de nove volts da marca Kodak, detonadores e sacos plásticos — eram os mesmos utilizados nas explosões de julho no Capri e no Nacional. O autor do atentado conseguiu escapar. Era Otto Rodríguez Llerena, um salvadorenho de quarenta anos, olhos azuis, troncudo e com escassos cabelos grisalhos sobre as orelhas. Embora não se conhecessem, Llerena e Cruz León tinham mais coisas em comum, além de serem de El Salvador: ambos eram ex-militares, trabalhavam em empresas de segurança privada e eram pagos pelos mesmos "amigos de Miami".

No dia 13 de agosto, um mês depois que Cruz León colocou as bombas, os amigos de Miami desembolsaram 30 mil dólares para publicar um anúncio de página inteira no *Miami Herald*, no qual a Fundação Nacional Cubano-Americana festejava os atentados, atribuindo-os à oposição interna. Embora não houvesse dúvida de que se tratava de um trabalho de mercenários, a "Mensagem à opinião pública" afirmava que as bombas eram uma "clara mensagem que os cubanos enviam ao mundo: a de um povo que não se resigna à escravidão e à miséria a que foi submetido pelo regime castrista". A matéria paga atribuía a autoria das ações a "pessoas altamente organizadas dentro do país, talvez membros das Forças Armadas cubanas". No final o texto apoiava "de forma inequívoca, incondicional e sem reparos todos os atos de rebeldia interna que tenham como objetivo a expulsão de Fidel e Raúl Castro do poder". Dos 28 membros do Comitê Executivo da FNCA que assinavam o anúncio, treze faziam parte da lista de "elementos vinculados ao terrorismo" que o ex-senador Gary Hart recebera de Fidel Castro. E pelo menos seis deles, como se viria a saber mais tarde, estavam diretamente envolvidos com as operações levadas a cabo por Cruz León Llerena em Havana.

Tanto a Fundação quanto as demais organizações pareciam ter motivos de sobra para se preocupar com o que acontecia em Cuba. Quando caiu o Muro de Berlim, em 1989, prenúncio do desmoronamento da União Soviética, as receitas decorrentes do turismo eram estatisticamente desprezíveis para a economia da Ilha. A rede hoteleira do país dispunha de pouco mais de 10 mil apartamentos, que recebiam anualmente um fluxo de turistas estrangeiros inferior a 300 mil pessoas. E, ainda assim, a grande maioria dos visitantes eram operários originários de países da

A LA OPINION PUBLICA

MENSAJE DE LA JUNTA DE DIRECTORES DE LA FUNDACIÓN NACIONAL CUBANO AMERICANA

Los incidentes de rebeldía interna que durante las últimas semanas se vienen sucediendo al través de la isla, hablan claramente de la exasperación de un pueblo que no se resigna al destino de esclavitud y miseria en que lo ha sumido el régimen castrista. Luego de cuatro décadas de sufrir los rigores de la más feroz tiranía que haya padecido nuestro continente, el pueblo cubano le está enviando al mundo, mediante estos actos de rebeldía, el más claro e inequívoco mensaje.

Aquellos que se preguntan quiénes podrán ser los autores materiales de los recientes incidentes, no tienen más que analizar las características de éstos para concluir que apuntan a elementos altamente organizados dentro del país, quizás dentro de las propias fuerzas armadas, hombres y mujeres que junto al resto de la población sufren los crímenes del castrismo, pero que poseen los conocimientos, contactos y disciplina para evadir la detección por parte de las, obviamente inefectivas, estructuras de seguridad del régimen. Si esto fuera cierto, esperamos que cumplida su misión de desalojo de la cúpula gobernante y una vez restaurado el orden, vuelvan a sus cuarteles, permitiendo a un pueblo que ha sufrido la hegemonía militar durante casi medio siglo, recobrar su libertad bajo un régimen civilista y democrático. Esto sería, sin duda, la mayor de las contribuciones que los militares pudieran hacer a la paz y al bienestar de la sociedad cubana.

Independientemente de quienes sean los autores materiales, la responsabilidad final, directa e ineludible, de la violencia que pueda aún suscitarse en Cuba, no puede recaer en nadie más que en Fidel y Raúl Castro, quienes, con su obstinación en preservar un absolutismo a ultranza, han cerrado todas las puertas a una solución concertada e incruenta de la problemática nacional cubana.

La Fundación Nacional Cubano Americana, que ha alentado la formación de una conciencia cívica mundial en oposición al régimen castrista mediante el uso de vías pacíficas de presión política y económica, no puede, sin embargo, permanecer en silencio en estos momentos cruciales, sobre todo cuando se levantan voces hipócritas para enjuiciar a quienes, dentro de Cuba, confrontan al régimen castrista a riesgo de sus propias vidas, ya sea con la denuncia valiente de sus arbitrariedades y crímenes, ya sea con acciones cruentas de rebeldía.

El pueblo cubano, como todo pueblo que lucha por su libertad, tiene derecho a escoger los instrumentos que se encuentren a su alcance para obtenerla. Un mundo que ha permanecido sordo, frío e insensible a los crímenes cometidos por el régimen castrista, no tiene derecho a juzgar a sus víctimas, ni a impedir que los cubanos alcancen su libertad mediante el ejercicio de su derecho a la rebelión.

La Fundación Nacional Cubano Americana, consciente de su responsabilidad para con el pueblo cubano, respalda sin ambages ni reparos cuanta denuncia, enfrentamiento o acto de rebeldía interna vaya encaminado a la expulsión de Fidel y Raúl Castro del poder y, por ende, a la obtención de la paz y el bienestar de nuestro pueblo.

Hemos mantenido, por espacio de dos décadas, que la solución del problema cubano sólo es posible con la salida de Fidel y Raúl Castro del poder. Hoy más que nunca, la posposición indefinida de esta alternativa única e ineludible no haría más que prolongar y exacerbar el odio en un pueblo que ya se encuentra exhausto por cuatro décadas de violencia, miseria y sufrimiento.

Quienes con sus actos y sus omisiones se hacen cómplices de la permanencia de Fidel y Raúl Castro en el poder, a su vez se hacen responsables de la sangre, que en su afán de libertad, aún le quede por derramar al noble y sufrido pueblo cubano.

Hoy que ese pueblo, exhausto y casi sin aliento, alza su voz de rebeldía, nosotros, los cubanos del exilio, que por voluntad propia hemos escogido permanecer como parte integral de la nacionalidad cubana, tenemos la obligación ineludible de acudir en su ayuda sin reparos ni limitaciones. Los hombres y mujeres de la Fundación Nacional Cubano Americana, siempre atentos al clamor de libertad de nuestro pueblo, también en esta ocasión sabremos cumplir con nuestro deber.

Miami, Florida, 11 de agosto de 1997

POR EL COMITÉ EJECUTIVO:

Pedro Adrián
Dr. Luis Botifoll
Fernando Canto
Tony Costa
Carlos M. de Céspedes
Clara M. del Valle
Feliciano Foyo, C.P.A.
Horacio García
Raúl González, M.D.
Alberto M. Hernández, M.D.
Francisco J. Hernández
José Antonio Llama
Alberto J. Mariño
Miguel A. Martínez
Jorge L. Mas Canosa
Arnaldo Monzón
Domingo R. Moreira
Elpidio Núñez
Fernando Ojeda
Erelio Peña
Lombardo Pérez
Remberto Pérez
Roberto Martín Pérez
Delfín Pernas
Domingo Sadurní
Ignacio Sánchez, Esq.
Diego R. Suárez
Felipe Valls

Em um anúncio de página inteira no jornal *Miami Herald*, a Fundação Nacional Cubano-Americana atribui à oposição interna as bombas colocadas em Cuba. Alguns dos signatários do anúncio eram patrocinadores de atentados contra a rede turística cubana.

URSS, que viajavam utilizando convênios firmados entre Moscou e Havana e pouco ou nada gastavam. Durante os gelados invernos da Europa Oriental, obsoletos e perigosos aviões Ilyushin despejavam nas praias cubanas magotes de famílias de trabalhadores vindos dos mais remotos grotões da chamada Cortina de Ferro. Com todos os gastos previamente cobertos — passagens aéreas, hospedagem e alimentação —, era possível passar um mês sob o sol escaldante do Caribe sem enfiar a mão no bolso. A base de sustentação do país continuava sendo o açúcar, cuja produção naquele ano quebrara recordes históricos: a safra de 1989 superara 8 milhões de toneladas, número nunca atingido antes e que jamais voltaria a se repetir. Depois do açúcar vinham, muito abaixo, os recursos obtidos com a exportação de tabaco, rum e níquel.

O colapso da União Soviética obrigou o governo cubano a malabarismos considerados hereges pela velha guarda da Sierra Maestra. O primeiro deles rompia com o dogma do controle integral da economia pelo Estado e abria as portas do país para grandes empresas hoteleiras estrangeiras de capitais privados. Da noite para o dia, bilhões de dólares canadenses, pesos espanhóis e francos franceses se convertiam em pedra e cal e erigiam hotéis e resorts luxuosos em toda a Ilha, transformando seus 1200 quilômetros de praias num canteiro de obras que parecia não ter fim. Cinco anos depois o perfil da economia cubana sofrera uma drástica e saudável inversão. Em 1995 a safra de açúcar havia desabado para pouco mais de 3 milhões de toneladas, menos da metade da produção do final dos anos 80. O mesmo ocorria, em sentido oposto, com a recém-nascida indústria turística, que crescera no período a índices espantosos de 20% ao ano. Quando Cruz León foi contratado por Chávez Abarca para colocar bombas em Cuba, a rede turística do país contava com mais de 30 mil apartamentos, que seriam ocupados por cerca de 1,5 milhão de visitantes estrangeiros — todos, sem exceção, originários de países capitalistas e, portanto, com dinheiro vivo para gastar.

Quando a diáspora cubana abriu os olhos, o dinossauro cuja morte iminente era brindada todas as noites no restaurante Versailles, na Little Havana, dava os primeiros sinais de que saíra do coma. A resposta rápida e radical à crise apanhou de surpresa os grupos de extrema direita que haviam transformado o sul da Flórida num santuário para ataques armados à Ilha. Se era o turismo que salvava o regime comunista, então era o turismo que deveria ser atacado. Nos primeiros cinco anos após o naufrágio da URSS foram registradas 127 agressões contra o país, com o único objetivo de aterrorizar turistas. Apenas a rede hoteleira da cidade de Varadero fora vítima de sete explosões nesse período, que tinham deixado um saldo de seis mortos. Em fevereiro de 1996 o suntuoso hotel Las Américas, um conjunto de prédios e bangalôs com quatrocentos apartamentos, construído pelo grupo espanhol Sol Meliá naquele balneário, foi metralhado do mar por embarcações do PUND — Partido da União Nacional Democrática, que meses depois seria fechado pelo FBI, com o auxílio de René, por traficar cocaína entre Honduras e os Estados Unidos. Três navios de passageiros haviam sido metralhados em águas territoriais cubanas e treze aviões que transportavam turistas foram sequestrados em pleno voo. Em trinta ocasiões Havana formalizou protestos contra Washington e denunciou em organismos internacionais a invasão de seu espaço aéreo por organizações ditas humanitárias sediadas em Miami, como a Hermanos.

Abençoadas pelo anúncio da Fundação Nacional Cubano-Americana que atribuía as bombas de julho e agosto à "rebeldia interna", as organizações de extrema direita se sentiram respaldadas para intensificar ações violentas contra Cuba e aumentar seu número. Alheio à agitação que os atentados provocavam em Miami, Raúl Ernesto Cruz León retornara à rotina de trabalho na empresa de segurança Two Shows. Em meados de agosto foi procurado por Chávez Abarca, que trazia uma nova oferta de trabalho. Antes mesmo de saber do que se tratava, respondeu que, se era para viajar outra vez com explosivos dentro dos sapatos, *Barrigão* podia procurar outra pessoa:

— Se os policiais me mandassem tirar as botas no aeroporto de Havana, a esta hora eu já teria sido fuzilado. Não conte comigo.

Abarca reiterou que não haveria riscos — "Na pior das hipóteses contratamos um bom advogado, ele paga sua fiança e horas depois você estará de novo em El Salvador" — e revelou que agora o trabalho era ainda melhor:

— Desta vez não serão apenas duas, mas cinco bombas. São 7500 dólares. E, como prêmio pelo sucesso na missão anterior, seu pacote turístico incluirá uma viagem a Varadero. Não para explodir hotéis, só para se divertir.

Chávez Abarca não encontrou muita dificuldade para convencer Cruz León a aceitar a empreitada, mas a conversa engasgou quando o primeiro informou que a ordem dos "amigos de Miami" era para que o serviço fosse executado incontinenti. Naqueles dias a Two Shows cuidava da segurança de um circo europeu que visitava El Salvador, trabalho que exigiria a presença de Cruz León no país até o fim do mês. Assim, só no último dia de agosto é que o fã pôde reencarnar novamente o personagem de Sylvester Stallone. No meio da tarde *Barrigão* apareceu na sua casa com uma bolsa com cinco calculadoras-despertadores portáteis, pilhas, cabos, detonadores, fita isolante, pequenos sacos plásticos e um minialicate. Além dessa tralha, Chávez Abarca trazia, numa caixa de papelão, um televisor usado da marca Sanyo, de 27 polegadas, em cujo interior camuflara explosivo suficiente para a montagem das cinco bombas. Cruz León se lembra de que, enquanto fechava as malas, um telejornal noticiou, em edição extra, que Lady Di sofrera um acidente de carro na capital francesa e fora levada em coma para o hospital Pitié-Salpêtrière. Antes de partir, *Barrigão* deixou quinhentos dólares em dinheiro, a passagem de avião e o voucher que cobria traslados, hospedagem com café da manhã e jantar por cinco dias em Havana e um em Varadero. Para reduzir os riscos de que o mercenário fosse reconhecido, dessa vez escolheu-se outro hotel, o Plaza, um quatro estrelas situado a dez quadras do Ambos Mundos, onde o salvadorenho se hospedara no mês de julho. Construído no primeiro ano do século XX, o Plaza nada ficava a dever ao anterior: no passado seus amplos apartamentos de pé-direito duplo haviam recebido gente ilustre como o físico Albert Einstein e a pioneira da dança moderna Isadora Duncan. Entre as roletas e mesas de blackjack do elegante cassino que funcionava no andar térreo, podiam-se ver personalidades como o mitológico jogador de beisebol dos Estados Unidos George *Babe* Ruth ou a bailarina russa Anna Pavlova. Fornecido pela mesma agência Joanessa, o pacote custou pouco menos de 2 mil dólares.

Apesar do aperto passado um mês antes por Cruz León ao descer em Havana, Chávez Abarca insistia na crença de que no fim da noite o cansaço dos policiais diminuía o rigor da fiscalização. Assim, a viagem começou num Boeing da Taca que partiu às cinco da tarde de San Salvador, fez uma breve escala na Cidade da Guatemala e pousou no aeroporto José Martí nos primeiros minutos do dia 1º de setembro. Quando os passageiros entraram no saguão do aeroporto, os monitores de televisão pendurados na parede davam a notícia de que Lady Di acabara de morrer em Paris. A hora tardia não facilitou a chegada do salvadorenho. Ao retirar o televisor da esteira de bagagens, foi abordado por uma funcionária fardada querendo saber o que era aquilo. Cruz León abriu as tampas da caixa e mostrou a empoeirada TV que pretendia "dar de presente a uma namorada". A mulher pediu para ver a nota de compra. Ele respondeu que se tratava de um aparelho visivelmente usado e que não fazia ideia de onde tinha ido parar a fatura. A fiscal não se convenceu:

— Vá àquele guichê e pague o imposto devido. Ou, se preferir, pode deixar o televisor guardado aqui no aeroporto e retirá-lo quando embarcar de volta para seu país.

Mesmo inconformado, Cruz León não tinha alternativa. Embora ele levasse um cartão de crédito e alguma reserva pessoal na carteira, a mordida do fisco cubano — que lhe tomou espantosos 350 dólares — comeu mais da metade do dinheiro que *Barrigão* lhe dera para despesas extras. Já instalado num apartamento do Plaza, o salvadorenho aproveitou a insônia provocada pela excitação da chegada para organizar o trabalho. Com o auxílio da chave Philips soltou os parafusos e abriu a carcaça do televisor. Enfiou os dedos sob a parte traseira do tubo de imagem e de lá tirou algo semelhante a uma banana grande, sem casca. Era a carga de C-4 que seria dividida em cinco partes, uma para cada atentado programado para aquela viagem. Com a mesma chave de fenda abriu um radiodespertador General Electric de plástico branco que trouxera na mala e de seu interior retirou os cinco detonadores que um leigo poderia facilmente confundir com inocentes pinos de metal. Como na vez anterior, dispôs sobre a cama a tralha eletrônica e, ajoelhado no chão, passou a testar as pilhas: prendia as duas pinças dentadas nos polos positivo e negativo e checava no visor do voltímetro de mão se de fato elas estavam gerando os nove volts necessários à detonação. Uma delas mal chegava a sete volts. Cruz León testou-a várias vezes, e nada: o ponteiro do medidor nunca ultrapassava o número sete. "Sem saber como resolver o problema, eu me fiz silenciosamente uma pergunta", lembraria o mercenário muitos anos depois: "O que faria meu herói Sylvester Stallone numa situação como aquela? E decidi que o mais prudente era eliminar uma das bombas." Montou as outras quatro, sempre com o cuidado de manter o explosivo longe dos detonadores, e colocou cada uma delas num saquinho de plástico opaco. O material que seria utilizado na quinta bomba foi guardado em outro saquinho e escondido num desvão de gaveta, lugar que ele continuava considerando mais seguro que o cofre instalado dentro do guarda-roupa.

Recolheu os vestígios e fragmentos de cabos e de fitas adesivas de cima da cama, jogou-os na privada e deu descarga, certifi-

PASSENGER COUPON

FLIGHT COUPON 3
CUPON VUELO 3

KOALA TRAVEL
SAN SALVADOR
EL SALVADOR

FROM / TO DE / A	CARR. TRANSP.	FARE CALC. CALC. TARIF
SAL		
GUA	GU	
HAV	GU	
SJO	LR	
SAL	LR	399.00

ENDORSEMENTS / RESTRICTIONS (CARBON)
ENDOSOS / RESTRICCIONES (CARBON)
NON END / VIA ON GU.

ORIGIN / DESTINATION
ORIGEN / DESTINO SAL/SAL

NAME OF PASSENGER
NOMBRE DEL PASAJERO
CRUZ/RAUL

NOT TRANSFERABLE
NO TRANSFERIBLE

DATE OF ISSUE
FECHA DE EMISION
29 AUG 97

	GOOD FOR PASSAGE BETWEEN POINTS OUTLINED VALIDO PARA VIAJAR ENTRE LOS PUNTOS DE LA ZONA DELINEADA	CARRIER TRANSP.	FLIGHT/CLASS VUELO/CLASE	DATE FECHA	TIME HORA	STATUS SITUACION	FARE BASIS BASE TARIFA	NOT VALID BEFORE NO VALIDO ANTES DE	NOT VALID AFTER NO VALIDO DESPUES DE	ALLOW FRANQ.
FROM DE	SAN SALVADOR	GU	940 K	31 AUG	17:10	OK	KE30A			20
TO A	GUATEMALA	GU	106 K	31 AUG	12:30	OK	KE30A		30	20
FROM DE	HAVANA	LR	623 K	06 SEP	12:30	OK	KE30A			20
TO A	SAN JOSE	LR	670 K	06 SEP	15:20	OK	KE30A			20
TO A	SAN SALVADOR									

TOUR CODE
CODIGO DE VIAJE

FORM OF PAYMENT
FORMA DE PAGO
IVA I
CASH + CC CA 5303 4003 0582 3457

TOTAL FARE CALC.
TOTAL CALC. TARIF
399.00

FARE
TARIFA
399.00

EQUIV. FARE PD.
TARIFA EQUIV. PAGADA
3511.20

TAX
IMPUESTOS
456.46

TOTAL
TOTAL
3967.66

TACA INTERNATIONAL AIRLINES
IVA 537-1 202 6

SUBJECT TO CONDITIONS OF CONTRACT IN THIS TICKET
SUJETO A LAS CONDICIONES DEL CONTRATO INSERTAS EN ESTE BILLETE

A 3 0 0 0 6 8 6 8 4 4 2 8 1 2 5 E

3 202 6868442812 5

Um mês depois de colocar bombas em dois hotéis de Havana, o salvadorenho Cruz León retorna a Cuba, via Guatemala, para realizar novos atentados. Ao lado o televisor que escondia a carga de explosivo. Abaixo a calculadora Casio com despertador utilizada para marcar a hora em que as bombas deveriam explodir.

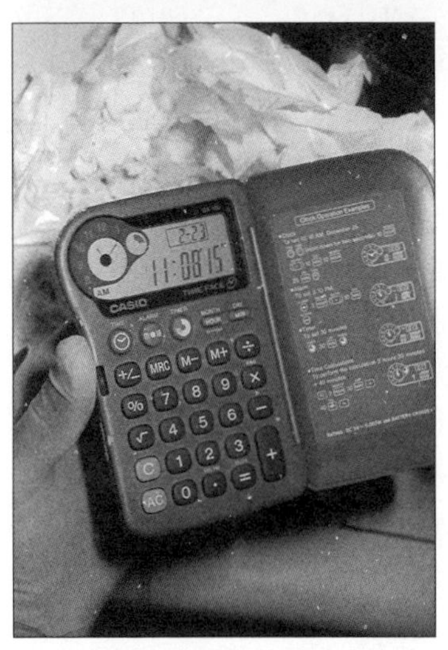

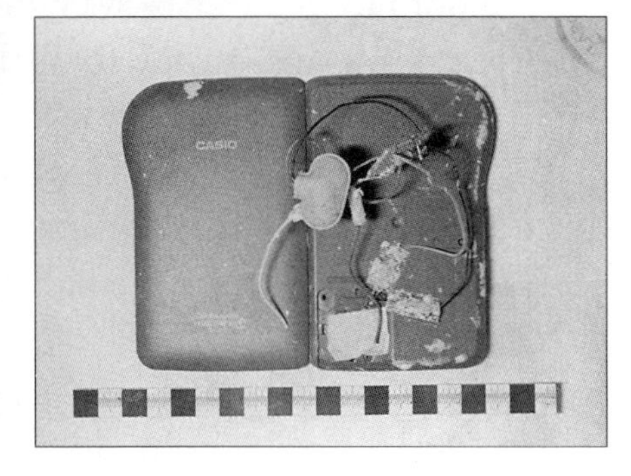

cando-se de que a água levara tudo embora. Só então sentou na beira da cama e se pôs a examinar a relação de alvos que lhe fora sugerida por Chávez *Barrigão* antes da primeira viagem. Na lista ainda apareciam dois hotéis que já haviam sido atacados por ele em julho — o Nacional e o Capri — e mais sete alvos, para que escolhesse onde colocar as bombas: os hotéis Meliá Cohiba (que anotara como "Melea Coíba"), Comodoro, Santa Isabel e Tritón ("Plutón", segundo ele), a boate Tropicana, a discoteca Ipanema e o tradicional restaurante La Bodeguita del Medio. Já era tarde da noite quando finalmente caiu no sono para ser despertado às oito da manhã por um telefonema da recepção avisando que a van que o levaria a Varadero estava na porta do hotel. O passeio foi agradável. Não fosse a paranoia que o fazia suspeitar que ora um ora outro turista do grupo que ia no micro-ônibus estava de olho nele, Cruz León teria passado um dia relaxante. Tomou sol, mergulhou por entre rochas submarinas com um snorkel cedido pelo hotel e almoçou uma apetitosa *Langosta a la mariposa*, acompanhada de uma lata de cerveja preta Bucanero — tudo incluído no voucher que recebera em El Salvador. No fim da tarde o grupo embarcou na van e já estava escuro quando o veículo chegou ao Plaza. Exausto pela atividade e pela noite maldormida, o mercenário se atirou de roupa e tudo na cama e só acordou doze horas depois.

Os dois dias seguintes foram consumidos na escolha dos quatro alvos. Cruz León repassou várias vezes a lista anotada na agenda — que, como ele sabia, continha somente sugestões. Para Chávez Abarca e seus amigos de Miami o que importava era colocar as bombas em pontos turísticos, fossem eles quais fossem. Circulando de táxi, a pé e de ônibus, o salvadorenho percorreu os trajetos entre os lugares sugeridos e cronometrou o tempo que gastaria a pé de um ponto ao outro quando fosse colocar as bombas — as quais permaneciam escondidas em ocos e buracos do quarto do hotel. Feitas as contas e consideradas as alternativas menos arriscadas, decidiu manter apenas um dos hotéis indicados, o Tritón. Inaugurado logo depois do fim da URSS, o moderno três estrelas fora construído no bairro de Miramar juntamente com outro edifício idêntico, também de vinte pavimentos, onde ficava o hotel Neptuno. Como o plano era fazer as quatro bombas explodirem simultaneamente, o mais seguro e racional era escolher alvos próximos uns dos outros. Com um mapa turístico de Havana nas mãos ele assinalou o Tritón, o vizinho e gêmeo Neptuno, o Chateau e o Copacabana. Todos à beira-mar, os quatro eram os preferidos por diplomatas estrangeiros, por causa da proximidade com as dezenas de embaixadas instaladas no bairro, e por homens de negócios, pois ficavam a cinco minutos do Pavilhão de Exposições, do Centro de Negócios e do Palácio das Convenções. Escolhidos os alvos, Cruz León se preparava para dormir quando tocou o telefone do quarto do hotel. Era Chávez Abarca querendo saber se tudo estava correndo bem. Ele respondeu que sim, que tudo ia conforme o planejado. Contou que fora obrigado a pagar impostos pelo aparelho de TV e quis saber se havia meios de fazer o dinheiro chegar a Havana. Sem entrar em detalhes, avisou:

— O dia D é depois de amanhã.

O monossilábico *Barrigão* disse apenas "boa sorte" e desligou. Na manhã de quinta-feira, dia 4 de setembro, Cruz León escolheu aquele que lhe pareceu o traje mais adequado a um turista típico: bermudas, camiseta verde, sandálias do tipo franciscano, boné, máquina fotográfica a tiracolo e óculos escuros — "Fora a câmera, uma Canon, tudo o mais era da grife Tommy Hilfiger, a minha preferida", ele não se esqueceria. Pendurou nas costas a mesma mochila de antes, na qual transportava as quatro bombas e respectivos disparadores, cuidadosamente guardados em compartimentos separados, tomou o café da manhã no refeitório do hotel e saiu para a rua. Um minuto depois, quando se acotovelava com grupos de turistas em busca de um táxi, sentiu o sangue gelar ao ouvir uma voz de mulher gritando:

— Raúl Ernesto! Raúl Ernesto!

Olhou de esguelha e viu, do outro lado da rua, uma jovem *jinetera* com quem fora a uma discoteca na viagem anterior. Fingiu que não era com ele e apressou o passo, mas a moça o alcançou, segurando-o pelo braço, sorridente:

— Raúl Ernesto! Lembra de mim?

Sem saber como lidar com a situação, respondeu o que lhe veio à cabeça:

— Você se enganou. Eu não me chamo Raúl e não a conheço.

A garota se espantou com o ar sério dele:

— Desculpe, mas há um mês nós saímos juntos. Você é o Raúl Ernesto!

O salvadorenho cortou a conversa com aspereza:

— Senhorita, eu não me chamo Raúl Ernesto, nunca vi você antes e esta é a primeira vez que venho a Cuba. Com licença, eu tenho o que fazer.

Aliviado, entrou no primeiro táxi que apareceu e pediu ao motorista que tocasse para o bairro de Miramar. Para não despertar suspeitas, desceu duas quadras antes do hotel Copacabana, o primeiro dos quatro alvos da operação. Pelas medições feitas nos dois dias anteriores, levaria seis minutos para transpor a pé os trezentos metros que separam o Copacabana do segundo alvo, o hotel Chateau, e mais dezoito minutos para ir deste até os gêmeos Tritón e Neptuno, nos quais pretendia colocar as outras duas bombas e que ficavam um quilômetro depois do Chateau. Eram pouco mais de onze da manhã quando o salvadorenho entrou no Copacabana, um três estrelas de quatro andares construído ainda no tempo de Fulgencio Batista e restaurado na retomada do turismo, no começo dos anos 90. Sentou-se junto ao velho balcão de madeira lavrada do bar do lobby e teve que ficar alguns minutos vendo na televisão notícias da morte de Lady Di até que finalmente um garçom apareceu para lhe servir uma cerveja. Serviu e sumiu. Cruz León aproveitou a pasmaceira do lugar para ir ao banheiro armar a bomba. Trancado no cubículo, sentou-se na privada, enfiou o detonador na massa de explosivo e acionou o despertador da calculadora para dali a quarenta minutos. Ao meio-dia e dez a primeira bomba explodiria. Como precisava de apenas 24 minutos para percorrer a trajetória entre os hotéis, ele teria uma folga de dezesseis minutos, tempo mais que suficiente para desaparecer da região antes das explosões. Saiu do banheiro levando num saquinho plástico a bomba armada e já em contagem regressiva. Voltou ao bar para pagar a cerveja, mas não havia ninguém para receber. Louco para sair logo dali, dirigiu-se ao caixa, e no caminho jogou o saco plástico num dos buracos laterais de um cinzeiro cilíndrico, de metal. Pagou a cerveja e foi embora. "De novo, naquele momento, eu fui tomado pelo espírito de Sylvester Stallone", Cruz León relembraria muitos anos depois. "Ao ver aquele lobby vazio, pensei: vou cumprir meu contrato sem matar ninguém. Ali eu me senti verdadeiramente um especialista."

Tal como planejara, seis minutos depois ele estava na porta do Chateau, hotel de categoria superior à do Copacabana e que oferecia como atração para seus hóspedes uma piscina construída dentro do mar. Ao entrar na recepção, deparou com um enorme aquário de vidro cheio de lagostas e de peixes de várias espécies, e pensou em colocar ali a segunda bomba. "Ia ser uma sensação espalhar água, peixes e cacos de vidro para todos os lados", fantasiou. A ideia foi descartada quando viu que do outro lado do aquário havia um grupo de mulheres conversando — ele não tinha planos de matar ninguém. Enquanto escolhia o local ideal para realizar o atentado, pegou a Canon e se pôs a fazer fotos a esmo "tentando parecer um turista normal". Só então notou que, longe de passar despercebido, estava chamando a atenção dos circunstantes: sem exceção, todos os homens que circulavam pelo lobby, aparentemente executivos e negociantes estrangeiros, usavam paletó e gravata. Ao perceber a gafe, parou com as fotos e tratou de terminar o trabalho. Pensou em chutar o saco plástico para debaixo de uma vitrine de charutos e suvenires cubanos, mas logo apareceu uma funcionária e sentou numa cadeira atrás do balcão. O tempo corria e ele continuava indeciso: na hora que via um canto apropriado, o lugar era ocupado por alguém, obrigando-o a mudar os planos. Olhou para o fundo do salão e viu um conjunto de sofás e poltronas de junco em torno de uma mesinha de centro, sem ninguém por perto, e decidiu: era ali. Sentou-se num dos sofás, fingiu que lia uma revista apanhada sobre a mesa e deslizou discretamente o saquinho plástico para debaixo do móvel, disfarçando-o atrás de uma cortina.

Só ao sair na ampla e arborizada Primeira Avenida, em frente ao hotel, é que ele olhou o relógio e percebeu que havia perdido no Chateau mais tempo que o planejado. Faltavam 25 minutos para as bombas explodirem. Para caminhar até os hotéis gêmeos, colocar as duas bombas e fugir pelo menos dez minutos antes que elas detonassem, teria que cruzar em oito minutos os mil metros que separam o Chateau do conjunto Tritón-Neptuno — desempenho digno de um maratonista. Pensou em pedir carona aos carros que trafegavam pela avenida, mas ficou com medo de se expor naquele momento tenso. Ele não era um atleta, mas praticava esportes com frequência e sentiu que podia chegar a tempo. Saiu a galope, sob o sol calcinante, com as duas bolas de C-4 chacoalhando dentro da mochila pendurada às costas. Entrou no Tritón com a camiseta empapada de suor, mas o esforço tinha valido a pena. Se conseguisse instalar a bomba em dois minutos, haveria tempo de colocar também a do Neptuno e sumir antes das explosões. O movimento no andar térreo do Tritón era grande. Cruz León foi até o banheiro, marcou o despertador da calculadora Casio para meio-dia e dez, enfiou o detonador na bola de C-4 e jogou tudo no saco plástico. Ao retornar ao lobby, viu que havia duas salas no final do corredor, uma ocupada por um grupo ruidoso de turistas e a outra vazia — logo escolhida para receber a bomba. Antes que ele chegasse lá, porém, um guia de turismo instalou nela meia dúzia de adolescentes que, pelo sotaque, o mercenário identificou como espanhóis. Só então notou a presença de um segurança do hotel, um negro de terno escuro, gravata e o indefectível ponto eletrônico no ouvido. Na cintura dele, sob o paletó, era visível o contorno de uma arma. A presença do segurança, o correr do relógio e a impossibilidade de achar um lugar onde a bomba explodisse sem fazer vítimas provocaram nele uma desagradável mistura de paranoia e desespero. Com ânsia de vômito rodou durante alguns minutos pelo salão até encontrar a solução num sofá encostado à parede de vidro que dava para o jardim exterior do hotel. Por tudo o que vira nos filmes e que *Barrigão* lhe ensinara, o salvadorenho sabia que, ao explodir ao lado do vidro, a bomba produziria uma onda expansiva para fora, poupando as pessoas que andavam pela recepção do Tritón. Enfiou o saco entre o sofá e a parede envidraçada e só ao se levantar teve noção de que perdera a hora. Faltavam apenas cinco minutos para as explosões, não ia dar tempo de colocar a bomba do Neptuno.

Andou até a Quinta Avenida, a mesma em que René costumava fazer seu jogging matinal, tomou um táxi e pediu ao motorista que o levasse à Havana Velha. O carro ainda se encontrava em Miramar quando Cruz León ouviu ao longe o ruído seco da primeira explosão e, logo a seguir, o das outras duas. Fingindo inocência, ele perguntou ao taxista o que era aquilo, mas o sujeito não pareceu preocupado. "Estão construindo um hotel chamado Panorama aí perto da praia", respondeu, "e isso deve ser o barulho da dinamite usada para destruir as pedras do terreno." Temeroso de ser identificado pelo espalhafatoso verde de sua camisa, dirigiu-se novamente ao motorista:

— Desculpe, senhor, mas estou sentindo muito calor. Posso tirar a camisa?

O taxista reagiu com bom humor:

— O senhor é turista, faz o que tiver vontade. Se quiser, pode tirar até as calças.

O carro ainda não havia chegado ao túnel que separa Miramar do bairro Vedado quando parou num engarrafamento — problema não muito comum na capital cubana. O salvadorenho estranhou que, embora o sinal de trânsito, cinquenta metros adiante, já tivesse acendido a luz verde seguidas vezes, os veículos não avançavam. Gelou de novo ao perceber que se tratava de uma *pinza*, uma batida policial. Fardados, armados e de capacete, dois homens da PNR, a Polícia Nacional Revolucionária, o equivalente à Polícia Militar no Brasil, tinham estacionado suas motos Guzzi no meio da rua e pareciam vistoriar carros e pedir documentos. Apavorado, perguntou ao motorista o que era aquilo e, mais uma vez, o pachorrento cubano tranquilizou-o:

— Seguramente Fidel deve estar vindo por aí. Quando a comitiva do Comandante está chegando, eles costumam segurar o trânsito em algumas ruas. Logo estaremos liberados.

Dessa vez a paranoia de Cruz León procedia. À medida que as filas de carros avançavam, era possível ver que os policiais estavam, sim, parando veículo por veículo, pedindo documentos a motoristas e passageiros, e varejando o interior de pastas, bolsas e sacolas. "Naquele momento eu percebi que estava fodido e resolvi radicalizar", recordaria Cruz León. Como não levava revólver, faca, nem mesmo um canivete, decidiu recorrer à arma que carregava na mochila. Com uma única mão, para não despertar suspeitas no taxista, tirou o detonador metálico da bolsinha interna da mochila e enterrou-o na bolota de C-4. Pegou a calculadora-despertador, cujo relógio digital marcava meio-dia e meia, e ficou preparado. Ao chegar a vez deles, acionaria a bomba, e ponto final: ante a perspectiva de ser preso, o salvadorenho preferia se suicidar, levando consigo o motorista e quem mais estivesse perto deles no engarrafamento. A fila movia-se vagarosamente. Faltava revistar dois carros quando apareceu um terceiro policial. Sem descer da moto, falou alguma coisa com os dois colegas, que imediatamente liberaram o trânsito e partiram dali em alta velocidade. A frequência cardíaca de Cruz León começou a voltar ao normal. Sempre com uma só mão, retirou o disparador da bola de explosivo e guardou-o novamente na bolsinha fechada com zíper. No caminho até a Havana Velha cruzaram com vários carros da polícia e ambulâncias que voavam em sentido contrário com as luzes acesas e sirenes ligadas. Ao passar diante de uma feira hippie instalada em pleno Malecón, o mercenário teve a ideia de se misturar à horda de turistas estrangeiros que circulavam entre as dezenas de barracas coloridas. Mandou o táxi parar e desceu. Logo percebeu por que atraía olhares curiosos: até onde a vista podia alcançar, era a única pessoa sem camisa. Tratou logo de comprar na primeira barraca disponível uma camisa de algodão quadriculado, vestiu-a e sumiu na multidão.

Depois de circular a pé por meia hora entre as barraquinhas que vendiam discos antigos, buttons, camisas e boinas com fotos de Che Guevara e Fidel Castro, pôsteres e charutos avulsos, sentiu-se finalmente seguro. Não parecia estar sendo seguido nem havia policiamento ostensivo nos lugares por onde passara. Comprou uma lata de Tropi-Cola, o equivalente cubano da Coca-Cola, e sentou-se na mureta que contorna o Malecón. Virado de frente para o mar e de costas para a rua, a salvo, portanto, de olhares bisbilhoteiros, tirou da mochila a agenda e repassou mais uma vez a relação de alvos sugeridos pelos amigos de Miami a Chávez Abarca, em busca de um lugar para colocar a bomba que não pudera detonar no Neptuno. Correu o dedo pelos nomes de três hotéis e duas casas de espetáculos e parou em cima do último, o restaurante La Bodeguita del Medio. Era lá que ia colocar a bomba guardada na mochila. Encravado numa viela em meio ao labirinto de ruas estreitas e irregulares da Havana Velha, o restaurante permitiria uma fuga mais segura em caso de necessidade. Além de ficar a menos de dez quadras do Plaza, onde ele estava hospedado, o que também tinha que ser considerado numa emergência. Jogou a lata vazia num cesto de lixo e tomou o bicitáxi que o deixaria dez minutos depois na Calle Empedrado, na porta da sexagenária Bodeguita. Instalada numa sucessão de salas minúsculas, nas quais estão atulhadas centenas de mesas, a casa ganhou notoriedade nos anos 50. Atraídos pelas delícias da cozinha *criolla* cubana, turistas de todo o mundo faziam fila para saborear o que, na verdade, era a comida do dia a dia de milhões de cubanos: feijão-preto, arroz, leitão assado, mandioca cozida, torresmo e *tostones* — finas rodelas de banana verde fritas em altíssima temperatura. Rezava o costume que essa bomba calórica fosse regada pelo mais famoso drinque da casa, o *mojito* — um equivalente da caipirinha brasileira em que a cachaça é substituída pelo rum branco e o limão por folhas de hortelã. Mais célebre de todos os clientes que passaram por lá, o escritor Ernest Hemingway tinha cadeira cativa no balcão do bar da entrada e costumava sair dali trôpego, alta madrugada, em direção ao hotel Ambos Mundos, onde morava. Foi ele quem pela primeira vez assinou o nome na parede, no que logo foi seguido por outro cliente e mais outro até que isso se tornasse uma tradição: todo governante, artista ou celebridade que visitasse o país era convidado a se imortalizar nas paredes da Bodeguita.

Cruz León chegou pouco antes das duas da tarde. O restaurante regurgitava de tão lotado. A fila era de uma hora, informou um funcionário, e, se quisesse, ele poderia aguardar a mesa tomando um aperitivo em pé, no balcão. Embora já tivesse jantado lá na viagem anterior, a espera lhe daria oportunidade de escolher o melhor lugar para colocar a bomba. Pediu um *mojito* — bebida que ao primeiro trago achou detestável — e circulou por entre as mesas fingindo procurar nas paredes assinaturas de pessoas conhecidas. Parou diante das mais importantes, marcadas com tinta vermelha, como as dos poetas chilenos Pablo Neruda e Gabriela Mistral, do ator americano Errol Flynn, do falecido presidente Salvador Allende, do Chile, e, claro, de Hemingway. Rodou um pouquinho e voltou ao balcão. "Ao ver a multidão que se espremia nas mesas, eu pensei: se armar essa bomba aqui, vou matar mais de cem pessoas, eu não posso fazer isso", diria depois o salvadorenho. "Achei mais recomendável sair um pouco daquele calor, livrar-me do mojito e refletir melhor sobre o que fazer." Pagou a bebida e caminhou até a praça fronteiriça à Catedral de Havana, a poucas quadras do restaurante. Passou uma hora folheando livros e revistas velhas nas barracas de sebos instaladas à sombra das árvores, mas não foi socorrido por nenhuma ideia nova.

Quando retornou à Bodeguita, o lugar estava quase vazio. Indicaram-lhe uma mesa no segundo andar, onde havia uma única sala — para sua tranquilidade, ocupada apenas por um casal. Naquele instante a paranoia voltou, e voltou pesada. Convencido de que o casal na mesa vizinha era da polícia, tentava enxergar saídas de emergência por onde pudesse escapar se fosse preciso, mas não havia nenhuma. Ele só podia sair dali por onde entrara. Absorto, assustou-se com o garçom de pé, na sua frente, à espera de que ele escolhesse o prato. Pediu leitão assado, opção da qual se arrependeria minutos depois. O prato chegou e, ao dar a primeira garfada, Cruz León flagrou o casal olhando-o fixamente. Para relaxar os nervos e enfrentar a paranoia que já dificultava a digestão, pediu um drinque — "qualquer coisa forte", explicou. O garçom depositou sobre a mesa um cálice contendo um líquido amarelado. O salvadorenho virou de uma só golada a dose de Triple Sec, um licor viscoso e açucarado, feito de cascas de laranja secas e de altíssimo teor alcoólico. Mal foi ingerida, a bebida retornou goela acima com a fúria de um gêiser em erupção. Tapando a boca com a mão direita e carregando a mochila com a esquerda, disparou rumo ao banheiro, aonde já chegou vomitando. Depois de se aliviar, aproveitou enquanto lavava o rosto para espiar o cômodo e logo descobrir que o local era inadequado para colocar a bomba. Ao voltar à mesa, mudou de lugar, de forma a poder controlar melhor os olhares do casal vizinho. Da cadeira em que se encontrava descobriu o ponto ideal para esconder o saco plástico com o explosivo: o desvão de um freezer horizontal utilizado para armazenar carne fresca e latas de cerveja. A posição do aparelho, encostado numa parede próxima à escada, permitia que, ao ir embora, ele depositasse a bomba sem ser visto por ninguém. Simulando estar novamente nauseado, o mercenário entrou no banheiro, com a mochila na mão, e sentou-se no vaso sanitário para armar a bomba. Quando ia cronometrar a hora da explosão, percebeu que o mostrador da calculadora apresentava um defeito, fazendo com que só fosse possível marcar o despertador para o momento em que o indicador de período mudasse de "PM" para "AM", ou seja, à meia-noite. "O que parecia um problema na verdade era uma solução para mim", Cruz León diria mais tarde. "Naquela hora provavelmente a Bodeguita já estaria fechada e a bomba não faria nenhuma vítima." Marcou a explosão para a meia-noite, pagou a conta, levantou-se e, ao sair, enfiou discretamente o saco plástico atrás do freezer. Desceu as escadas apressadamente e ganhou a rua caminhando a passos rápidos.

Andou em zigue-zague durante meia hora por entre os descascados casarões coloniais da Havana Velha até se certificar de que não estava sendo seguido. No meio do caminho sentou-se num banco sob uma árvore da praça Cervantes e ali começou a se desfazer dos últimos vestígios guardados na mochila que poderiam comprometê-lo. Jogou num cesto de lixo a calculadora que seria utilizada na detonação da quinta bomba, o rolo de fita isolante, pedaços de fios e dois sacos plásticos vazios, idênticos aos que usara para disfarçar as bombas. Caminhou até o forte San Carlos de la Cabaña, celebrizado por ter sediado o quartel-general do comandante Che Guevara após a derrubada de Fulgencio Batista e hoje transformado em museu. Ao se sentir longe dos olhares de turistas e funcionários, debruçou-se sobre a mureta de pedra que dava para um poço em cujo fundo, dezenas de metros abaixo, podia-se ver a água do mar. Atirou no buraco as pilhas imprestáveis, um pequenino alicate de eletricista, utilizado para cortar fios, e um voltímetro de plástico amarelo. Livre de tudo o que pudesse associá-lo às bombas, caminhou aliviado em direção ao hotel Plaza. Como o pacote turístico só terminava no sábado ao meio-dia, teria toda a sexta-feira para relaxar um pouco e passear sem compromisso pela capital cubana. Antes de entrar no hotel, deu uma volta completa no quarteirão tentando identificar alguma campana ou alguém em atitude suspeita, mas aparentemente não havia nada nem ninguém que justificasse qualquer medida de segurança.

Caiu de roupa na cama, mas foi acordado do cochilo minutos depois pela campainha do telefone. Do outro lado da linha ouviu a inconfundível voz grave e monossilábica de Chávez Abarca, que o chamava de San Salvador:

— Acabei de ouvir a notícia no rádio. Parabéns.

Cruz León respondeu com aspereza:

— Não quero saber disso. Quero saber do dinheiro que você ficou de mandar para mim. Já não tenho nem como pagar uma corrida de táxi.

— Seu dinheiro já está em Havana.

— Você mandou por algum banco?

— Não. Vá à recepção do hotel Capri e pegue um envelope lacrado que foi deixado lá em seu nome. Dentro dele há quinhentos dólares.

Atordoado com a notícia de que teria que voltar ao local onde colocara uma bomba um mês antes, Cruz León reagiu com um palavrão:

— Puta que pariu! Há dezenas de hotéis em Havana e você tinha que escolher justamente o Capri?

— Não fui eu que escolhi, foi o nosso portador. Boa viagem e até sábado.

O salvadorenho calçou as sandálias, pendurou a mochila nas costas, desceu para a rua e tomou um táxi até o Capri. Na porta do hotel, pediu que o motorista o esperasse porque retornaria em instantes. Havia muito movimento no lobby e no balcão da recepção, obrigando-o a uma breve espera até que alguém pudesse atendê-lo. Enquanto aguardava, percebeu a presença, na porta de entrada, de um mulato de camisa azul que jurava já ter visto antes, talvez na curta visita ao forte de La Cabaña. Acabou debitando a suspeita a um novo surto de paranoia. Ao chegar a sua vez, perguntou ao recepcionista se tinham deixado lá um envelope em seu nome. O funcionário vasculhou rapidamente alguns escaninhos, abriu gavetas e voltou de mãos abanando:

— Lamento, mas não há nada destinado ao senhor.

Entre desolado e furioso, saiu em direção à rua e, quando pôs os pés na calçada, foi cercado por seis homens à paisana, entre os quais o mulato de camisa azul. Visivelmente preocupado em não chamar a atenção dos turistas que entravam e saíam do Capri, um deles, cabeludo e de óculos escuros, falou baixinho, quase sussurrando:

— Somos do Ministério do Interior. O senhor está preso. Não tente reagir porque estamos armados.

Ao ser colocado numa cela da prisão de Villa Marista, meia hora depois, vestido só de cuecas, é que Cruz León teve noção da gravidade da encrenca em que estava metido. Ali ele soube que as explosões nos hotéis Chateau e Tritón tinham provocado apenas prejuízos materiais e ferimentos leves em algumas pessoas, mas a do Copacabana, não. O cinzeiro cilíndrico de metal escolhido para depositar o saco plástico fora transformado numa granada de meio metro de comprimento, que na hora da explosão espalhou lâminas de alumínio por todo o lobby do hotel. Uma delas atingiu a garganta do turista italiano Fabio di Celmo, de 32 anos, cortando-lhe a carótida e matando-o instantaneamente. Mesmo não sendo um especialista em assuntos cubanos, o salvadorenho sabia que na Ilha um crime como aquele seria punido com a mais severa das penas: a morte, por fuzilamento. Minutos depois de ele chegar à prisão, começaram os interrogatórios. Três oficiais da

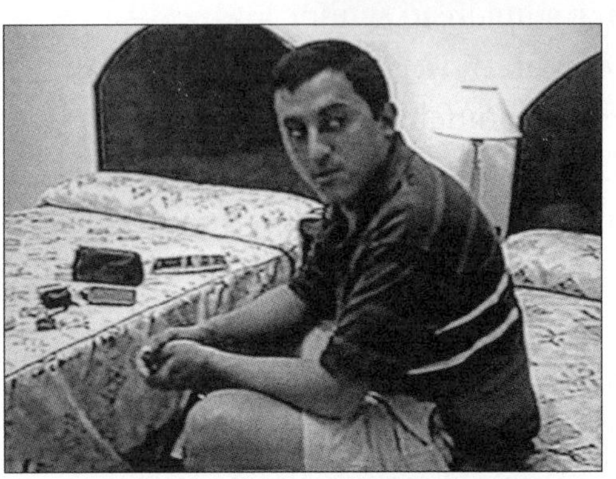

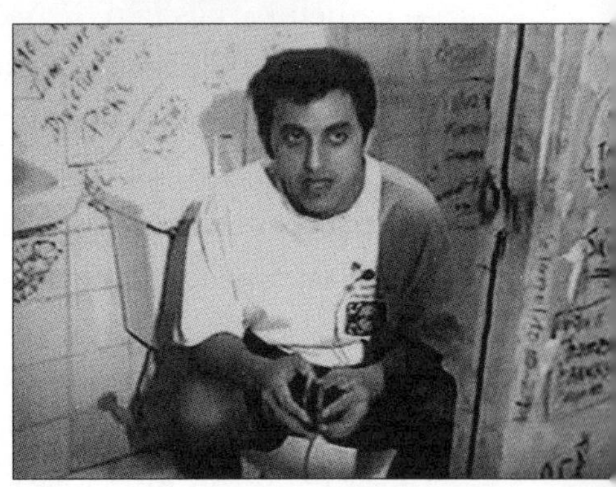

Acima, Cruz León mostra como escondeu a carga de C-4 dentro das botas que usava e reconstitui a montagem das bombas, no quarto do hotel, e a preparação, no banheiro da Bodeguita del Medio, do explosivo que destruiria parte do restaurante de Havana. Ao lado, o pai do turista italiano Fabio Di Celmo carrega uma foto do filho morto num dos atentados realizados pelo salvadorenho.

Direção de Contrainteligência do Ministério do Interior vestidos à paisana — os tenentes-coronéis Roberto Caballero e Francisco Estrada e o coronel Alberto Rabeiro — passaram a se revezar no trabalho de reconstituir minuto por minuto, passo por passo, tudo o que o preso fizera desde sua chegada a Havana. A presença de Rabeiro, número um da Direção de Investigação e Operações, dava a medida da importância que os serviços de inteligência cubanos atribuíam ao prisioneiro. A julgar pelas perguntas dos interrogadores, Cruz León deduziu que já devia estar sendo seguido pelo menos a partir do momento em que se livrou da calculadora, da fita isolante, dos fios e sacos plásticos no cesto de lixo da praça Cervantes. E, se isso era verdade, não havia dúvidas de que o telefone dele no hotel estava grampeado quando *Barrigão* ligou. Insistindo para que assumisse a autoria dos atentados, os oficiais lhe disseram que nas costuras internas da mochila havia pedaços minúsculos dos mesmos fios usados para detonar as três bombas. Apesar das aparentes evidências, a obstinação do mercenário em negar tudo residia numa esperança: à meia-noite explodiria a bomba colocada na Bodeguita, oferecendo-lhe um robusto álibi — se ele estava detido na hora da explosão, era outra pessoa que realizava os atentados.

Os interrogatórios continuaram, sem um segundo de interrupção. De acordo com os fragmentos que a memória de Cruz León guardaria daquela noite, o momento de maior paranoia ocorreu quando um dos oficiais entrou na cela, pediu a ele que estendesse as mãos com as palmas viradas para baixo e anunciou que os suplícios iam começar:

— Vamos ter que tirar pedaços das suas unhas. Vou chamar um técnico para fazer isso.

Enquanto esperava a chegada do "técnico", o prisioneiro tomou uma decisão. "Eu quase entrei em surto só de pensar que alguém ia arrancar minhas unhas com um alicate, ou uma torquês", ele se lembraria anos depois. "Mas decidi que mesmo assim eu continuaria negando tudo até a meia-noite, quando explodiria a bomba da Bodeguita. Eram as unhas ou a pena de morte." O estado de pânico em que se encontrava só passou quando apareceu um homem com um inofensivo cortador de unhas: era de fato um técnico, que estava ali para recolher lascas de suas unhas destinadas a exames de laboratório e para serem usadas por cães farejadores na perícia dos locais das explosões. Às onze da noite, uma hora antes do previsto, a bomba da Bodeguita explodiu. O freezer fora atirado para o alto, derrubando uma parede e abrindo no chão uma cratera que permitia ver o andar térreo. O restaurante ainda estava aberto, mas, como não havia mais clientes no andar superior, a única vítima fora um garçom que perderia parte da audição de um ouvido, afetado pelo deslocamento de ar da explosão. Ao saber da notícia, Cruz León jogou o que imaginava ser sua cartada decisiva:

— Vocês estão há várias horas perdendo tempo com um inocente e enquanto isso o verdadeiro terrorista continua solto e colocando mais bombas.

O argumento parecia sólido, mas sua sorte estava lançada. Mais que indícios, a polícia cubana já tinha certeza de que ele era o autor das quatro bombas daquele dia e suspeitava que fora ele quem explodira os hotéis Nacional e Capri semanas antes. Como um reles amador, Cruz León não tivera a preocupação de apagar as marcas deixadas por seus dedos em copos, balcões, talheres e torneiras dos lugares por onde passara ao longo do dia. O descuido permitiu que, depois de confrontar as digitais do preso com as que foram colhidas nos locais das explosões, a polícia concluísse que naquele dia ele estivera nos hotéis Chateau, Copacabana e Tritón e na Bodeguita. Outro cochilo fatal havia sido jogar a calculadora num cesto de lixo. Entre os escombros provocados pela bomba da Bodeguita, a polícia encontrara duas teclas — a do número 1 e a do sinal √, de raiz quadrada. Ao compará-las com as da calculadora achada no lixo na praça Cervantes, descobriu-se que ambas eram do modelo Casio QA-100, idênticas uma à outra. Não dava mais para negar. Antes da meia-noite ele jogou a toalha e confessou a autoria de todos os atentados, tanto os daquele dia como os dois do mês anterior. "Ao perceber que estava perdido, eu só conseguia pensar numa coisa", revelaria o salvadorenho. "Sylvester Stallone terminou o filme na cama da Sharon Stone e eu iria terminar o meu diante de um pelotão de fuzilamento."

11

OS SERVIÇOS DE INTELIGÊNCIA DE CUBA MONTAM UMA ARMADILHA, MAS NÃO CONSEGUEM PEGAR *BARRIGÃO*, O RECRUTADOR DE MERCENÁRIOS CONTRATADO POR MIAMI

A notícia da prisão de Cruz León foi tratada como segredo de Estado durante seis dias. Esse foi o tempo exigido pelos serviços de inteligência cubanos para juntar os elos de uma corrente que começava nas organizações vigiadas pela Rede Vespa, em Miami, passava pela Guatemala e por El Salvador e terminava nos hotéis de Cuba sob a forma de bombas de C-4. Convencido de que fizera a maior besteira de sua vida e que seus dias estavam contados, o salvadorenho decidiu colaborar com os cubanos. Além de confessar a autoria dos seis atentados, detalhou suas relações com Chávez Abarca e revelou que *Barrigão* era apenas um intermediário que agia sob as ordens de alguém de Miami conhecido como *Solo*. Cruz León não fazia isso por ideologia, que ele nem tinha, como confessaria mais tarde. O que o movia era um fiapo de esperança de que, se condenado à morte, pudesse vir a ter a pena comutada por trinta anos de reclusão ou mesmo pela prisão perpétua. Assim, já na manhã de sexta-feira o preso foi instalado numa sala de Villa Marista onde o esperavam os três oficiais que o haviam interrogado na véspera e uma mulher, também fardada de verde-oliva. O grupo ficou de plantão naquela sala os quatro dias seguintes, durante os quais Cruz León tentou dezenas de vezes falar por telefone com Chávez Abarca. Ligava na casa dele, no escritório da locadora Geo Rent-a-Car e na casa do irmão de *Barrigão*, insistia horas depois, voltava a ligar e a resposta era a mesma: ele não estava. No fim o mercenário implorava que Abarca o chamasse de volta — e sempre deixava o número do telefone "de uma vizinha da casa onde estava hospedado, em Havana, chamada Odalys". Qualquer chamada feita para aquele número cairia na mesa daquela sala de Villa Marista. Todas as ligações estavam sendo gravadas e eram acompanhadas em fones de ouvido pelos quatro oficiais de inteligência que o rodeavam. A presença da mulher se explicava pelo fato de que, se Chávez Abarca ligasse de volta, a chamada deveria ser atendida por *Odalys*, dona da casa e do telefone. Entre uma e outra tentativa, Cruz León voltava aos interrogatórios.

O exercício de paciência durou até meia-noite e meia de terça-feira, 9 de setembro, quando o telefone finalmente tocou. Despertada de uma soneca pelo barulho da campainha, a mulher fardada deu um salto e tirou o fone do gancho, acionando automaticamente um gravador, e passou a encenar o papel de *Odalys*:

ODALYS: Alô? Alô?

VOZ DE MULHER: Boa noite, posso falar com a Odalys?

ODALYS: É ela quem fala.

VOZ DE MULHER: Chamada da Guatemala para Odalys. Alô! Alô!

ODALYS: Alô, pode falar.

VOZ DE MULHER: Alô, é da Guatemala para Odalys. É ela quem fala?

ODALYS: Sim, sou eu.

VOZ DE MULHER: Um momento, por favor.

CHÁVEZ ABARCA: Por favor, preciso falar com o Raúl.

ODALYS: Com quem? Alô, não estou entendendo. O senhor me ouve?

CHÁVEZ ABARCA: Sim, ouço. Quero falar com o Raúl, por favor.

ODALYS: Um momentinho, ele está a duas casas daqui.

CHÁVEZ ABARCA: Sim, obrigado, eu espero.

A mulher se levantou e chamou para a sala os três militares que vinham participando dos interrogatórios e, claro, Cruz León. Instantes depois voltou ao telefone:

ODALYS: Alô?
CHÁVEZ ABARCA: Alô.
ODALYS: Ele já está vindo.
CHÁVEZ ABARCA: Obrigado.

O preso sentou-se à mesa e iniciou um diálogo tenso e repleto de palavrões, que os oficiais acompanhavam pelos fones de ouvido:

CRUZ LEÓN: Alô?
CHÁVEZ ABARCA: Alô!
CRUZ LEÓN: O que é que há? O que aconteceu?
CHÁVEZ ABARCA: Como vai?
CRUZ LEÓN: Puta que pariu, estou na maior merda!
CHÁVEZ ABARCA: Calma...
CRUZ LEÓN: Não fode, está entendendo? Não fode! O que é que aconteceu, seu puto? Estou há dias tentando falar com você e você não me atende! O que é que há, porra?
CHÁVEZ ABARCA: Eu te mandei a grana e fiquei esperando que você me ligasse, mas acho que houve algum desencontro.
CRUZ LEÓN: Que grana? No Capri não havia nada para mim! Nada!
CHÁVEZ ABARCA: Puta que pariu!
CRUZ LEÓN: Pois é, isto aqui está de foder. Todos os hotéis estão sob vigilância severa. Foi por isso que não embarquei no sábado. Imagine o estado em que estou.
CHÁVEZ ABARCA: Desculpe, não ouvi.
CRUZ LEÓN: Decidi não embarcar no sábado por causa da vigilância.

CHÁVEZ ABARCA: Por quê?

CRUZ LEÓN: Parece que a polícia tem uma descrição física do suspeito. Foi por isso que desisti de embarcar. Arranjei uma namorada e estou passando esses dias com ela numa casa particular. Ela não sabe nada de mim, mas tem parentes que trabalham no aeroporto que lhe disseram que estão vistoriando minuciosamente todos os estrangeiros que deixam Cuba. Saí do hotel quando o pacote venceu e vim para uma casa particular, perto de onde mora Odalys, dona deste telefone e amiga da minha garota.

Um dos oficiais rabiscou um cifrão num pedaço de papel e colocou-o diante dos olhos do preso, que retomou a conversa:

CRUZ LEÓN: Tem mais, Barrigão, meu dinheiro acabou.

CHÁVEZ ABARCA: Mas como é que você quer que eu mande o dinheiro?

CRUZ LEÓN: Não faço a menor ideia! E não é só de dinheiro que eu preciso. Caralho, quero saber como é que você vai me tirar daqui, porra!

CHÁVEZ ABARCA: Posso fazer uma pergunta?

CRUZ LEÓN: Fala.

CHÁVEZ ABARCA: Sua namorada não disse qual é a descrição que fazem do suspeito?

CRUZ LEÓN: Não, não disse. Sei apenas que é um latino...

CHÁVEZ ABARCA: Não acredite muito nisso, os cubanos chutam muito...

CRUZ LEÓN: Não, acho que não... Eu mesmo vi como os hotéis estão vigiados.

CHÁVEZ ABARCA: Você precisa descobrir a descrição que eles têm do suspeito.

CRUZ LEÓN: Porra, você quer que eu vá ao aeroporto perguntar como é a cara do sujeito que estão procurando? Não me foda, velho! Se eu for lá, eles me pegam!

CHÁVEZ ABARCA: Não, não precisa ir lá. Pergunte à sua namorada...

A certa altura da gravação a conversa deixa claro que o objetivo dos cubanos era atrair Chávez Abarca para uma armadilha em Havana:

CRUZ LEÓN: Porra, Barrigão, por que você não vem pessoalmente me tirar desta enrascada? Você sabe como fazer isso, porra!

CHÁVEZ ABARCA: Não se preocupe, não vou te deixar na mão.

CRUZ LEÓN: Puta que pariu! Você fala como se eu estivesse em segurança! Estou desesperado. Seu irmão me disse que mandou dinheiro que eu deveria retirar com uma tal Hortensia, funcionária da Joanessa Turismo em Havana. Porra, vocês acham que vou lá buscar dinheiro para ser preso? Nem sei quem é essa Hortensia, não posso confiar em alguém que não conheço.

CHÁVEZ ABARCA: O mais importante agora é você se certificar da descrição física que a polícia tem do suspeito.

CRUZ LEÓN: Esquece isso, estou cagando para a descrição do suspeito. Os aeroportos estão supervigiados, até o de Varadero está controlado. A única solução, Barrigão, é você ou alguém da sua turma vir me tirar daqui. Alguém que me esconda em algum lugar seguro, pode ser até sob as pedras, e depois me retire daqui. Falei por telefone com sua esposa e disse que topo sair daqui disfarçado ou até debaixo da água.

CHÁVEZ ABARCA: Minha mulher? O que foi que você falou com a minha mulher, seu merda?

CRUZ LEÓN: Porra, você não atendia meus telefonemas, tive que falar com ela...

CHÁVEZ ABARCA: Caralho, o que você falou com minha mulher?

CRUZ LEÓN: Desculpe, mas falei tudo. Ela já sabe tudo.

CHÁVEZ ABARCA: Você contou?

CRUZ LEÓN: Não tive alternativa...

CHÁVEZ ABARCA: O.k., o.k. Espere aí que amanhã volto a te chamar.

CRUZ LEÓN: Amanhã? Como amanhã? Resolva meu problema agora!

CHÁVEZ ABARCA: Preciso de tempo para te dar uma solução concreta.

CRUZ LEÓN: Não se esqueça, Barrigão: só você pode me ajudar! Ou você vem pessoalmente ou manda alguém me tirar daqui. Estou desesperado!

CHÁVEZ ABARCA: Te chamo amanhã entre duas e seis da tarde.

CRUZ LEÓN: Não se esqueça: estou desesperado, fodido...

CHÁVEZ ABARCA: Até amanhã. Boa sorte.

Barrigão não mordeu a isca nem ligou de volta, escapando da emboscada. Ainda não seria daquela vez que os cubanos iam pôr as mãos no aliciador de mercenários. Publicada na edição de 10 de setembro do jornal *Granma* e imediatamente reproduzida por agências internacionais e correspondentes estrangeiros, a notícia da prisão de Cruz León repercutiu com estrondo em Miami. Segundo as autoridades cubanas, o mercenário salvadorenho era apenas a ponta de um novelo que passava por Francisco Chávez Abarca, em El Salvador, e terminava em Miami, onde vivia um septuagenário de 1,90 metro de estatura, olhos azuis e cabelos brancos, conhecido no underground do terrorismo como *Solo*, um dos nomes de guerra de Luis Posada Carriles. As denúncias afirmavam também que os recursos para financiar ações terroristas contra Cuba — explosivos, passagens, hospedagem e contratação de mercenários — vinham dos cofres da Fundação Nacional Cubano-Americana. Mesmo tendo confirmado as acusações em entrevista ao jornal *The New York Times*, Posada Carriles, que usava as alcunhas de *Ramón Medina*, *Ignacio Medina*, *Bambi*, *Basilio* e *Lupo*, continuava circulando livremente pelas ruas da Little Havana. Poucas semanas depois da divulgação da prisão de Cruz León, ele concedeu entrevista à jornalista Maria Elvira Salazar, da rede de televisão CBS, com a qual manteve breve e espantoso diálogo:

> REPÓRTER: Segundo o *New York Times*, o salvadorenho preso em Cuba, Raúl Ernesto Cruz León, trabalhava para o senhor. É verdade?
>
> POSADA: Cruz León foi contratado por alguém que trabalha para mim, mas eu nunca tive contato com ele. Ele fez o trabalho por dinheiro.
>
> REPÓRTER: O senhor não acha que, com essa declaração, está assinando a sentença de morte dele?
>
> POSADA: Foi ele quem assinou a própria sentença de morte. O que eu disser ou falar não vai mudar nada.

A prisão de Cruz León seria silenciosa e solitariamente festejada pelos componentes da Rede Vespa em Miami. Cada um deles celebrava não apenas uma vitória importante na guerra contra o terrorismo, mas também o fato de terem saído dali, do grupo de agentes liderados por Gerardo Hernández, os primeiros informes enviados a Havana com suspeitas de haver relação entre as bombas e a contratação de mercenários centro-americanos por cubanos residentes na Flórida. Pouco mais de um mês depois da prisão do salvadorenho, outro informe produzido pela Rede Vespa exporia de forma ainda mais clara os laços entre a FNCA e o terrorismo. Transmitidas via terceiros pelo governo de Cuba às autoridades americanas, informações levantadas pela equipe de Gerardo Hernández levaram a Guarda Costeira dos Estados Unidos a abordar a lancha *La Esperanza*, que na madrugada de 27 de outubro navegava a noroeste de Porto Rico transportando seis cubanos residentes na Flórida. Quando a polícia quis saber o que faziam a 1500 quilômetros de Miami, onde o barco era registrado, a resposta foi dada por um dos tripulantes:

— Estamos pescando lagostas.

Durante a revista um dos policiais desceu as escadas que davam num porão. Voltou trazendo nas mãos dois fuzis de assalto Barrett .50 equipados com tripés e miras telescópicas e perguntou aos cubanos:

— Vocês iam pescar lagosta com isto?

Além dos dois fuzis, capazes de destruir um alvo a 2 mil metros de distância, o porão da lancha de 46 pés escondia sete caixas de munição, seis aparelhos de radiocomunicação, uniformes militares, binóculos, equipamentos de visão noturna, um celular operado via satélite e um tambor gigante contendo 7500 litros de combustível. Apertados pelos policiais, os tripulantes acabaram abrindo o jogo. Foi Ángel Alfonso Alemán, conhecido em Miami como *Maritaca*, quem confessou o plano do grupo:

— As armas são minhas. Nós íamos matar Fidel Castro daqui a alguns dias na ilha Margarita.

O presidente cubano de fato estaria na ilhota venezuelana uma semana depois, para mais uma reunião de cúpula dos chefes de Estado Ibero-Americanos, mas os fuzis que Alemán dizia serem seus estavam registrados em nome de Francisco *Pepe* Hernández, que presidia a FNCA em substituição a Jorge Mas Canosa, licenciado para tratamento de saúde. E a *La Esperanza*, como a polícia apurou, estava registrada em Miami em nome de José Antonio Llama, membro da diretoria da Fundação Nacional Cubano-Americana. Levados a San Juan de Porto Rico, os seis foram indiciados e imediatamente presos pelo FBI, cujo diretor local, Héctor Pesquera, ironizou a desculpa esfarrapada do dono do barco: "Fica um pouco difícil acreditar que alguém vá pescar lagostas com armas de calibre .50". A fiança de 50 mil dólares por cabeça, arbitrada pela Justiça porto-riquenha para que os presos aguardassem em liberdade o inquérito e o julgamento, foi paga na manhã seguinte "por indivíduos e grupos de exilados cubanos", revelou Alemán ao deixar a prisão. *Maritaca* disse também que o assassinato de Fidel Castro era um presente que o grupo queria oferecer a Mas Canosa, uma tentativa de realizar o último desejo do patriarca do anticastrismo, que aos 58 anos jazia em seu leito de morte.

Embora o estado de saúde de Mas Canosa fosse um segredo restrito aos familiares e a uns poucos dirigentes da Fundação, a notícia de que ele estava desenganado fora enviada a Cuba por René González oito meses antes de chegar aos cafés da Little Havana. No começo de 1997, durante um encontro de rotina num restaurante da rede Piccadilly de fast-food, o agente cubano entregou a Gerardo um disquete com as informações obtidas no mês anterior. No relatório transmitido a Havana, *Giro* transcreveu um trecho do informe de René a respeito do chefão da comunidade cubana no exílio:

> Recebi uma informação interessante de Ramón Saúl Sánchez, líder do Movimento Democracia, que pediu segredo sobre ela. É sobre Mas Canosa, que está com câncer terminal. Saúl não acredita que ele chegue até o final deste ano. Marcelino García, também integrante do Democracia, me disse que, por causa da doença, havia divergências entre Roberto Martin Pérez e outros diretores da FNCA sobre quem assumiria o cargo na ausência de Mas Canosa. Recebi a notícia com alguma reserva, exceto pelo bem que seria para a Humanidade se um sujeito como Mas Canosa desaparecesse. Ele pode estar simulando a doença como parte de uma encenação em que se operaria uma cura milagrosa. Ao fazer isso, conquistaria a simpatia das pessoas, que veriam a mão de Deus e o poder da prece naquela cura.

Ao contrário de René, *Giro* acreditava que Jorge Mas Canosa podia, sim, estar doente, e achava um pouco fantasiosa a hipótese levantada por ele. Logo abaixo da transcrição do informe, ele registrou com humor negro sua opinião sobre o assunto, tratando René, como sempre, pelo codinome *Castor*:

> Castor acha que isso pode ser uma estratégia publicitária. Dei a ele minha opinião: nunca se deve duvidar de nada quando se trata de Mas Canosa, mas não acho que ele embarcaria numa história assim. Eu realmente acredito que onde há fumaça há fogo. Mas pelo menos num ponto ele e eu estávamos de acordo: unimos nossa "crença" numa breve "prece" mental para que a notícia sobre o câncer seja verdadeira e que a doença acabe com ele o mais rapidamente possível. Amém.

Giro tinha razão, não se tratava de uma encenação. O prognóstico do líder do Democracia sobre a expectativa de vida de Mas Canosa se cumpriu com precisão. Na cinzenta manhã de 25 de novembro de 1997 Miami parou para ver o que a imprensa chamou de "o enterro do século". O comércio baixou as portas e batedores da polícia municipal interromperam o trânsito e bloquearam os acessos à Calle Ocho, na Little Havana, para que pudesse passar um séquito de dar inveja aos funerais de mafiosos produzidos por Hollywood. Filas de limusines negras, cobertas de coroas de flores, seguiam o veículo fúnebre que transportava os restos de Jorge Mas Canosa, morto dois dias antes. Ao meio-dia o corpo baixou numa sepultura do Caballero Rivero Woodlawn Park Cemetery, a poucos metros do mausoléu onde repousam as cinzas de três gerações de ditadores da Nicarágua, país onde foram treinadas as tropas que tentaram invadir Cuba pela baía dos Porcos: Anastasio *Tacho* Somoza (1937-47 e 1950-56) e seus filhos Luis Somoza (1956-63) e Anastasio *Tachito* Somoza (1967-72 e 1974-79). Outra informação enviada a Cuba por René se confirmaria antes mesmo que o defunto esfriasse. Bastou o hospital comunicar à imprensa que Mas Canosa estava morto para começar a guerra pelo controle da FNCA, uma máquina que movimentava milhões de dólares, com poderes para interferir até nas eleições presidenciais americanas.

A sucessão na Fundação inspirou os serviços de inteligência cubanos a pôr em prática o que foi batizado de *Operação Finado*, uma campanha de contrainformação destinada a envenenar o processo de escolha e jogar uns candidatos contra os outros. Entre os materiais relativos ao assunto, o FBI recolheu um panfleto que René fora orientado a enviar anonimamente aos nomes mais influentes da FNCA, desqualificando um por um os candidatos ao lugar de Mas Canosa, a começar pelo filho dele, Jorge:

> Em quem você vai votar para presidente do conselho da FNCA?
>
> Em Jorge Mas Santos? A mãe não quer que ele assuma a liderança da FNCA, ele não se interessa por política, não tem o carisma do pai e nem é fluente em espanhol.
>
> No dr. Alberto Hernández? Seus relacionamentos extraconjugais não lhe deixam tempo livre para a política. Sua maior virtude é ter sido médico de Jorge Mas Canosa e sua saúde está se deteriorando.
>
> Em Pepe Hernández? É um derrotado, está sob vigilância do FBI por ser descuidado. Não tem o carisma de um líder e está com câncer de próstata.
>
> Em Diego Suárez? Esse fala demais, até com o inimigo, e também tem pouco tempo de vida.
>
> Em Domingo Moreira? O pai tem prestígio, mas há coisas que não se herdam. Ele não tem carisma para comandar a FNCA.

O texto terminava com uma ironia macabra. Quem não tivesse alternativa que votasse no líder que acabara de morrer:

> Não sabe em quem votar? Então vote no Morto.

Mesmo pintado no folheto como um derrotado, doente, descuidado e sem carisma, foi o sessentão Francisco *Pepe* Hernández, o dono dos fuzis Barrett apreendidos na *La Esperanza*, quem acabou arrebatando o controle da influente máquina de lobby político. Engenheiro formado em Havana, *Pepe* exilou-se na Flórida logo após a chegada de Fidel Castro ao poder. Preso em 1961 durante a fracassada invasão da baía dos Porcos, retornou a Miami dois anos depois, libertado como parte de um acordo entre Cuba e os Estados Unidos. Alistou-se no *US Navy Marine Corps*, o Corpo de Fuzileiros Navais da Marinha americana, onde serviu até 1972, ano em que deu baixa com a patente de capitão. A escolha de alguém ainda mais linha-dura que Jorge Mas Canosa para presidir a FNCA pareceu ter estimulado os setores ultrarradicais da comunidade cubana no exílio. Nos meses seguintes as tentativas de ataques a Cuba se intensificaram, mas o cruzamento da montanha de informações enviadas por mais de cinco anos a Havana pelos agentes chefiados por Gerardo-Viramóntez permitiu abortar vários atentados. Só no mês de outubro a polícia cubana desativara duas bombas — uma colocada numa van de transporte de turistas e outra sob o balcão de uma loja do duty-free do aeroporto internacional José Martí. Os autores do frustrado atentado, os mercenários guatemaltecos Jorge Venancio Ruiz e Marlon González Estrada, haviam sido contratados por *Ignacio Medina*, um dos nomes usados por Posada Carriles.

Antes que o Ano-Novo chegasse, os já combalidos cofres cubanos iriam sofrer considerável sangria. O primeiro golpe veio com a decisão de um tribunal da Flórida, que condenou Cuba a pagar assombrosos 49 milhões de dólares de indenização às famílias de três dos quatro pilotos da Hermanos cujos aparelhos haviam sido abatidos pelos MiGs cubanos, um ano e meio antes. O dinheiro foi dividido quase equitativamente entre os familiares de Armando Alejandre (que receberam 17 milhões de dólares),

Carlos Alberto Costa (16 milhões) e Mario de la Peña (16 milhões). Como o quarto piloto do grupo, Pablo Morales, ainda não tinha obtido cidadania norte-americana, sua família não foi contemplada pela decisão judicial. A sentença determinava que os recursos para o pagamento das indenizações fossem retirados dos fundos congelados de Cuba — os tais "ativos cubanos bloqueados nos Estados Unidos" a que se referira o presidente Clinton após a derrubada dos aviões.

Ainda repercutiam nas esquinas da Little Havana os comentários sobre o inusual valor da indenização quando os jornais noticiaram que Ana Margarita decidira reivindicar reparação material "por ter sido violentada sexualmente" — não pelo ex-marido Juan Pablo Roque, mas pelo Estado cubano. Não era a primeira vez que o já desfeito casal frequentava os tribunais da Flórida. Um ano antes ela obtivera judicialmente a anulação do casamento com Roque e o restabelecimento de seu antigo sobrenome, Martínez, mas como bem palpável só lhe coubera o mais visível símbolo do desamor, o jipe Cherokee verde-oliva do piloto cubano. Representada por dois hábeis advogados, ela decidiu abrir o processo não contra Juan Pablo Roque, que não tinha um tostão e muito provavelmente jamais voltaria a pôr os pés nos Estados Unidos, mas contra a República de Cuba. Apresentando-se como "anticomunista fervente" e utilizando a crua terminologia jurídica, Ana Margarita afirmou que "os coitos praticados com Juan Pablo não haviam sido consensuais", pois quem de fato dormia com ela era um agente de Fidel Castro, e não o desertor pelo qual Roque se fazia passar e por quem ela se apaixonara. "Ao consentir em praticar o coito com Roque", reafirmavam os advogados, "a demandante Martínez não tinha conhecimento de que se tratava de um agente de Cuba." E, como o casamento dos dois fora uma farsa montada por Cuba, era a República de Cuba que teria que pagar pelo sofrimento a que ela fora submetida.

IN THE CIRCUIT COURT OF THE ELEVENTH JUDICIAL CIRCUIT OF FLORIDA
IN AND FOR DADE COUNTY

ANA MARGARITA ROQUE,
Petitioner,

CASE NO. 96-10154 FC 29

vs.

FINAL ORDER AS TO ALL PARTIES

JUAN PABLO ROQUE,
Respondent,

SRS DISPOSITION NUMBER

FILED FOR RECORD OCT 15 AM 10:15

FINAL JUDGMENT OF ANNULMENT

THIS CAUSE, coming on to be heard on the Complaint for Annulment of the Petitioner, ANA MARGARITA ROQUE (" Petitioner"), against the Respondent, JUAN PABLO ROQUE ("Respondent") on October 15, 1996; the testimony introduced herein; and the Court having examined the file and being otherwise fully advised in the premises,

FINDS as follows:

1. This Court has jurisdiction over the parties and the subject matter.

2. The purported marriage of the parties is voidable due to the gross fraud committed upon the Petitioner by the Respondent as a result of the Respondent having purportedly married the Petitioner without informing her that he was operating as a spy or informant for the communist government of the Republic of Cuba and the Federal Bureau of Investigation, and that he intended

B. The Petitioner is restored to her former name of ANA MARGARITA MARTINEZ

1J4FT27P5RL243437

C. The 1994 Jeep Cherokee (VIN: J4FT27P5RL243437) is hereby awarded solely to the Petitioner, ANA MARGARITA MARTINEZ, and shall be titled in her name only. The Petitioner shall have full power to dispose of the 1994 Jeep Cherokee as she deems appropriate.

D. The Court reserves jurisdiction in this matter to enforce all executory matters and to ensure compliance with this final Judgment.

DONE AND ORDERED in Chambers at Miami, Dade County, Florida, on this 15th day of October, 1996.

Maria M Korvick
MARIA M. KORVICK
Circuit Court Judge

copies furnished to: David M. Caveda, Esq.
Ana Margarita Martinez

JUDGE MARIA M. KORVICK

roque05.fja

STATE OF FLORIDA, COUNTY OF DADE
I HEREBY CERTIFY that the foregoing is a true and correct copy of the original on file in this office. OCT 15 1996
HARVEY RUVIN, CLERK, of Circuit and County Courts
Deputy Clerk

Ao descobrir que Juan Pablo Roque era um agente cubano, Ana Margarita consegue obter a anulação do casamento deles e toma posse do único bem deixado pelo marido nos Estados Unidos antes de retornar a Cuba: o jipe Cherokee verde-oliva.

Seus penares com o piloto cubano foram arrolados em 73 pontos. Dizendo-se "traída e abandonada", Ana contou que passara a ser discriminada pela comunidade cubana, a qual duvidava que ela também tivesse sido enganada por Roque. Os radialistas mais radicais sustentavam em seus programas que, além de saber de tudo, ela talvez ajudasse o marido nas atividades secretas. Num ato religioso em memória dos pilotos mortos, o pai de um dos homenageados pediu-lhe que deixasse a igreja. "A senhora está sob suspeita", disse ele secamente, "e portanto não é bem-vinda entre nós." No final da petição Ana Margarita enumerou os danos físicos, morais, emocionais e materiais que a República de Cuba lhe infligira: lesão corporal, dor e sofrimento provocados pelos "coitos não consentidos"; angústia mental; gastos médicos para reabilitação emocional e perda da capacidade de desfrutar a vida. Embora afirmassem que ela continuaria "padecendo para sempre de muitos desses males", os advogados calcularam o valor do remédio que poderia mitigar os traumas da demandante Martínez: 41 milhões de dólares. A conta pareceu salgada demais para o juiz Alan Postman, que acabou concedendo a ela uma pensão mensal de 15 mil dólares durante os quarenta anos seguintes, o que totalizava pouco mais de 7 milhões de dólares. Dinheiro que também seria pago por Cuba. Quando o Chase Manhattan Bank, onde estão depositados os fundos cubanos, enviou ao Departamento do Tesouro dos Estados Unidos, como faz todo ano, o extrato dos ativos congelados de Cuba, o saldo existente — que nos bons tempos superava 600 milhões de dólares — caíra de 268 para 212 milhões de dólares, só com as duas sentenças judiciais.

Ana Margarita nunca mais voltou a ver Olga Salanueva. Se antes já não havia muita química entre as duas, menos ainda haveria depois da fuga de Roque para Cuba. A vida do casal prosseguia sem maiores contratempos, com René dividindo seu tempo entre o trabalho como copiloto da Arrow e a atividade no Movimento Democracia, Olga vendendo cursos por telefone para a Inglés Ahora e Irmita bem integrada à escola em que estudava. No final de setembro, em meio à excitação provocada pela prisão de Cruz León, a rotina da família González fora quebrada por uma notícia que o casal já esperava fazia alguns meses: Olga estava grávida. A alegria da casa só não foi completa porque nas primeiras semanas Irmita parecia reagir mal à novidade. "No começo fiquei um pouco arisca, afinal meu reinado de treze anos de filha única estava chegando ao fim", ela se lembraria muito mais tarde. "Mas com o passar do tempo eu estava mais ansiosa que meus pais para que o bebê chegasse logo." Ao saber que a família González ia aumentar, Gerardo-Viramóntez revelou-se tão paternal quanto fora com Tony antes do casamento deste com Maggie. O primeiro encontro com René após a constatação da gravidez, do qual Olga participaria, ocorreu no restaurante chinês Canton, a oeste da Little Havana. Só depois do que chamavam de "medidas de contravigilância", os cuidados de sempre para ver se não estavam sendo seguidos, é que os três entraram e escolheram uma mesa. No informe enviado a Havana, *Giro* comentou que, quando liquidaram os temas de praxe ("transferência de instruções e recebimento de informações, declarações gerais de *Castor* e discussão de assuntos políticos"), o "ponto" acabou se convertendo numa prosaica conversa doméstica, "um encontro dominado pelo assunto do bebê". Nove anos mais novo que René, e sem nunca ter vivido a experiência da paternidade, *Giro* pontificava e dava conselhos com a cancha de alguém vivido no tema, como se pode ler na correspondência que enviou a Cuba:

> A gravidez tem sido tranquila e o bebê está previsto para o fim de abril ou começo de maio. Perguntei a eles sobre a outra filha e eles disseram que ela está indo muito bem na escola, e que fala

inglês muito bem. Ida disse que a menina está com ciúme do bebê, mas ela acha que vai passar. Disse a ela que era normal, porque até agora ela era o centro das atenções, e que agora iria "descer do pedestal", mas que, em minha opinião, eles deveriam ter muito tato para lidar com a situação de agora em diante, para que ela não sinta ainda mais ciúme.

O informe termina revelando o sexo do bebê e fazendo considerações sobre a vida de *Castor* e *Ida*, como Olga era tratada nas correspondências secretas:

> Fizeram um ultrassom e viram que é uma menina, mas ainda não disseram nada à filha porque querem fazer surpresa. Mesmo com a gravidez as coisas no trabalho estão indo bem para Ida. Ela disse que bateram em seu carro quando estava estacionado. O veículo é da empresa onde ela trabalha, mas, como ela não informou à polícia na hora, a empresa provavelmente não pagará o conserto porque não há testemunhas. Quanto a Castor, ambos disseram que, em decorrência do curso que está fazendo [na Arrow Air], ele tem passado por momentos de muito estresse, visto que os exames são muito difíceis, e a única opção é dedicar-se inteiramente a isso. Ele nos disse que não achava que seria tão difícil.

O encontro terminou às nove da noite com o pagamento da conta de 38 dólares referentes ao consumo do trio: frango com castanhas de caju, costelas de porco com molho agridoce e arroz frito, duas cervejas e uma Coca-Cola. No final os três repetiram o controle de segurança de sempre. Saíram separadamente do restaurante, o casal tomando o rumo da direita e entrando no primeiro café, para se certificar de que não estava sendo seguido, enquanto *Giro* caminhava em direção contrária e renovava a "medida de contravigilância" parando numa farmácia para uma última olhada até perceber que podia partir em segurança. A preocupação permanente com o risco de estarem sendo vigiados costumava produzir situações de extrema tensão, como na manhã de um sábado em que Gerardo empurrava um carrinho de compras no supermercado Costco, no Biscayne Boulevard, a cinco quilômetros de sua casa. De bermudas, boné e óculos escuros, ele caminhava por entre as gôndolas da seção de artigos eletrônicos em busca de um laptop. Embora já estivessem no mercado desde o começo da década, só então, no fim de 1997, é que Gerardo, Ramón *Urso* Labañino e Remíjio *Marcelino* Luna haviam recebido autorização (e dinheiro) de Havana para adquirir computadores portáteis.

A frequência cardíaca do agente subiu inesperadamente quando ele viu atrás de uma prateleira, a menos de um metro de distância, um dos mais odiados personagens da Cuba revolucionária. Vestindo um colete de brim verde-escuro, ali estava o ex-agente da CIA, cubano como ele, Félix Ismael Rodríguez Mendigutía, que trinta anos antes comandara a caçada e autorizara a execução de Ernesto *Che* Guevara em La Higuera, na Bolívia. Era possível que ele levasse no pulso seu inseparável troféu, o relógio Rolex de aço fosco pilhado do cadáver do guerrilheiro argentino. Veterano da baía dos Porcos, Rodríguez reaparecera no noticiário no final dos anos 70 envolvido no chamado *Escândalo Irã-Contras*, operação secreta chefiada pelo coronel Oliver North, assessor do presidente Ronald Reagan, através da qual a CIA vendia armas secretamente para o Irã e repassava os recursos obtidos no negócio para os Contra, movimento armado que tentava derrubar o governo sandinista da Nicarágua.

Na época do encontro no supermercado, Rodríguez vivia em Miami, onde mantinha um escritório de consultoria na área de segurança. "Quando nossos caminhos se cruzaram, olhamos um para o outro e eu tive certeza de que era ele", relatou Gerardo no informe enviado a Cuba. O mais discretamente possível, para

O cubano agente da CIA Félix Rodríguez Mendigutía, com quem Gerardo cruzou entre as gôndolas de um supermercado em Miami. No alto, à esquerda, Félix ao lado de Che Guevara, na Bolívia, horas antes da execução do guerrilheiro argentino. Acima, com o presidente George Bush e com a deputada cubano-americana Ileana Ros-Lehtinen.

não chamar a atenção, *Giro* deu meia-volta e tomou a direção das filas de caixas. Pagou as compras, atravessou o amplo e movimentado salão, comprou um sorvete e escolheu uma mesinha da praça de alimentação de onde pudesse controlar Rodríguez quando este se dirigisse aos caixas. Minutos depois ele reapareceu com o carrinho abarrotado de produtos e entrou numa das filas. Gerardo levantou-se, andou até uma cabine telefônica instalada junto à porta de saída, tirou o beeper da cintura e fingiu fazer uma chamada. Protegidos pelos óculos escuros, seus olhos permaneciam grudados naquele sessentão já meio barrigudo que em nada lembrava o temido *Max Gómez*, codinome pelo qual Rodríguez era conhecido nos anos 60 e 70. Da cabine *Giro* pôde vê-lo pagar a conta e sair em direção ao estacionamento. Aparentemente sem perceber que estava sendo observado, Rodríguez colocou as compras no porta-malas de um Mercedes-Benz cinza, de vidros escuros, e, antes de entrar no carro, voltou o rosto na direção em que Gerardo se encontrava. Deu partida no motor e sumiu. O informe de *Giro* assegurava que Rodríguez estava sozinho, "mas, devido às características do colete que ele usava, era perfeitamente possível que estivesse armado". E terminava com um desabafo: "Vocês podem imaginar qual foi a sensação de estar perto desse filho da puta que tem uma dívida tão grande conosco".

O tempo se encarregaria de comprovar que eram inúteis os permanentes esforços dos membros da Rede Vespa com a questão da segurança, já que pelo menos desde 1995 o grupo vinha sendo controlado por um pelotão de agentes do FBI. Muitos dos encontros e até rápidos *brush pass* ocorridos entre eles eram fotografados à distância por policiais armados de câmeras equipadas com teleobjetivas. Episódios como o do supermercado Costco podiam não ser mera casualidade, e muitas das suspeitas que frequentemente os assombravam talvez não fossem manifestações de paranoia. Visto à luz de fatos que se dariam meses depois, é possível que um incidente vivido por Gerardo em janeiro de 1998 fosse um indício de que o FBI estava fechando o cerco contra os agentes cubanos.

12

FIDEL CASTRO ENVIA A BILL CLINTON UMA CARTA COM DENÚNCIAS CONTRA AS ORGANIZAÇÕES DE EXTREMA DIREITA DA FLÓRIDA. O POMBO-CORREIO É O PRÊMIO NOBEL GABRIEL GARCÍA MÁRQUEZ

Na última semana de janeiro Gerardo encerrou mais uma das viagens que fazia a Cuba a cada três ou quatro meses. Escolheu como roteiro de retorno o trajeto Havana--Cancún-Memphis-Miami. Ao chegar a Cancún, na manhã da quinta-feira, dia 22, soube que problemas nas conexões seguintes o obrigariam a permanecer dois dias no balneário mexicano à espera de um voo que o levasse a Memphis — o que acabou acontecendo só no domingo à tarde. Em Memphis ele foi retirado da longa fila que se formava diante dos guichês da imigração, junto com mais meia dúzia de passageiros, e conduzido a um balcão separado. Tudo indicava que ele fora escolhido numa seleção aleatória, mas o oficial que o atendeu parecia particularmente mal--humorado ao pedir para ver seus documentos. Como fizera nas viagens anteriores, *Giro* portava apenas a carteira de motorista e uma cópia da certidão de nascimento. Segundo um convênio então existente entre os Estados Unidos e os vizinhos México e Canadá, os dois documentos eram suficientes para que cidadãos americanos — e Manuel Viramóntez era um cidadão americano — viajassem para esses países sem a necessidade de utilizar passaporte. Em todas as viagens a seu país Gerardo repetia o mesmo roteiro, e na chegada ao México havia sempre alguém da embaixada de Cuba esperando-o com um passaporte cubano emitido em seu verdadeiro nome, documento com o qual prosseguia a viagem até Havana. Na volta o passaporte era recolhido na escala mexicana, momento em que *Giro* reassumia a falsa identidade de Manuel

Viramóntez e tomava o avião para os Estados Unidos. Como nas outras vezes, naquele domingo ele estava limpo e não tinha por que se assustar com a cara feia do americano que o abordava no aeroporto de Memphis. O funcionário pediu-lhe o passaporte e ele explicou que viajava apenas com a carta de motorista e a certidão de nascimento. O americano olhou a carteira de motorista contra a luz, certificou-se da autenticidade da marca-d'água de segurança e, não parecendo satisfeito, perguntou se Gerardo tinha algum outro documento. A certidão de nascimento também foi esquadrinhada pelos olhos do cérbero, que, apesar de não dar sinais de que encontrara algo errado, guardou-a no bolso da camisa, junto com a carteira de motorista, e ordenou secamente:

— Siga-me.

Levado a uma sala fechada, na qual tinha apenas a companhia do oficial de imigração, *Giro* foi obrigado, pela primeira vez desde que chegara aos Estados Unidos, seis anos antes, a comprovar que era mesmo o americano Manuel Viramóntez, nascido no Texas e criado em Porto Rico. No final de duas intermináveis horas de um interrogatório repleto de armadilhas e tentativas frustradas de fazer o passageiro cair em contradição, o homem não parecia satisfeito e continuou insistindo:

— O que o senhor fez no México nas três semanas que permaneceu lá?

— Eu estava em férias.

— Em que hotel ficou hospedado?

— Fiquei na casa da minha namorada.

— Qual o nome e o número do telefone dela?

— Ela se chama Agostina e o número do telefone é 239-5357.

Era mentira, claro, mas não fora inventada na hora. Se o oficial discasse o número para checar a veracidade da resposta, seria atendido por uma mulher que diria chamar-se Agostina e confirmaria as informações fornecidas. Quando recebeu os documentos de volta e foi dispensado, Gerardo imaginou que o calvário tinha chegado ao fim. Ao passar pela alfândega, porém, teve a bagagem minuciosamente vasculhada por dois funcionários. Um deles pediu que ele ligasse o laptop que levava numa bolsa a tiracolo e vistoriou os programas e arquivos instalados no aparelho. Tratava-se de um procedimento ilegal, segundo as leis americanas, mas Viramóntez sabia que não seria prudente fazer valer seus direitos e preferiu aturar em silêncio a arbitrariedade. Finalmente liberado, só ao anoitecer ele conseguiu embarcar para Miami. Na manhã de segunda-feira, sua primeira providência foi enviar a Havana um breve resumo do ocorrido:

> Cheguei ontem, domingo. Foi impossível pegar um avião antes. Por favor, avisem ao David que não é recomendável entrar por Memphis. Eles me detiveram por não ter passaporte. Realizaram um interrogatório abrangente até confirmarem a fachada, e eu tive que mostrar todos os documentos e provas. [...] Eles também detiveram outras pessoas. No final, o cara me aconselhou a providenciar um passaporte para evitar problemas. Também foi difícil na alfândega. Eles verificaram toda a bagagem. [...] Memphis foi o único lugar em que me fizeram abrir o computador, e a máquina de raios X de lá é a mais sensível entre todas dos aeroportos por onde passei. Explicarei mais na correspondência. Giro, 26 de janeiro.

Ao receber como resposta do Centro Principal um informe repreendendo-o pelo episódio — que ficaria conhecido entre eles como "o incidente de Memphis" —, Gerardo defendeu-se, na mensagem seguinte, afirmando que não se acanharia de reconhecer que tudo acontecera por responsabilidade sua. "Se fosse o caso, eu teria dito a vocês, com sinceridade, que dei essa ou aquela mancada porque fiquei nervoso, porque não sabia o que dizer ou porque estava no lugar errado", escreveu. "São coisas que podem acontecer a qualquer momento, mas não foi o que ocorreu dessa vez." Apesar do tom formal em que eram redigidas as mensagens, manteve o bom humor. "Logicamente o incidente poderia ter sido causado por diversos fatores. Pode até ser que o funcionário fosse homossexual e tivesse gostado da minha luzidia careca", encerrou, "mas essa e outras razões não passam de especulação."

De volta à rotina, Gerardo dedicou os primeiros dias de trabalho à leitura dos informes produzidos pelos agentes cubanos durante sua ausência. Os olhos do grupo mantinham-se direcionados para o recrutamento de mercenários na América Central. A prisão de Cruz León não parecia ter intimidado as organizações de extrema direita de Miami e as informações recolhidas dentro destas indicavam que as relações de alguns de seus dirigentes com Chávez Abarca continuavam como se nada tivesse acontecido. Em meados de fevereiro chegou a Villa Marista um informe que recomendava rigorosa vigilância nos aeroportos de entrada de Cuba, pois havia suspeitas de que um turista guatemalteco chamado Miguel Abraham Herrera Morales, envolvido com os "amigos de Miami", estaria com viagem marcada para Cuba. O alerta vindo da Rede Vespa coincidia com uma advertência transmitida secretamente pelo chefe da Seção de Interesses dos EUA em Havana, Michael Kozak, ao Ministério das Relações Exteriores de Cuba. Segundo Kozak, os serviços secretos americanos tinham obtido uma "informação sensível, fornecida por fonte de confiabilidade não determinada", assegurando que um grupo de exilados cubanos pretendia realizar atentados com bombas em Havana na primeira semana de março. Não fora possível descobrir os lugares, horários e alvos escolhidos, mas segundo a fonte os explosivos já estavam a caminho de Cuba.

O flagrante acabou acontecendo na abafada manhã de 4 de março, quando um avião da empresa Aviateca desembarcou no aeroporto José Martí transportando um grupo de turistas vindos da Cidade da Guatemala, via Cancún. Entre eles se encontrava Miguel Abraham, um homem de 28 anos, magro, pálido, com um vasto bigode negro e óculos de grau. Ao revistarem sua bagagem, os fiscais da alfândega encontraram duas calculadoras Casio, pilhas Kodak de nove volts, cabos e, disfarçados em dois frascos de xampu, quatrocentos gramas de explosivo plástico C-4. Na polícia

Abraham revelou seu verdadeiro nome — Nader Kamal Musalam Barakat, guatemalteco de origem palestina — e contou que não viajara sozinho. No mesmo voo viera a também guatemalteca María Elena González Meza de Fernández, que conseguira passar ilesa pela fiscalização, deixara o aeroporto e àquela altura já devia estar hospedada numa casa de família de Havana. Presa horas depois, a cartomante de 54 anos, de cabelos oxigenados e dona de uma barraca de tarô na zona boêmia da capital da Guatemala, entregou à polícia o material que levava escondido na mala — meio quilo de C-4, pilhas, cabos, quatro detonadores, duas calculadoras etc. No final do interrogatório a dupla confessou que fora contratada por Chávez Abarca e *Ramón Medina* — ou seja, Posada Carriles — para colocar quatro bombas em lojas duty-free de hotéis de Havana, frequentadas somente por turistas estrangeiros. A remuneração era a mesma oferecida a Cruz León: 1500 dólares por bomba. A operação havia sido coordenada pelo marido de María Elena, Jazid Iván Fernández, outro guatemalteco-palestino de apenas 27 anos.

Decidido a colaborar com os serviços de inteligência cubanos em troca da redução de sua pena, Nader concordou em repetir a encenação telefônica utilizada meses antes, em vão, para tentar atrair Chávez Abarca para uma armadilha em Cuba. Dessa vez os cubanos queriam pegar Jazid Iván, a ponte que levaria aos "amigos de Miami". A simulação concebida pelos serviços de inteligência dizia que um assaltante de rua roubara a bolsa de María Elena — tratada pelo codinome *Mary* —, onde estavam a passagem aérea e o passaporte dela, o dinheiro reservado para as despesas dos dois e os quatro detonadores, razão pela qual as bombas ainda não tinham sido colocadas. Nos telefonemas, Nader foi orientado a insistir em que a única solução para o problema era alguém pegar um avião na Guatemala e levar a Cuba quatro novos detonadores e algum dinheiro. O portador tanto poderia ser *Barrigão* como Jazid. Realizada na mesma sala da Villa Marista em que Cruz León atuara meses antes, a primeira conversa entre

Os mercenários guatemaltecos presos em Havana com base em informes enviados de Miami pela Rede Vespa. Acima, Nader Kamal Musalam Barakat, que tentava entrar em Cuba com documentos falsos em nome de Miguel Abraham. Abaixo a cartomante María Elena Fernández, encarregada de introduzir os explosivos na Ilha.

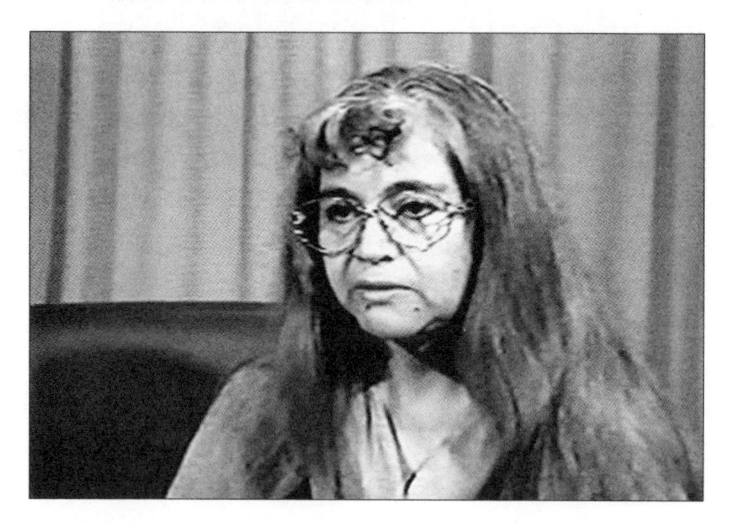

Nader e Chávez Abarca não foi animadora. O diálogo começou com o guatemalteco transmitindo a Abarca a história que havia sido inventada pelos agentes de Villa Marista:

NADER: Aconteceu um negócio chato. Roubaram a bolsa da Mary na rua. Levaram os quatro detonadores, o passaporte e a passagem dela e todo o dinheiro para as nossas despesas.

CHÁVEZ ABARCA: Mas, se roubaram o passaporte, como é que ela vai voltar para cá?

NADER: Ela está cuidando disso neste momento, está na embaixada da Guatemala tentando conseguir uma segunda via do passaporte.

CHÁVEZ ABARCA: E a passagem de volta?

NADER: Já descobrimos que a Aviateca vai reemitir o bilhete roubado. O problema é que o dinheiro acabou. Você tem como mandar mais dinheiro para nós?

CHÁVEZ ABARCA: Não, não tenho ninguém disponível agora.

NADER: Então venha você mesmo. Venha amanhã, há um voo que chega aqui às nove da manhã. Você pode voltar no mesmo avião, duas horas depois.

CHÁVEZ ABARCA: Não posso, é mais fácil você vir aqui.

NADER: E o Jazid Iván? Mande o Jazid trazer o dinheiro.

CHÁVEZ ABARCA: O Jazid não vai nem fodendo.

NADER: Porra, mas é a mulher dele!

CHÁVEZ ABARCA: Por que você não aproveita que a Mary está cuidando do passaporte e do boleto e vem pegar tudo aqui comigo?

NADER: Eu pensei nisso, mas a Mary agora está com medo de ficar sozinha.

CHÁVEZ ABARCA: Como assim?

NADER: Pois é, ela está com medo de ficar sozinha aqui, porque as coisas estão com ela. Por segurança achamos melhor as coisas ficarem com ela, e ela está com medo de ficar sozinha...

CHÁVEZ ABARCA: Amanhã eu telefono com alguma solução.

Não telefonou mais. Pela segunda vez *Barrigão* escapava do risco de terminar seus dias numa prisão cubana — ou diante de um pelotão de fuzilamento —, mas a Jazid Iván não restou outra saída: ele teria que ir pessoalmente a Havana para socorrer a esposa. Na manhã de 20 de março, duas semanas depois da chegada de Nader e María Elena, Jazid foi preso no aeroporto José Martí. Com as revelações feitas pelos três, as autoridades cubanas juntaram peças que vinham sendo armazenadas desde dezembro de 1990, quando René fugiu para os Estados Unidos, e concluíram a montagem do quebra-cabeça. Não havia mais dúvidas de que Chávez Abarca era o elo que unia de um lado mercenários centro-americanos e de outro Posada Carriles e alguns mandachuvas da Fundação Nacional Cubano-Americana.

O volume e a qualidade das informações obtidas em quase oito anos pela Rede Vespa permitiam ao governo de Cuba afirmar, com base em gravações, fotos e documentos, que uma poderosa malha de organizações terroristas atuava impunemente em território norte-americano com o objetivo de minar, a poder de bombas, a indústria turística que se revelara vital para a salvação da economia cubana. Fidel Castro continuava acreditando que, se tivesse acesso àquelas informações, Bill Clinton não teria alternativa senão colocar na cadeia os líderes do que em Havana se costuma chamar "a máfia cubana de Miami". A tentativa de utilizar o senador Gary Hart como intermediário tinha dado em nada, mas Fidel não perdera a esperança de que o Salão Oval tomasse conhecimento do dossiê. A Casa Branca já tivera pelo menos uma mostra da eficiência e da boa-fé dos serviços secretos cubanos catorze anos antes, quando era presidente o republicano Ronald Reagan, que podia figurar na cabeça da lista dos chefes de governo americanos mais hostis à Revolução Cubana. Apesar do abismo que o separava daquela administração, em meados de 1984 Fidel Castro deu ordens pessoais à direção do DSE para fazer chegar às mãos do ultraconservador William Casey, diretor da CIA, um informe minucioso denunciando a existência de um complô, abortado a tempo, para assassinar o presidente dos Estados Unidos. Salvo uma breve referência pública ao tema, feita pelo vice-ministro das Relações Exteriores de Cuba, Abelardo Moreno, nenhum dos dois lados jamais deu detalhe algum sobre a frustrada operação.

Aparentemente sensível à ameaça representada por grupos terroristas sediados na Flórida, a Casa Branca autorizou o chefe da representação americana em Havana a intercambiar com os órgãos de inteligência cubanos informações sobre a ligação entre dirigentes de organizações anticastristas e a escalada de terror contra Cuba. Kozak assegurou que o governo americano já tinha tomado "a firme decisão de perseguir e submeter à lei os responsáveis por aqueles atos". Para isso a troca de informações com Cuba seria essencial, pois, segundo o diplomata, "nem todos os suspeitos viviam em Miami e muitos operavam a partir de terceiros países", o que diminuía as possibilidades de atuar contra eles. "Quaisquer pistas ou informações que levem às pessoas que apoiam ou controlam essas atividades", garantiu Kozak, "serão de grande utilidade para o governo americano." A ocasião parecia propícia ao projeto de Fidel Castro de fazer chegar pessoalmente a Bill Clinton informações sobre o assunto, mas a inexistência de um canal confiável parecia adiar indefinidamente a concretização do plano.

A solução apareceu no começo de abril de 1998, quando o escritor Gabriel García Márquez fez mais uma de suas incontáveis viagens a Cuba. Dessa vez ele fora a Havana em busca de dados para escrever um artigo jornalístico sobre a visita do papa João Paulo II à Ilha, ocorrida em janeiro daquele ano. Recebido pelo presidente Fidel Castro, o colombiano contou ao velho amigo que na última semana daquele mês ministraria uma oficina de literatura na bicentenária Universidade de Princeton, em Nova Jersey. E confidenciou que pedira a Bill Richardson, substituto de Madeleine Albright na chefia da missão americana na ONU, que tentasse conseguir para ele uma audiência privada com Bill Clinton.

Sua intenção era conversar com o presidente dos Estados Unidos sobre a situação da Colômbia, já naquela época às voltas com o narcotráfico, de um lado, e do outro com o crescimento das Farc — Forças Armadas Revolucionárias da Colômbia. Do encontro em Havana nasceu a decisão de que *Gabo* seria portador de uma mensagem pessoal de Fidel Castro a ser entregue em mãos a Bill Clinton, sem intermediários. García Márquez sabia que não era simples falar a sós com o presidente americano sobre temas tão delicados. Na última vez que o escritor estivera no Salão Oval da Casa Branca, sete meses antes, a audiência fora testemunhada o tempo todo por Samuel Berger, chefe do Conselho de Segurança Nacional. Ele tinha uma "suspeita maligna": o mais provável era que uma mensagem como aquela acabasse chegando aos serviços de segurança, mas não às mãos do presidente. Ainda assim, ficou decidido que o autor de *Cem anos de solidão* seria o pombo-correio da primeira correspondência dirigida pelo líder cubano a um presidente dos Estados Unidos desde o remoto ano de 1959.

Para poupar Clinton da obrigação de responder, Fidel decidiu que não seria uma carta pessoal, mas um documento sintético, escrito pessoalmente por ele, vertido para o inglês, datilografado e não assinado, contendo sete pontos — entre os quais alguns considerados essenciais por Cuba para a manutenção de uma convivência minimamente civilizada entre os dois países. O primeiro e mais importante deles, naturalmente, tratava das ações terroristas praticadas contra Cuba ao longo dos oito anos anteriores, planejadas e financiadas por organizações legalmente estabelecidas na Flórida:

> Um assunto importante. Prosseguem as atividades terroristas contra Cuba, pagas pela Fundação Nacional Cubano-Americana, utilizando mercenários centro-americanos. Foram realizadas duas novas tentativas de explodir bombas em nossos centros turísticos, antes e depois da visita do papa. No primeiro caso os responsáveis puderam escapar, regressando por via aérea à América Central sem conseguir seus objetivos, abandonando equipamentos e explosivos

que foram apreendidos. Na segunda tentativa foram presos três mercenários de nacionalidade guatemalteca que portavam explosivos e equipamentos. Eles receberiam 1500 dólares por bomba que explodisse em Cuba.

Ambos os casos foram contratados e patrocinados por agentes da rede criada pela Fundação Nacional Cubano-Americana. Agora planejam fazer explodir bombas em aviões de companhias aéreas cubanas ou de outros países que viajem para Cuba trazendo e levando turistas de países latino-americanos. O método é similar: colocar em algum lugar oculto do avião um pequeno dispositivo e uma carga de explosivo potente, armar o detonador num relógio digital que pode ser programado para até 99 horas depois, e abandonar a aeronave no destino. A explosão se produzirá em terra ou em pleno voo posterior.

São procedimentos verdadeiramente diabólicos: mecanismos fáceis de armar, treinamento mínimo para seu manejo e impunidade quase total. As agências policiais e de inteligência dos Estados Unidos possuem informações fidedignas e suficientes a respeito dos principais responsáveis. Se de fato quiserem, podem fazer abortar a tempo essa nova forma de terrorismo. Mas será impossível freá-la se os Estados Unidos não cumprirem o elementar dever de combatê-la. Não se pode entregar apenas a Cuba a responsabilidade de fazê-lo. Muito em breve qualquer país do mundo poderá ser vítima de tais atos.

Os demais pontos da mensagem secreta se referiam a temas de interesse recíproco, como a retomada dos voos comerciais dos Estados Unidos para Cuba, suspensos desde o abate dos Cessnas, dois anos antes, ou o agradecimento de Fidel por um informe favorável do Pentágono sobre a situação militar da Ilha, segundo o qual "Cuba não representava nenhum perigo para a segurança dos Estados Unidos". No final Fidel manifestava também sua gratidão "pelos comentários feitos por Clinton a Nelson Mandela e Kofi Annan em relação a Cuba". Antes que o escritor deixasse o Palácio da Revolução, em Havana, já de posse do envelope

Parte da documentação enviada por Fidel Castro ao FBI com informações sobre as organizações terroristas instaladas em Miami. A operação foi intermediada pelo escritor Gabriel García Márquez, que funcionou como pombo-correio entre o presidente cubano e Bill Clinton.

lacrado, Fidel sugeriu-lhe fazer a Clinton, "se as circunstâncias fossem propícias", duas perguntas que, todavia, deveriam parecer iniciativa dele, García Márquez, e não do presidente cubano. A maratona das semanas seguintes acabaria rendendo um saboroso relatório de 4 mil palavras escrito pelo Prêmio Nobel de Literatura para Fidel Castro, com detalhes de como se desincumbira da missão recebida. Ao chegar à pequenina Princeton, no sábado, 25 de abril, García Márquez telefonou a Bill Richardson para informar que seu trabalho na universidade o prenderia até quinta-feira, dia 30, e que permaneceria em Washington, à espera da audiência, do dia 1º até o dia 5 de maio, quando retornaria à Cidade do México, onde vivia com a mulher, Mercedes. No fim do telefonema, achou de bom-tom comunicar que levava "uma mensagem urgente para o presidente Clinton", sem nada revelar sobre seu conteúdo ou sobre a identidade do remetente.

Terminada a oficina literária de Princeton, García Márquez foi recepcionado em Washington por uma notícia desanimadora. Um assistente de Richardson chamou-o por telefone para avisar que o presidente não poderia recebê-lo porque estaria na Califórnia até o dia 6 de maio, quando *Gabo* já teria retornado ao México. Como alternativa, o funcionário propunha que ele fosse recebido por Sam Berger, diretor do Conselho de Segurança Nacional da Casa Branca, que estava autorizado a receber a mensagem em nome de Clinton. Como a recomendação de Fidel era para só entregar o envelope ao presidente, pessoalmente, o escritor preferiu sugerir outra solução: se o cancelamento da audiência se devia apenas à incompatibilidade de datas, ele estava disposto a prolongar sua estada e permanecer em Washington até que Clinton voltasse. O funcionário prometeu transmitir a proposta a Richardson e desligou. O telefonema deixou-o com a pulga atrás da orelha e reacendeu a "suspeita maligna". Os serviços de segurança pareciam estar manobrando para que a mensagem fosse lida primeiro por eles e só depois pelo presidente dos Estados Unidos.

Tal como revelou no relatório pessoal a Fidel Castro semanas depois, García Márquez não tinha pressa e podia esperar. Empenhado em terminar sua autobiografia intitulada *Viver para contar*, aproveitou o ócio propiciado pela espera para trabalhar. "Eu tinha escrito mais de vinte páginas de minhas memórias no idílico campus de Princeton", escreveu ele a Fidel, "e o ritmo não havia decaído no quarto impessoal do hotel de Washington, onde cheguei a escrever por até dez horas diárias." A verdadeira razão para permanecer dias seguidos num quarto de hotel, no entanto, era outra. O colombiano tinha "calafrios de pânico" ao pensar que na sua ausência o antiquado cofre instalado dentro do guarda-roupa pudesse ser aberto clandestinamente por alguém interessado em ler o conteúdo do envelope lacrado que guardara ali. "O cofre não inspirava a menor confiança", justificou-se, "porque não era uma combinação de números que abria e fechava sua porta, mas uma chave que parecia comprada num chaveiro de esquina." A paranoia obrigou-o a passar encarcerado quase todo o tempo: "Eu escrevia, almoçava, jantava e recebia visitas no quarto, mas sempre de olho no cofre". No telefone só falava o essencial, convencido de que a linha estava grampeada. Nas raras vezes em que deixava o quarto — em geral quando se cansava da comida do hotel e dava uma rápida fugida até o bistrô francês Provence —, o escritor carregava a chave no bolso e, ao retornar, se certificava de que o envelope continuava intacto, na mesma posição em que fora colocado no cofre. Uma dessas saídas foi para uma breve visita ao casarão situado a três quilômetros da Casa Branca onde está instalada a Seção de Interesses de Cuba em Washington. Com a ajuda do embaixador Fernando Remírez, enviou uma mensagem cifrada a Havana resumindo o que ocorrera. No final do dia Remírez levou ao hotel a resposta vinda de Cuba, em cujo estilo García Márquez identificou a autoria de Fidel Castro. O presidente cubano fazia-lhe "uma amável solicitação" para que permanecesse na capital americana pelo tempo necessário ao cumprimento da missão e lhe encarecia que fosse cuidadoso e não permitisse que Sam Berger se sentisse desprestigiado por não ser aceito como interlocutor. E terminava com votos de que ele aproveitasse para "escrever muito" enquanto esperava.

Na noite de segunda-feira o escritor deixou o hotel para jantar na casa de seu conterrâneo e amigo César Gaviria, ex-presidente da Colômbia e então secretário-geral da Organização dos Estados Americanos. Aparentemente informado da existência da mensagem e da identidade do remetente, mas não do conteúdo do envelope, Gaviria convidara também o melhor amigo de Clinton, Thomas *Mack* McLarty, que acabara de deixar o cargo de conselheiro presidencial para América Latina porém continuava trabalhando como assessor do presidente numa sala da Ala Oeste da Casa Branca, a poucos passos do Salão Oval. Antes que o americano chegasse a sua casa, e sem esclarecer como se inteirara do assunto, Gaviria ajudou García Márquez a "colocar as coisas no lugar", segundo palavras deste. "Ele me explicou que as precauções dos assessores de Clinton eram normais, pelos riscos políticos e de segurança que implicaria para um presidente dos Estados Unidos receber em mãos, e por um canal irregular, informações tão delicadas." Embora tivesse sido, em suas palavras, "grata e frutífera", a noite trouxe para o escritor apenas a promessa de McLarty de interceder junto a Clinton para que a audiência fosse concedida o mais breve possível. Na terça de manhã, sempre utilizando o conduto anterior, García Márquez enviou outra indagação a Havana: se o presidente decidisse não recebê-lo e transferisse a tarefa para McLarty e Berger, a qual deles deveria entregar o envelope? Horas depois soube que Fidel se inclinava por McLarty, mas insistia no cuidado "para não desfeitear Berger". A mensagem terminava com uma frase que *Gabo* descreveu como "a autorização mais comprometedora" que lhe haviam dado na vida: "Confiamos no seu talento". No mesmo dia atendeu um telefonema do gabinete de McLarty informando que ele seria recebido na manhã seguinte na Casa Branca não pelo presidente, mas por McLarty, a quem deveria entregar a mensagem, e por mais três diretores do Conselho de Segurança Nacional — entre os quais não estaria Sam Berger.

Pontualmente às onze e quinze da manhã de quarta-feira, 6 de maio, conforme fora agendado, o assessor presidencial recebeu o escritor com um abraço, apresentou-o aos três diretores e sugeriu que todos sentassem num conjunto de sofás diante de sua mesa de trabalho. Pôs as mãos sobre os joelhos e anunciou, com um sorriso:

— Estamos à sua disposição.

García Márquez começou esclarecendo que aquela não era uma visita oficial, ao que os quatro assentiram com a cabeça, e relatou brevemente o encontro com Fidel em que surgira a ideia de enviar a correspondência a Clinton. Tirou do bolso o envelope lacrado e entregou-o a McLarty, pedindo-lhe que lesse e, se possível, comentasse as notas datilografadas em inglês. Como já conhecia o texto da mensagem de cor, o colombiano preferiu não levar anotações escritas. Decidido a não confiar tanto na memória, porém, tomou o cuidado de anotar numa agenda eletrônica as duas perguntas que Fidel lhe pedira para dirigir a Clinton "se as circunstâncias fossem propícias", e que ele se preparava para transmitir a McLarty. Enquanto lia silenciosamente o documento, o funcionário fez duas curtas considerações: "Que coisa terrível!" e "Temos inimigos comuns...". Quando o americano terminou a leitura e passou o documento — seis folhas datilografadas em espaço duplo — para seus colegas, García Márquez achou que era o momento oportuno para fazer a primeira pergunta sugerida por Fidel:

— Vocês acham possível que o FBI estabeleça contatos com seus homólogos cubanos para operarem numa luta comum contra o terrorismo?

Antes que alguém respondesse, o escritor acrescentou o que chamou "uma linha da minha lavra":

— Estou convencido de que essa ideia receberia uma resposta positiva e imediata das autoridades cubanas.

Quem tomou a iniciativa de falar foi Richard Clarke, que

além de diretor do CSN era assessor de Clinton para assuntos ligados ao terrorismo e ao narcotráfico:

— A ideia é muito boa, mas o FBI não participa de investigações cujos resultados sejam publicados em jornais. Será que os cubanos estão dispostos a manter o assunto em segredo?

O escritor respondeu com uma de suas frases prediletas:

— Não há nada de que um cubano goste tanto como guardar segredos.

O impacto da proposta obscureceu a segunda pergunta, com a qual Fidel queria saber se a colaboração em matéria de segurança não poderia abrir caminho para a reativação das viagens de norte-americanos a Cuba, suspensas havia algumas décadas. A reação desinteressada dos quatro deixou García Márquez convencido de que eles "não tinham, não conheciam ou não queriam revelar nenhum plano imediato naquele sentido". Clarke, que anotava numa caderneta tudo o que se falava, reconduziu a conversa ao tema do terrorismo e informou que iria determinar à Seção de Interesses dos Estados Unidos em Havana que preparasse uma proposta efetivando a ideia de um trabalho conjunto entre os serviços de segurança dos dois países para enfrentar o terrorismo. Tal como fora previsto, quando a reunião chegou aos cinquenta minutos McLarty se levantou da cadeira e estendeu a mão para o visitante. "Sua missão de fato era da maior importância", despediu-se, "e você cumpriu-a muito bem." Um elogio que, segundo *Gabo*, seria abandonado "à glória efêmera dos microfones ocultos nos vasos de flores da sala".

No relatório que enviou a Fidel Castro, o escritor ressaltou que em nenhum momento da reunião se falou de "reformas democráticas, de eleições livres ou de direitos humanos, nem de nenhuma das chicotadinhas políticas com que os norte-americanos costumam condicionar qualquer projeto de colaboração com Cuba". García Márquez saiu da Casa Branca certo de que o envelope acabaria sendo entregue por McLarty a Clinton "no ambiente cúmplice de uma sobremesa". A sorte estava lançada.

13

SEIS AGENTES DO FBI CHEGAM SIGILOSAMENTE A HAVANA E RETORNAM AOS ESTADOS UNIDOS COM UM CONTÊINER DE INFORMES PRODUZIDOS POR ORDEM DE FIDEL CASTRO SOBRE AS ORGANIZAÇÕES DA FLÓRIDA

Na véspera da viagem de Gabriel García Márquez a Princeton a família González crescera um pouco mais. No final do dia 24 de abril de 1998 Olga dera à luz Ivett, um lindo e gorducho bebê de pele clara e cabelos negros, como a mãe, e olhos esverdeados, como os de René. O parto da menina aconteceu no Jackson Memorial, o mesmo hospital universitário de Miami no qual, quarenta anos antes, nascera Tony Guerrero — que continuava vivendo com Maggie em Key West e trabalhando como encanador na base aeronaval de Boca Chica. A gravidez se desenvolvera sem problemas e as únicas dificuldades foram de natureza financeira. A precária qualidade dos serviços públicos de saúde dos Estados Unidos, que uma década depois seria denunciada em filmes e ensejaria uma importante reforma, empurrou o casal para os custos exorbitantes da medicina privada. "Antes de pedirem nossas identidades, na primeira consulta que fizemos num hospital particular, pediram o cartão de crédito", lembraria Olga, que se espantou ao ver a recepcionista registrar o débito de setecentos dólares, quase a metade do orçamento familiar de um mês. Por sorte um dos alunos de pilotagem de René era sócio de uma casa de saúde privada, onde Olga foi atendida gratuitamente durante a gravidez. Aquela não era a primeira nem seria a última vez que o casal recorria ao "sociolismo", neologismo usado pelos cubanos, tanto os da Ilha como os de Miami, para se referir à rede informal de ajuda recíproca. E seria também graças a essa prática que, três meses depois do nascimento de Ivett, eles conseguiriam matricular a menina sem nenhum custo numa creche de Kendall. A condição de estrangeira impedia que Olga desfrutasse de direitos trabalhistas, o que a obrigou a retornar ao trabalho quando a criança ainda tinha poucas semanas de vida. Como dispunha de horários mais elásticos, René se encarregava de levar as filhas à escola e à creche, de manhã, e de recolhê-las novamente no fim da tarde. Durante a semana a mãe só tinha oportunidade de estar com as meninas à noite, quando voltava da Inglés Ahora, e na maioria das vezes encontrava alguma delas, ou ambas, mergulhadas em sono profundo. Além do leva e traz, o marido compartilhava outras tarefas domésticas, como lavar louça, dar mamadeira a Ivett e trocar suas fraldas.

É nessa época que o Departamento de Segurança do Estado cubano dispara a operação que levaria a Miami um reforço aos quadros da Rede Vespa, desfalcada desde fevereiro de 1996, com o retorno de Juan Pablo Roque a Cuba. A função do novo agente seria substituir Ramón *Urso* Labañino, um dos três lugares-tenentes de Gerardo-Viramóntez. O grandalhão havia sido destacado para uma "missão específica" — aparentemente aumentar a vigilância sobre Orlando Bosch. Desde julho de 1997 Havana já vinha preparando o escolhido para a tarefa. Era Fernando González — sem parentesco com René, a quem nem conhecia —, um *habanero* de 35 anos, bigode e cabelos negros, pele clara, e dono de uma biografia muito parecida com a de seus demais colegas. Entrou para a Juventude Comunista quando tinha dezessete anos e aos 23 se alistou como voluntário para lutar em Angola, onde passou dois anos como piloto de tanques e de onde voltou condecorado e admitido como membro do PC cubano. Assim como Gerardo-Viramóntez, a quem também não conhecia, cursara relações internacionais na Universidade de Havana e pretendia seguir a carreira diplomática. As informações fornecidas por sua mulher, a economista Rosa Aurora, uma simpática lourinha de olhos azuis, três anos mais jovem que ele, e a biografia oficial de

René leva nos braços a filha Ivett,
nascida em abril de 1998
no mesmo hospital de Miami
em que, quarenta anos antes,
nascera Tony Guerrero,
outro membro da Rede Vespa.

Fernando, produzida por organismos do governo cubano, coincidem numa afirmação. As duas fontes dizem que no período de 1989, no final de sua jornada angolana, até 1998, quando se mudou para Miami, ele atuara em missões econômicas e diplomáticas em países capitalistas, como parte do esforço de Cuba em busca de parceiros comerciais que superassem o buraco deixado pelo fim da URSS. A correspondência dos agentes da Rede Vespa com Havana, no entanto, permite entrever que a chegada dele a Miami foi precedida de grande expectativa pelo grupo que já se encontrava nos Estados Unidos. Nas mensagens em que é tratado como "o famoso *Vicky*" — um dos nomes de guerra que adotaria —, nada indica que a referida fama decorresse de seu trabalho como diplomata ou desbravador de mercados comerciais. A papelada acumulada pelo FBI sobre a Rede Vespa, ao contrário, assegura que, antes de mudar-se para Miami, Fernando vivera clandestinamente em Fayetteville, na Carolina do Norte, cidade onde, suspeitava a polícia americana, "muito provavelmente tentara aproximar-se de instalações militares ali existentes". Às vésperas de viajar para a Flórida, Fernando enviou uma mensagem a Key West apresentando-se a Tony Guerrero:

> Irmão: quando você ler este documento, já teremos nos conhecido pessoalmente. Estou muito orgulhoso da qualidade política, operacional e humana de companheiros que, como você, estão realizando missões em território inimigo para que nossas famílias e nosso povo em geral possam dormir em paz.

Pelo plano concebido em Villa Marista, ao se mudar para Miami Fernando passaria a se chamar Rubén Campa. Não se tratava de um nome falso, escolhido ao acaso. Tal como acontecera com Gerardo-Viramóntez, cuja fachada fora montada sobre os documentos falsos de um americano que morrera na infância, o verdadeiro Rubén Campa nascera na Califórnia em setembro de

Acima, o cubano Fernando González, durante o período em que participou da Guerra de Angola. Abaixo, Fernando no verão de 1998, quando se mudou para Miami para substituir Ramón Labañino, o *Urso*, e se converter no décimo quarto agente da Rede Vespa.

1965 e falecera sete meses depois. Requerida por agentes cubanos no cartório em que o bebê fora registrado, a certidão de nascimento de Campa possibilitara a montagem de toda a documentação que seria utilizada por Fernando nos Estados Unidos. Na troca de correspondência com Cuba ele seria identificado pelos codinomes *Vicky*, *Oscar*, *Camilo* e *Hipólito González*.

Um verão agitado esperava o novo agente cubano na Flórida. No final de maio informações enviadas pela Rede Vespa permitiram a Cuba interceptar uma lancha, vinda da Flórida, cuja tripulação pretendia desovar no litoral de Minas de Matahambre, na província de Pinar del Río, um carregamento de armas e munições. Na embarcação foram apreendidos quatro fuzis de assalto, três norte-americanos e um fabricado na China, duas escopetas calibre .12, duas pistolas Magnum e uma Makarov, uma besta de alta potência com vinte flechas de aço, 6 mil balas e cartuchos, duas fardas de camuflagem, dez máscaras do tipo "ninja", cantis, alimentos enlatados, medicamentos para primeiros socorros, um radiotransmissor, um telefone celular conectável via satélite, três fardos contendo pesos cubanos falsos, botes salva-vidas infláveis, pacotes de panfletos com incitações contra o governo cubano e um conjunto de cartas náuticas da costa norte de Cuba. Ao serem presos, os tripulantes Ernestino Abreu Horta e Vicente Marcelino Martínez Rodríguez, ambos exilados cubanos residentes em Miami, afirmaram que pretendiam entregar o pequeno arsenal a grupos opositores internos. Em meados de junho, também orientada pela Rede Vespa, a polícia cubana prendeu outro mercenário centro-americano reincidente. Ao tentar entrar na Ilha, junto com um grupo de turistas da Guatemala, o salvadorenho Otto Rodríguez Llerena foi preso transportando dois detonadores, duas calculadoras-despertadores Casio e meio quilo de explosivo C-4 — 128 gramas camuflados num tubo de xampu, 112 gramas num bastão de desodorante, 67 gramas dentro de um tubo de pasta de dentes e 209 gramas ocultos nos saltos dos sapatos. Em agosto do ano anterior Llerena conseguira fugir de Cuba depois de explodir o lobby do hotel Meliá Cohiba, em Havana. Durante os interrogatórios o mercenário confessou que fora recrutado e patrocinado por *Ignacio Medina*, que não era outro senão Luis Posada Carriles.

No dia 16 de junho, uma semana depois da prisão de Rodríguez Llerena, um jato executivo pousou numa das pistas não comerciais do aeroporto José Martí, em Havana, fora do alcance dos olhares de transeuntes e passageiros. O avião decolara de Washington e levava a bordo um diretor do FBI, os oficiais de inteligência Agustín Rodríguez e Thomas Mohnal, um coronel do Exército americano e dois peritos em contraterrorismo. A presença da insólita delegação em solo cubano era a primeira consequência da operação desencadeada dois meses antes na Casa Branca por Gabriel García Márquez. Durante os cinco dias que passou em Cuba, sob rigoroso sigilo, o grupo frequentou apenas três endereços: o prédio da Seção de Interesses dos Estados Unidos, onde todos se hospedaram, as instalações de Villa Marista e o edifício de sete andares decorado com uma silhueta gigante de Che Guevara, na praça da Revolução, sede do Ministério do Interior.

Como provavelmente nunca acontecera desde o triunfo da Revolução, em 1959, os agentes americanos puderam se entrevistar sem nenhum testemunho dos cubanos com os mercenários presos. Além disso, no curto período em que permaneceram em Havana, os homens do FBI tiveram acesso a um pequeno contêiner abarrotado de 175 pastas, cinco fitas de áudio e oito de vídeo com depoimentos dos terroristas presos e dezesseis horas de transcrições de conversas telefônicas entre os centro-americanos e seus recrutadores, nas quais ficava comprovada a relação deles com Posada Carriles e deste com dirigentes da Fundação Nacional Cubano-Americana. Uma cópia de todo o material já estava embalada e pronta para ser levada pelo grupo para os Estados Unidos. Da montanha de documentos oferecidos por Cuba aos americanos, sessenta pastas continham detalhadas fichas pessoais de quarenta exilados — qualificados como "terroristas de origem cubana" — diretamente envolvidos no planejamento ou na execução dos atentados, com nomes, filiações, apelidos, endereços pessoais e profissionais, dados biométricos e formas de localização de cada um deles. Outras cinquenta pastas guardavam informações e cópias de documentos que rastreavam os recursos fornecidos pela FNCA a diferentes grupos da Flórida para realizar ações terroristas contra Cuba. O material compreendia ainda um volumoso portfólio com fotografias do armamento, dos explosivos e dos equipamentos apreendidos em cada ação. Boa parte das informações do dossiê que Fidel Castro mandara fazer era resultante, como o próprio presidente cubano tornaria público meses depois, dos oito anos de trabalho da Rede Vespa nos Estados Unidos. Antes de embarcarem de volta a seu país, os diretores do FBI disseram estar impressionados com a abundância de provas acumuladas e prometeram dar alguma resposta em poucas semanas.

O personagem mais citado na papelada entregue pelos cubanos ao FBI não parecia preocupado em ocultar sua responsabilidade na organização e financiamento da campanha terrorista contra Cuba. Quinze dias após a viagem secreta dos agentes americanos a Havana, Luis Posada Carriles concedeu uma extensa entrevista aos jornalistas Larry Rohter e Ann Louise Bardach, publicada em duas edições do *New York Times*. O trabalho dos repórteres fora precedido da realização de mais de cem entrevistas e de levantamentos em arquivos da CIA e do FBI. Localizado em algum país da América Central, Posada confessou, em treze horas de depoimentos gravados, ter organizado a campanha de atentados terroristas contra centros turísticos em Cuba, apontou a FNCA como financiadora de tudo e assegurou que Jorge Mas Canosa, seu presidente, supervisionara pessoalmente o fluxo de dinheiro e o apoio logístico às operações. "Mas Canosa controlava tudo", declarou ao jornal. "Sempre que eu precisava de dinheiro, ele dava ordens para me fazerem remessas, que vinham em parcelas de 5 mil, 10 mil e 15 mil dólares." No momento em que ele admitiu ser o financiador de Raúl Ernesto Cruz León na colocação das bombas nos hotéis de Havana, os jornalistas perguntaram o que sentia em relação ao italiano Fabio di Celmo, morto no atentado ao hotel Copacabana. Posada respondeu que o turista "estava no lugar errado na hora errada". Submetido a julgamento anos depois, o cubano desconversou e alegou que sua pouca desenvoltura em inglês talvez tivesse levado os repórteres a se confundirem com as palavras.

A delegação americana ainda estava em Cuba quando Fernando, devidamente travestido de Rubén Campa, desembarcou em Miami, vindo de uma viagem que começara em Havana, passara por Cancún e fizera uma escala no *Ponto M-2*, como era conhecida no jargão dos agentes a capital mexicana. Sem que ele soubesse, já se encontravam à sua espera no aeroporto os agentes do FBI Joseph Hall, Alex García e Ángel Berlinghieri, encarregados de monitorá-lo permanentemente a partir daquele instante. Não há indícios de que Fernando tenha realizado algum trabalho de campo, como infiltrar-se em organizações ou produzir informes sobre militantes anticastristas. A julgar pelas informações fornecidas por Cuba e pela papelada apreendida pelo FBI, sua tarefa se restringia a coletar, organizar e repassar a Gerardo-Viramóntez o material produzido pelo grupo. Nos contatos iniciais que fez com cada um dos agentes que passariam a responder a ele, procurou não se ater apenas às questões profissionais, mas manifestou interesse em saber se tudo corria bem em suas vidas pessoais. Para a maioria dos exilados, na realidade, a mudança de Cuba para a Flórida não chegava a provocar grandes choques culturais. "Os cubanos que fugiram da Revolução desenvolveram em Miami até uma indústria da nostalgia", diria o escritor Norberto Fuentes, ele próprio um exilado, em seu livro *A autobiografia de Fidel Castro*. "Vendem antigos cartões-postais de Cuba, imprimem listas telefônicas de Havana dos anos 50 e reeditam números atrasados da revista *Bohemia*", escreveu Fuentes. "Fabricam as mesmas marcas de cervejas e refrigerantes e batizam os restaurantes com os nomes que eles tinham na capital cubana."

A rotina dos catorze componentes da Rede Vespa era muito parecida: participar de grupos anticastristas e manter o trabalho que sustentava cada fachada. Como a atividade das organizações era mais intensa nos fins de semana, acabava restando muito pouco tempo para o lazer ou para a vida familiar. Amarilys Silvério, a *Julia*, por exemplo, enfrentava uma jornada de trabalho de dez horas diárias, como recepcionista da clínica médica Peñalver, na Little Havana, e ainda dedicava os sábados às reuniões da Alpha 66, organização responsável por vários atentados terroristas a Cuba — e de cujo cabeça, Andrés Nazário Sargén, recebera um livro de memórias com carinhoso autógrafo. Em nada o cotidiano do grupo lembrava o charme e a sofisticação vividos pelos agentes secretos dos filmes de espionagem. Até *Giro*, o chefe da equipe, com frequência era obrigado a abandonar disquetes, beepers e *pitirres* para tentar vender suas charges aos jornais da cidade, e mais de uma vez se queixou da miséria que recebia pelo trabalho. "É muito raro o *Miami Herald* comprar charges de artistas que não trabalham lá", escreveu num informe enviado a Havana, "e, ainda assim, pagam no máximo cem dólares por desenho publicado." Apesar de enfrentar dificuldades semelhantes, René conseguira estabilizar sua vida mesmo com o orçamento curto e a família ampliada pela chegada de Ivett. As lembranças que Irmita guardaria desse período não poderiam ser melhores. "René voltou a ser o mesmo pai da minha infância, que sentava comigo para conversar e me levava ao cinema com minhas amigas", ela se lembraria, já adulta. "E, como eu era muito desorganizada, ele limpava meu quarto e o banheiro e me ajudava a manter minhas coisas pessoais sempre em ordem." Quando Ivett completou quatro meses, Olga conseguiu fazer um arranjo de forma a poder sair do trabalho mais cedo às sextas-feiras. Isso lhe permitia, pelo menos nesse dia da semana, pegar as meninas na escola e na creche e desfrutar da companhia delas por um pouco mais de tempo. No dia 11 de setembro ela saiu do escritório no final da tarde, recolheu as meninas e chegou ao apartamento de Kendall no comecinho da noite. Para surpresa das três, René estava à espera delas, algo pouco comum nas noites de sexta-feira, horário em que ele costumava frequentar reuniões do grupo Democracia. Terminado o jantar, e depois de ajudar a filha mais velha a fazer a lição da escola, o pai deitou-se no sofá reclinável que durante a noite se convertia em cama para Irmita e passou a brincar com as duas meninas. Sentada ao lado, Olga encantou-se com a cena e fez algumas fotos dos três com a pequena câmera que o casal usava para registrar o crescimento das filhas.

Naquela mesma hora os homens que poriam fim à tranquilidade dos González e dos demais membros da Rede Vespa se reuniam a poucos quilômetros do apartamento de Kendall. Eram duzentos policiais, alguns usando fardas e coturnos negros, outros de terno, que se aglomeravam no auditório do enorme edifício térreo onde funciona a sede do FBI na Flórida. Comandada pessoalmente por Héctor Pesquera, um porto-riquenho troncudo, de barba e cabelos brancos, que em maio daquele ano assumira a direção do organismo policial no estado, a plateia formada por agentes do FBI e policiais da SWAT, homens e mulheres, recebia as instruções finais para uma operação como fazia muito tempo não se via em Miami.

Pontualmente às cinco e meia da manhã Olga foi despertada pelo barulho seco e ritmado das hélices de um helicóptero que flutuava no ar, diante das janelas do apartamento, banhando seu interior com a intensa luz azulada que vinha de um refletor instalado no aparelho. Antes que ela, o marido e as filhas conseguissem entender o que acontecia, a porta de entrada foi derrubada com estrondo. Um número impreciso de pessoas armadas, entre dez e quinze homens e mulheres, segundo as lembranças de René, Olga e Irmita, invadiu o pequeno apartamento. Em meio à gritaria das crianças, os policiais — alguns de capacete e com os rostos cobertos por máscaras do tipo "ninja" — entraram no quarto do casal, arrancaram René da cama e jogaram-no de bruços no chão, com as mãos algemadas às costas. Sob a mira das armas dos demais, o agente Mark d'Amico — a quem René se referiria depois como "um homem cortês e respeitoso" — abaixou-se, tirou do bolso um pedaço de papel e, como as pessoas se habituaram a ver no cinema, leu as primeiras linhas da chamada Lei Miranda, também conhecida como "Lei do Direito ao Silêncio":

— Você está preso por espionagem contra os Estados Unidos. Tem o direito de permanecer calado e de requerer a presença de um advogado. Tudo o que disser a partir de agora pode ser usado contra você.

No mesmo instante em que a casa de Olga e René era invadida, outros treze grupos de oficiais do FBI e policiais da SWAT realizavam operações idênticas e igualmente espalhafatosas em mais doze endereços da Flórida. Entre os membros do comando que ocupou a casinha branca de Tony e Maggie, em Key West, a americana se espantou ao ver um homem que se fazia passar por cubano exilado e que nos últimos meses se tornara cliente assíduo de suas massagens — e cujo verdadeiro nome era George Quesada, agente especial do FBI. A tomada do apartamento onde Gerardo-Viramóntez vivia, em Sunny Isles, a leste de Miami, foi chefiada pessoalmente por Pesquera, coordenador de toda a operação. Em três endereços a polícia não encontrou ninguém. Por mera casualidade, àquela hora ainda não haviam chegado em casa os agentes cubanos Ricardo *Horácio* Villarreal, Remíjio *Marcelino* Luna e Alberto Manuel Ruiz, conhecido como *Miguel* e *A-4*. Às sete horas da manhã de sábado a Rede Vespa não existia mais. As primeiras autoridades a serem informadas por Pesquera do resultado da operação não foram seu superior imediato, Louis

Joseph Freeh, diretor-geral do FBI, nem a secretária de Justiça, Janet Reno, que autorizara as invasões, mas os deputados cubano-americanos Lincoln Diaz-Balart e Ileana Ros-Lehtinen.

Todos os presos foram levados para o Centro de Detenção Federal, um presídio-espigão de vinte andares em Miami Downtown, agitado centro comercial da cidade onde diariamente se acotovelam milhares de turistas estrangeiros em busca de bugigangas eletrônicas. Olga e as filhas permaneceram em casa, sem algemas mas o tempo todo vigiadas por um policial de arma na mão, enquanto os outros esquadrinhavam cada centímetro do apartamento em busca de provas que municiassem a acusação. Livros, objetos de decoração e até brinquedos das meninas, nada parecia escapar da vistoria. Qualquer objeto que pudesse ser visto como uma evidência era guardado em sacos de lona pretos. Quando uma policial que participava da revista se aproximou da prateleira onde fora colocada a máquina fotográfica na noite anterior, Olga acompanhou-a com os olhos, só respirando aliviada ao ver que a agente não se interessara pela câmera, abandonando-a no mesmo lugar. As fotos de René com as filhas estavam salvas.

Só no final da tarde é que a equipe deu a busca por encerrada e deixou o apartamento levando os sacos com o material apreendido — em meio ao qual se encontravam até facas de cozinha recolhidas numa gaveta. Policiais armados permaneceram no local, um dentro de casa, vigiando Olga e as garotas, dois na porta do apartamento e mais dois na entrada do prédio, no andar térreo. Simulando tranquilidade, Olga acariciava e confortava as filhas, em voz baixa, e as únicas vezes em que se dirigiu ao policial foi para pedir autorização para pegar alimentos para as filhas na geladeira da cozinha. Ir ao banheiro ou mesmo trocar as fraldas de Ivett no quarto do casal só era possível com a companhia de uma policial. A certa altura o agente que custodiava as três perguntou se podia usar o único banheiro da casa, cuja porta dava para a sala em que eles se encontravam. Olga assentiu com a ca-

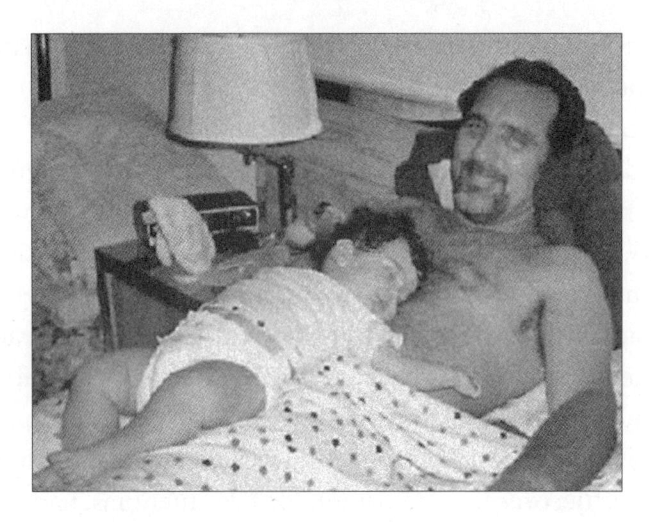

Acima, Ivett cochila no peito do pai, René González,
na última foto que Olga fez
do marido em companhia da filha caçula.
Horas depois o FBI invadiria o quarto andar do
prédio onde a família morava em Miami (abaixo).

beça e o policial pediu ao colega que dava guarda no corredor para ficar atento enquanto ele urinava. Passados alguns minutos, a mãe e as meninas ouviram a descarga ser acionada. O policial virou a maçaneta para um lado e para outro, mas a porta não abriu. Rodou-a outra vez para cá e para lá, primeiro calmamente, mas logo com perceptível nervosismo, e nada, a porta continuava trancada. Irmita disse à mãe que ia ensinar ao policial como virar a maçaneta corretamente, mas Olga cochichou no ouvido dela: "Não, não. Espere um pouco, deixe que ele passe um pequeno susto aí dentro". Ao se darem conta de que aquele homem enorme, metido em coturnos e macacão pretos, carregando nas mãos um fuzil ameaçador, estava preso num prosaico banheiro, Olga e Irmita explodiram em gargalhada incontrolável. Atraído pelo barulho das risadas e pelo trac-trac desesperado do agente tentando abrir a porta, o homem do corredor entrou na salinha querendo saber o que estava acontecendo. Olga permitiu enfim que a filha explicasse ao policial preso no banheiro qual era o truque para abrir a porta: bastava empurrar a maçaneta um pouquinho para a frente, e pronto. Ao sentar-se de novo junto à mãe, a menina parecia orgulhosa por ter ajudado a libertar seu carcereiro.

Já era noite quando apareceram dois homens de paletó e gravata que se identificaram como agentes do FBI. Com um gravador ligado e fazendo anotações em blocos de papel, revelaram que o marido dela fazia parte de uma rede de espionagem do governo de Cuba — "coisa que a senhora deve saber muito bem" — e que além dele mais nove agentes haviam sido presos. "Viemos aqui para perguntar se a senhora quer colaborar com o governo dos Estados Unidos", disse um dos policiais, em tom ameaçador. "Uma de suas filhas é cidadã americana, mas a senhora e a mais velha são residentes, podem ser deportadas a qualquer momento." Olga não pareceu se assustar com a ameaça de chantagem e respondeu que não faria nada antes de ver o marido e certificar-se de que ele estava bem. Percebendo que não iriam conseguir nenhuma informação útil, os agentes disseram que ela não seria autorizada a falar com René mas poderia vê-lo à distância na segunda-feira, no prédio da Corte Federal de Miami, quando os presos seriam apresentados à Justiça.

Logo depois de serem retirados de suas casas, naquela madrugada, os cubanos foram colocados em celas separadas do Centro de Detenção. Tal como haviam saído da cama, sem lavar o rosto, pentear os cabelos ou escovar os dentes, os dez passaram o sábado e o domingo submetidos às chamadas "entrevistas de convencimento": os presos que aceitassem a imputação de espionagem e se dispusessem a denunciar os demais membros da Rede Vespa teriam suas penas substancialmente reduzidas e, quando libertados, entrariam nos programas de delação premiada e de proteção a testemunhas. Todos foram alertados pelos interrogadores do FBI para o fato de que nos Estados Unidos o crime de espionagem era punido com a pena de prisão perpétua. Metade do grupo capitulou. Antes que o sol de segunda-feira nascesse, Alejandro *Franklin* Alonso e os casais Linda-Nilo Hernández e Amarilys-Joseph Santos já tinham traído seus companheiros e feito acordo com a promotoria. Os cinco restantes, Gerardo *Viramóntez* Hernández, Ramón *Urso* Labañino, Fernando *Rubén Campa* González, Tony Guerrero e René González recusaram as ofertas de negociação, negaram que tivessem espionado os Estados Unidos e se declararam dispostos a enfrentar os riscos decorrentes de seus atos. Gerardo, Ramón e Fernando ainda continuariam, por vários meses, sustentando as respectivas fachadas. Na sua "entrevista de convencimento", chefiada pessoalmente por Héctor Pesquera, Gerardo teve oportunidade, pela primeira vez, de revelar os dotes de sua memória. Durante horas seguidas declamou e repetiu endereços, números de telefones e nomes relacionados com o período em que supostamente teria vivido em Porto Rico. Não se tratava de tarefa simples, já que Pesquera era um porto-riquenho que passara quase toda a vida em San Juan, mas Gerardo não deixou

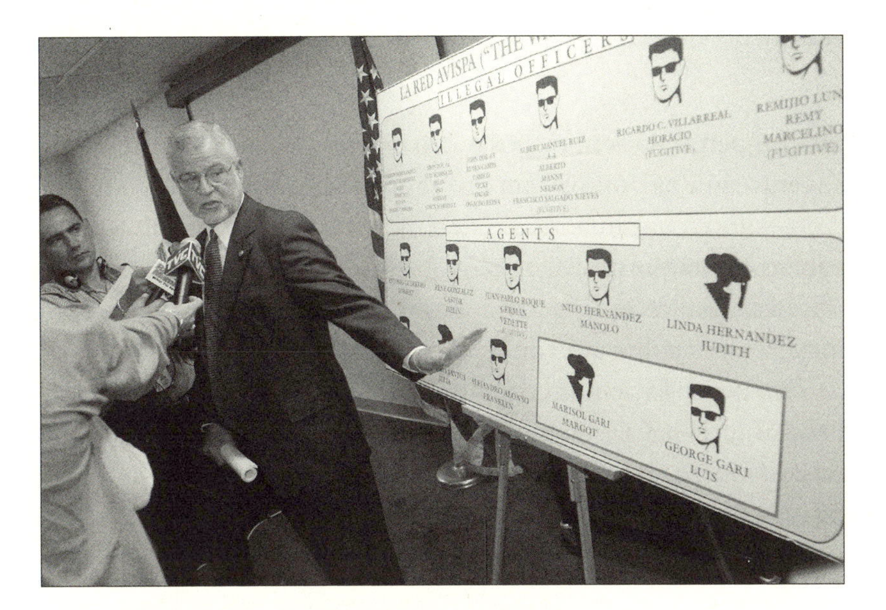

O diretor do FBI na Flórida, Héctor Pesquera (acima), reúne a imprensa em Miami para anunciar o desbaratamento da Rede Vespa. No dia seguinte a notícia da prisão dos agentes de inteligência cubanos ocuparia as primeiras páginas dos jornais (abaixo).

el Nuevo Herald

Bolsa de Wall Street continúa su recuperación. Vea Negocios.

149.85

MIAMI, FLORIDA 15 DE SEPTIEMBRE DE 1998 · www.elherald.com · MARTES · 25¢

Cae red de espionaje de Cuba

Alonso · Campa · González · Guerrero · Hernández · Santos · Viramontes · Medina · Hernández · Santos

FBI viró al revés casa de supuesto cabecilla

▼ Agentes del FBI hicieron un minucioso registro en el apartamento del presunto jefe de la red de espías, que se hacía pasar por puertorriqueño, y confiscaron gran cantidad de material.

JAVIER LYONNET y OLANCE NOGUERAS
El Nuevo Herald

El apartamento de Manuel Viramontes, líder de la supuesta célula de espionaje de Cuba, que se hacía pasar por puertorriqueño y fue una de las 10 personas arrestadas por el FBI, parecía haber sido objeto de un robo.

"Mire lo que le hicieron a su apartamento" exclamó el lunes el encargado

Associated Press

El fiscal federal Thomas Scott muestra una gráfica que ilustra la presunta red de espías cubanos desmantelada

Arrestan a 10 en Miami

PABLO ALFONSO y RUI FERREIRA
El Nuevo Herald

En lo que constituye una acción sin precedentes en las cuatro décadas de existencia del régimen castrista, el Buró Federal de Investigaciones acusó el lunes ante la Corte Federal de Miami a un grupo de diez cubanos de trabajar como agentes del gobierno de Cuba, y de tener como objetivo la obtención de informes sobre instalaciones militares y grupos exiliados del sur de la Florida.

Según el informe presentado ante el juez Barry L. Garber por el agente especial del FBI, Raúl Fernández, la mayoría de los acusados son oficiales de los servicios de inteligencia del gobierno de uma só pergunta sem resposta. No domingo à noite o diretor do FBI entregou os pontos com um murro na mesa:

— Você continua insistindo em que é porto-riquenho e não cubano? Então se prepare para passar o resto da vida aqui dentro. Você vai apodrecer nesta cela, porque o governo de Cuba jamais moverá uma palha por um espião de Porto Rico.

Na segunda-feira de manhã a entrada do prédio da Corte Federal fervilhava. No tribunal, separado apenas por um jardim do edifício do Centro de Detenção Federal, onde os dez cubanos estavam presos, militantes de organizações anticastristas disputavam com jornalistas um lugar no pequeno auditório da sala do júri, na qual os dez seriam apresentados à juíza Joan Lenard. Uma das primeiras a chegar, acompanhada da filha mais velha, Olga foi abordada pelo dirigente de um grupo anticastrista que se aproximou dela com ar apreensivo:

— Você conhece um sujeito chamado Manuel Viramóntez?

Ela respondeu que não, nunca ouvira falar naquele nome.

— Não quero assustá-la, mas um jornalista me disse que René está implicado com um espião porto-riquenho chamado Manuel Viramóntez.

A pretexto de garantir um bom lugar, Olga desconversou e sentou-se com Irmita na primeira fila de cadeiras. Enquanto a juíza não chegava, quatro meirinhos grandalhões vestindo calça cinza, paletó azul-marinho, gravata e levando no bolso do paletó um escudo com a inscrição "US Marshals" circulavam pelo salão fiscalizando o cumprimento das estritas normas de funcionamento do tribunal, no qual é proibido falar em voz alta e usar gravadores, câmeras fotográficas ou filmadoras. Os jornais e estações de TV que quisessem cenas da audiência teriam que comprar os desenhos de Jeanne Boggs, a idosa desenhista oficial da Corte, que, apesar de sentar-se a poucos passos do banco dos réus, usava inexplicáveis binóculos para realizar seu trabalho. Um jornalista foi advertido por colocar os óculos sobre a cabeça enquanto fazia anotações num bloco de papel — uma lei do século XIX proíbe o uso, no recinto da Corte, de "chapéus, gorros ou quaisquer outros adornos". Às nove da manhã um meirinho fez soar uma campainha e anunciou no microfone a chegada da juíza:

— Sua Excelência, a juíza Joan Lenard.

O público se levantou à entrada de Lenard, uma mulher jovem, de cabelos negros, olhos claros e semblante fechado. Ela sentou na cadeira de espaldar alto, ligou o microfone e, sem nenhum preâmbulo, leu com voz solene o pedaço de papel que o meirinho pôs sobre a mesa:

— Os Estados Unidos da América contra Rubén Campa e outros. Ordeno aos *Marshals* que façam entrar os acusados.

Só então se soube que entre os "outros" estava Juan Pablo Roque, que, por se encontrar ausente, seria julgado à revelia. Um murmúrio do público quebrou o silêncio quando a porta à esquerda da mesa da juíza se abriu para que os dez presos entrassem no salão. Acompanhados por um grupo de meirinhos, também de calça cinza e blazer azul, os réus tinham as mãos algemadas às costas e os pés presos por correntes que os obrigavam a caminhar passo a passo, vagarosamente. Salvo Gerardo e seus dois assistentes, nenhum dos demais jamais vira nenhum dos outros prisioneiros. Todos usavam uniformes cor de laranja e exibiam péssima aparência física, já que escovar os dentes fora a única higiene pessoal permitida a eles desde a hora das prisões. Tinham olheiras escuras, cabelos desgrenhados e barba por fazer. "Aqueles homens de cara suada e aparência de delinquentes", diria o conservador jornal *El Veraz*, de Porto Rico, no dia seguinte, "provocavam um misto de medo e riso no público." Quando René entrou no salão, Irmita rompeu a solenidade do ambiente, levantou o polegar, fazendo o sinal de positivo, e gritou, para visível mal-estar dos meirinhos:

— Papai! Papai!

Os guardas que haviam acompanhado os réus até ali soltaram as algemas e as correntes que prendiam seus pés, permitindo que sentassem. Além de René, de todos os presos apenas Tony tinha algum familiar em meio ao público: sua companheira, a americana Maggie Becker, presente na primeira fila da plateia. Aquela seria a mais curta audiência de todo o julgamento, e se resumiria à apresentação dos réus, à leitura dos crimes que lhes eram imputados e ao anúncio dos nomes dos responsáveis pela acusação e dos advogados de ofício sorteados para defender cada um deles. O grupo era acusado de "conspiração para espionar", "atuação como agentes estrangeiros sem registro junto ao governo americano", "falsificação de documentos" e "perjúrio no preenchimento de formulários do Serviço de Imigração". A acusação ficaria a cargo da promotora-chefe Caroline Heck Miller e de seus assistentes, David Buckner, Guy Lewis e John Kastrenakes.

Gerardo seria defendido por Paul McKenna, Ramón por William Norris, Tony por Jack Blumenfeld, René por Philip Horowitz e Fernando por Joaquín Méndez. Os três primeiros continuavam sendo tratados por seus respectivos codinomes, *Manuel Viramóntez, Luis Medina* e *Rubén Campa.* Por mera formalidade jurídica, a juíza anunciou também os nomes dos advogados encarregados da defesa dos cinco restantes, beneficiados pelo acordo que haviam feito com a promotoria e com o FBI. Por ser considerado fugitivo, Juan Pablo Roque não teve direito a um defensor.

O único cubano-americano do grupo de advogados nomeados pela juíza era Joaquín Méndez, um cinquentão magro, de rosto seco e cavanhaque grisalho, que emigrara com a família para Miami pouco depois da derrubada do governo Batista. A informação de que fora escolhido para defender um agente de inteligência acusado de espionagem pró-Cuba se converteria num conflito de consciência. Méndez temia desagradar o pai, um octogenário que fugira de Cuba e nunca deixara de ser um duro anticastrista, mesmo não concordando com as ações violentas dos grupos de Miami contra o governo de seu país. Embora a legislação americana permita que um advogado de ofício se re-

Começa o julgamento: ao lado, a juíza Joan Lenard. Abaixo, a promotora-chefe, Caroline Heck Miller, acompanhada do assistente Guy Lewis (ao fundo, de camisa branca, José Basulto ao lado da mãe de um dos pilotos mortos). Na terceira foto, o advogado Joaquín Méndez, defensor de Fernando González.

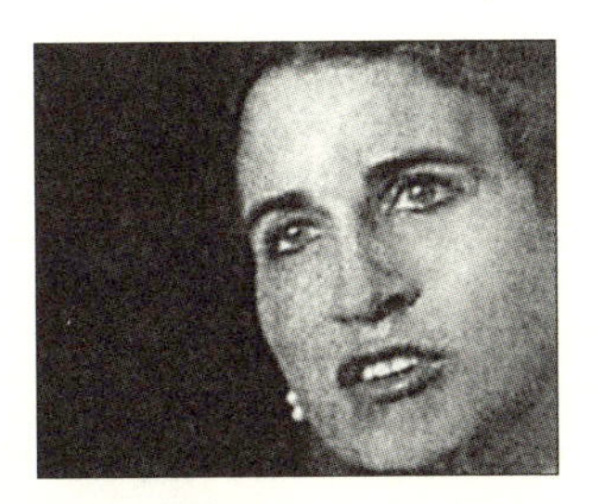

Ao lado, a ilustradora Jeanne Boggs, desenhista oficial da Corte Federal de Miami. Abaixo, a imagem feita por ela do primeiro dia do julgamento e uma charge de autoria do réu Gerardo Hernández.

cuse a defender um réu desde que apresente à Corte justificativas plausíveis, Méndez preferiu enfrentar o problema de forma objetiva: consultando o velho. No mesmo dia em que recebeu a notificação, ele foi à casa do pai e revelou o ocorrido. O ancião, que soubera das prisões pela imprensa, refletiu alguns minutos e perguntou ao filho se os agentes presos atuavam nos Estados Unidos por dinheiro. "Não, senhor", respondeu Méndez. "Eles afirmam que estavam aqui para proteger Cuba." O pai encerrou a conversa com quatro palavras: "Então aceite a causa". Dez anos depois, sorvendo um *mojito* no balcão do Gato Tuerto, durante uma viagem a Havana, o advogado se lembraria do episódio com um sorriso. "Naquele dia eu descobri", diria Méndez, "que meu pai detestava Fidel Castro, mas abominava mercenários."

Ainda não eram dez da manhã quando a juíza Lenard encerrou a audiência. Novamente algemados e acorrentados, os presos foram retirados do tribunal e levados de volta, sob forte escolta, ao Centro de Detenção Federal, do outro lado da rua. O grupo que se encontrava na porta do prédio antes da abertura da sessão havia se convertido numa pequena multidão de jornalistas, curiosos e de grupos anticastristas carregando cartazes e gritando consignas contra Fidel Castro, o comunismo e a Revolução Cubana. Um jornaleiro circulava entre as pessoas apregoando a edição extra de um dos diários editados em espanhol em Miami, que trazia ampla reportagem sobre "los cinco espías". Entre outras informações, o jornal publicava uma entrevista feita naquela manhã com o imigrante russo Henry Reizman, síndico do prédio e proprietário do apartamento alugado por Gerardo. "O senhor Viramóntez era um inquilino muito agradável, um cavalheiro que andava sempre bem-vestido, mantinha o apartamento sempre limpo e em ordem, e eu nunca o vi bêbado ou coisa parecida", declarou ao jornal. "Ele levava uma vida modesta, sempre tentando vender seus desenhos. Costumava atrasar o pagamento do aluguel em até uma semana, mas sempre pagava." Reizman continuava convencido de que Gerardo era de Porto Rico: "Não acredito que esse homem seja espião, o FBI deve estar enganado. O Viramóntez que eu conheci não pode ser cubano. Eu detesto cubanos e sei muito bem distinguir um cubano de um porto-riquenho".

Ao pegar o carro no estacionamento, depois da audiência, Olga percebeu que estava sendo seguida e filmada por uma equipe de reportagem do canal 23 que a perseguiria até a porta do seu prédio em Kendall, cuja entrada também estava tomada por jornalistas. Sem responder a nenhuma pergunta, subiu às pressas os quatro lances de escada, sempre de mãos dadas com Irmita, e, ao chegar em casa, viu que tinham pichado com spray uma foice e um martelo, símbolos do comunismo, na porta do seu apartamento. Ainda chocada com tudo o que ocorrera, Olga procurou ter calma e pôr as ideias no lugar. Sem saber que novas surpresas o destino lhe reservava, concluiu que o mais urgente naquele momento era assegurar a sobrevivência das filhas e dela própria dali para a frente — ou seja, garantir a permanência no emprego. As chances de continuar no trabalho de televendas eram mínimas, ela sabia disso. Afinal, não havia motivos para supor que um exilado cubano, como o dono da Inglés Ahora, aceitasse manter como funcionária "a mulher de um espião pró-Castro". Para sua surpresa, porém, o patrão reagiu com inesperada compreensão. "Você não foi presa e nem é acusada de nada, portanto para mim é uma mãe que precisa sustentar duas filhas", disse ele, para finalizar em tom cúmplice: "Eu também já tive problemas com o FBI e sei como essa gente é torpe. Você pode retomar o trabalho imediatamente".

Quando foram retirados do tribunal, os presos não retornaram às celas comuns do Centro de Detenção Federal, mas foram levados para o 12º andar, onde fica a Special House Unit, ou Unidade de Alojamento Especial, que a população carcerária conhecia como *the Hole*, o Buraco, nome que provocava calafrios de medo até nos prisioneiros considerados irrecuperáveis. Aquele pavimento do prédio abrigava algumas dezenas de solitárias de quatro metros de comprimento por dois de largura, nas quais havia uma laje coberta por um colchonete, onde o preso dormia, uma mesinha de concreto chumbada à parede, um banquinho de ferro fixado no chão, um vaso sanitário e uma pia. A única luz natural vinha de uma janela vertical de quinze centímetros de largura por cinquenta de comprimento, no alto da parede, fechada por um espesso vidro blindado — segurança dispensável, já que nem um bebê conseguiria escapar por aquela estreita abertura. Quando tinha que deixar o cubículo, o prisioneiro era obrigado a se agachar de costas para a porta e enfiar as mãos na fresta, para que, do lado de fora, o carcereiro pudesse prender seus pulsos com a temida *black box*. Ao contrário das algemas convencionais, presas uma à outra por uma corrente de dois ou três elos, que permitem alguma mobilidade às mãos, a *black box*, como o próprio nome informa, é uma caixa preta de metal do tamanho de um maço de cigarros, de cujas extremidades saem as duas argolas para os pulsos. Depois de travada, a *black box* impede qualquer movimento, infligindo câibras e dolorosas contrações musculares ao preso. Foi nesse inferno cercado de prédios de luxo, no coração de Miami Downtown, que Gerardo, Fernando, René, Tony e Ramón passaram os dezessete meses seguintes à prisão.

Nesse período Olga só conseguiu ver o marido duas vezes. Na primeira delas, quinze dias após a prisão, não permitiram que as filhas a acompanhassem na visita, o que a obrigou a deixar Irmita pajeando Ivett dentro do carro parado num estacionamento público. Levada por um agente carcerário ao último andar do prédio, Olga foi introduzida numa saleta minúscula, dividida ao meio por uma parede cuja parte inferior era de alvenaria e a superior de vidro blindado, no qual um conjunto de buraquinhos possibilitava que o preso se comunicasse com a visita. Minutos depois, abriu-se a única porta da outra metade do cubículo, pela qual entrou René. Como na audiência no tribunal, ele vestia o mesmo uniforme alaranjado, tinha os pés acorrentados um ao outro e as mãos presas às costas por uma *black box*. Fechada a porta de ferro, ele agachou-se de costas e enfiou as mãos na janelinha retangular, permitindo que a caixa preta fosse aberta pelo carcereiro, do lado de fora, liberando suas mãos. Ambos precisaram fazer muito esforço para segurar as lágrimas. Como a visita era de apenas quinze minutos, o tempo teve que ser aproveitado para tratarem de pequenas providências familiares e de coisas práticas, como a reação das meninas a tudo aquilo e a manutenção do trabalho na Inglés Ahora. René contou que a polícia e a promotoria continuavam insistindo para que ele fizesse acordo, a exemplo dos outros cinco, em troca da libertação em breve — oferta que provavelmente estaria sendo feita também a Gerardo, Fernando, Tony e Ramón. No seu caso o FBI tinha o que imaginava ser um poderoso instrumento de pressão, cuja aplicação já havia sido insinuada em vários interrogatórios: Olga e Irmita não tinham cidadania americana e, portanto, poderiam ser deportadas a qualquer momento. No meio da conversa, gravada o tempo todo por uma câmera de vídeo presa no teto, o carcereiro abriu a porta e avisou que a visita estava encerrada.

Com receio de comprometer ainda mais a já delicada situação dos presos, a imprensa cubana não publicara nada sobre o desbaratamento da Rede Vespa pelo FBI. Do ponto de vista interno tratava-se de um silêncio inútil. Fosse pelas ondas da rádio e da TV Martí, fosse pelo boca a boca da infalível *radio bemba*, a notícia logo chegou ao conhecimento de todos os cubanos. Uma semana após as prisões, no entanto, o presidente Fidel Castro fora provocado pela primeira vez a falar publicamente do assunto. Um dia depois de participar da VIII Cúpula Ibero-Americana de Chefes de Estado, na cidade do Porto, em Portugal, Fidel concedeu um demorado depoimento à rede de televisão CNN. No fim da entrevista, quando o líder cubano já havia discorrido sobre temas variados, a repórter Lucia Newman quis saber a opinião dele sobre os cubanos presos em Miami "acusados de fazer es-

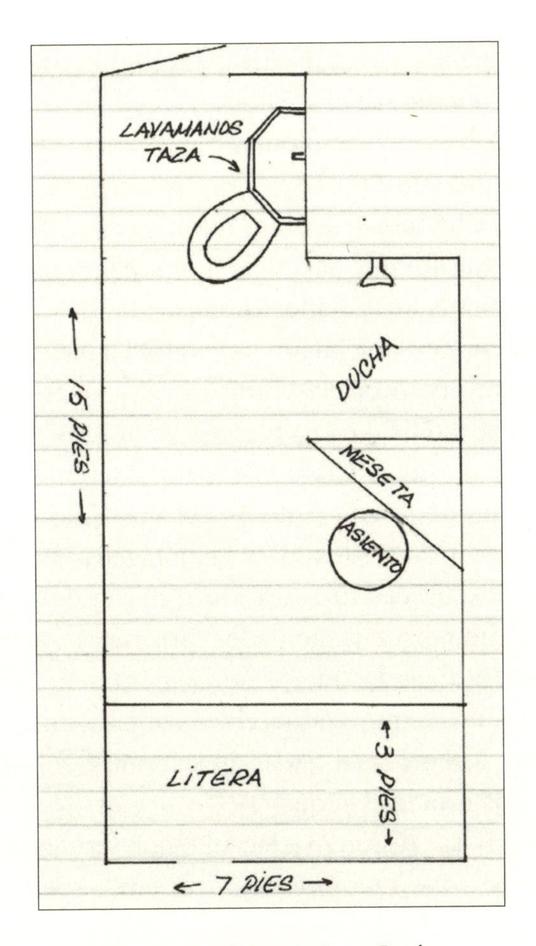

Acima, um croqui desenhado por René González do *Buraco*, a solitária em que os cinco cubanos ficaram encarcerados durante os primeiros dezessete meses após as prisões. Abaixo, a temida e cruel *black box*, a algema que impede os movimentos e produz cãibras nos braços dos presos.

pionagem para o seu governo". Ele começou dizendo que achava "assombroso" que os Estados Unidos, "o país que mais espiona no mundo", acusassem de espionagem justamente a Cuba, "o país mais espionado do mundo":

— Não há chamada telefônica minha para qualquer dirigente político no exterior que não seja captada e gravada por satélites e sistemas de escuta dos Estados Unidos.

Fidel reconheceu que "algumas vezes" seu país havia infiltrado agentes em "organizações contrarrevolucionárias" dos Estados Unidos com o objetivo de obter informações sobre atividades terroristas contra Cuba. "Creio que temos e teremos o direito de fazer isso", sublinhou, "enquanto os Estados Unidos permitirem que em seu território se organizem sabotagens armadas, metralhamento de instalações turísticas, introdução de armas, explosivos e, sobretudo, brutais atentados terroristas." Acusou as autoridades americanas de "má-fé" e de montarem "uma pérfida armadilha" ao insinuarem que os cinco cubanos buscavam informações "sobre as Forças Armadas americanas e sobre atividades do Exército dos Estados Unidos":

— Digam o que disserem e façam o que fizerem, mas as únicas informações que nos interessam dizem respeito exclusivamente a atos terroristas organizados contra Cuba em território norte-americano.

A resposta das autoridades de Washington às declarações do presidente cubano foi o silêncio. Em Miami, a incomunicabilidade dos presos a quem Fidel se referira como "homens de boa-fé" fora quebrada temporariamente para que os parentes que estivessem nos Estados Unidos pudessem vê-los. Como Gerardo, Fernando e Ramón não tinham familiares no país, e continuavam sustentando as falsas identidades, além de René apenas Tony recebeu uma visita, a de Maggie Becker, que só ficara sabendo da verdadeira atividade dele no dia da prisão e mesmo assim mantivera o relacionamento com o cubano. O segundo encontro de Olga com o marido só seria permitido quase dali a um ano, em agosto de 1999, mas a permissão para que ela levasse as duas filhas só pôde ser desfrutada por Ivett, porque Irmita se encontrava em Cuba, passando as férias escolares com a avó paterna. Reconhecida pelo imaginário popular como um indicador de maus presságios, a data determinada pelas autoridades para a visita — sexta-feira, 13 de agosto — tinha significado festivo para os cubanos da Ilha, já que se tratava do dia do 72º aniversário de Fidel Castro, e especialmente para a família González. Naquele dia René fazia 43 anos. Os escassos minutos de que o casal dispunha mal foram suficientes para que o marido a advertisse de que a ameaça de deportação dela para Cuba poderia se concretizar a qualquer instante. Dias antes René rejeitara uma nova proposta da promotoria, que lhe fora transmitida por seu advogado, Philip Horowitz, para que aceitasse pelo menos ser testemunha de acusação dos outros quatro companheiros do Buraco, sem necessidade de assumir que atuara como espião contra os Estados Unidos. A recusa a aceitar qualquer acordo certamente seria punida com a deportação de Olga.

Encerrada a visita, ela voltou para casa com uma resolução: no dia seguinte deixaria a filha caçula com Teté, a avó materna de René, viúva octogenária que desde os anos 60 vivia nos Estados Unidos. Na manhã de sábado ela pegou o carro e varou os quatrocentos quilômetros que separam Miami da pequenina Sarasota, entregou Ivett aos cuidados da bisavó e retornou. Seriam necessárias apenas 48 horas para confirmar o acerto da decisão. Na segunda-feira cedo, quando se preparava para sair, Olga foi presa pelo FBI e informada de que sua deportação tinha sido decretada pelas autoridades americanas. Depois de passar três meses com criminosas comuns numa prisão de Fort Lauderdale, ao norte de Miami, no dia 22 de novembro ela foi colocada num avião do Serviço de Imigração dos Estados Unidos para ser recambiada a Havana. No mesmo voo viajavam dez *balseros* que haviam sido postos na lista dos "estrangeiros *excluíveis*". Olga só voltaria a ver Ivett meses mais tarde, quando Irma, mãe de René, obteve autorização para visitar o filho na prisão e, ao retornar a Cuba, levou consigo a netinha.

Previsto para setembro daquele ano, o início das sessões do tribunal acabou se atrasando alguns meses em virtude de um recurso interposto pelos advogados dos cinco. Nas petições dirigidas à juíza Joan Lenard, os defensores requeriam o desaforamento do julgamento, ou seja, a transferência da sede do júri para outra cidade. A alegação era uma só: o ambiente de ódio e intolerância reinante em Miami contra tudo o que cheirasse a Revolução Cubana representava uma condenação antecipada dos réus. Não se tratava de argumentação retórica ou recurso protelatório. Entre as dezenas de manifestações públicas do preconceito que envenenava boa parte da comunidade cubana na Flórida, ficara famoso o episódio envolvendo a cantora brasileira Denise De Kalafe. Consagrada em meio ao público hispânico como intérprete de temas românticos desde que se mudara para o México, em meados dos anos 80 De Kalafe assinara um polpudo contrato para participar da mais célebre festa popular de Miami, o Carnaval de la Calle Ocho. Poucos dias antes da data acertada, a artista soube pelos jornais que seu nome havia sido vetado pelo empresário cubano-americano Leslie Pantin Jr., organizador do festival, pela singela razão de que meses antes ela fizera uma temporada musical em Cuba. De contrato em punho, a brasileira entrou com um processo contra Pantin na Justiça da Flórida, no fim do qual embolsou nada menos que 3 milhões de dólares de indenização por danos morais, dinheiro que preferiu doar a instituições de caridade de Miami.

Para legitimar a demanda, os advogados dos agentes cubanos requereram à juíza Lenard a liberação de fundos para o pagamento de uma pesquisa de opinião pública que permitisse avaliar o sentimento da população de Miami em relação ao caso dos cinco.

Desmentindo a decantada agilidade da Justiça norte-americana, a autorização só foi concedida um ano depois, em novembro de 1999, mas a espera seria recompensada pelos resultados do levantamento. Entregue à Justiça um mês antes da seleção dos jurados, a mostra confirmava os temores sombrios da defesa, cuja argumentação seria corroborada numa entrevista pelo insuspeito professor de relações internacionais Robert Pastor, que fora assessor de Segurança Nacional do presidente Jimmy Carter. "Um julgamento de agentes de inteligência cubanos em Miami será tão justo", declarou Pastor ao *New York Times*, "quanto seria o julgamento de agentes de inteligência de Israel em Teerã."

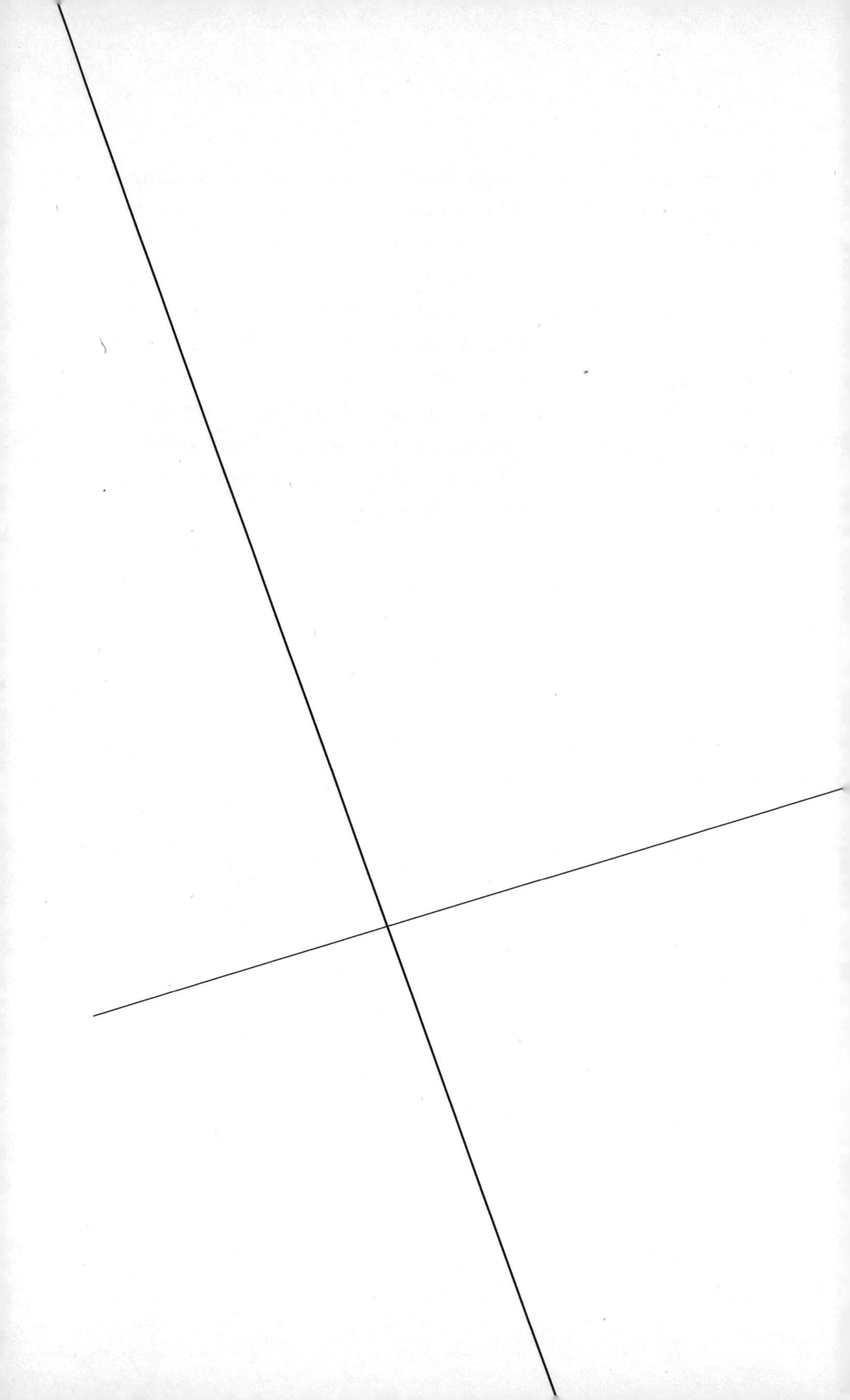

14

UM RETRATO DA MIAMI CUBANA: O MILITANTE ANTICASTRISTA RODOLFO FRÓMETA, O JORNALISTA PRÓ-CUBA MAX LESNIK E O ESCRITOR MARXISTA NORBERTO FUENTES

As manhãs de domingo em Miami costumam ser calmas e silenciosas. Em geral as pessoas dormem até tarde e só perto do meio-dia é que as famílias saem para o brunch, um café da manhã reforçado, que substitui o almoço e não é tomado em casa, mas em restaurantes e hotéis. Na quietude reinante ao amanhecer, o único ruído perceptível pelos raros moradores que fazem jogging nas ruas e avenidas arborizadas da cidade vem dos aparelhos de ar condicionado ligados em quase todas as casas. Isso quando o merecido e esperado descanso do fim de semana não é interrompido pela chegada de *El Jefe*, invariavelmente a bordo de seu jipão branco. *El Jefe* é como se autodenomina o exilado cubano Rodolfo Frómeta, um sexagenário de pouco mais de 1,60 metro de estatura, nariz chato, sobrancelhas hirsutas e vasta barba negra. Confiado no preceito constitucional que sobrepõe a liberdade de expressão à lei do silêncio, todos os domingos, nas primeiras horas do dia, ele cobre a cabeça com uma boina negra, retira seu Ford Bronco da garagem, liga os alto-falantes instalados na capota do veículo, sai em baixa velocidade e inicia a pregação anticastrista, que começa sempre com o mesmo brado:

— Desperta, compatriota!

Indiferente aos protestos, muitas vezes acompanhados de palavrões, que vêm das janelas das casas, ele prossegue em lento zigue-zague por entre as ruas que cruzam a deserta avenida Le Jeune, uma das principais da cidade:

— Desperta, cubano! Desperta, que a pátria está em perigo!

Titular de uma das fichas do cadastro de "elementos vinculados ao terrorismo" entregues por Cuba ao FBI, Rodolfo Frómeta talvez seja o personagem que melhor encarna o estereótipo do exilado cubano que levou os advogados dos cinco a pedir a transferência do julgamento para outra cidade da Flórida. O homenzinho que está sempre envergando uniforme de camuflagem e se apresenta como "herói de mil batalhas" é o chefe dos Comandos F4, organização anticastrista instalada numa modesta sala da Little Havana e registrada na prefeitura da cidade com o pomposo nome de Comandos F4 Partido Uno Inc. Nos balcões dos cafés do bairro cubano de Miami comenta-se com ironia que todas as batalhas comandadas por *El Jefe* foram travadas sem riscos de natureza alguma nos úmidos pântanos de Everglades, um parque nacional situado cem quilômetros a oeste de Miami. É ali que ele e seus poucos seguidores encenam combates que quase sempre terminam com a prisão e o julgamento sumário de "Fidel Castro", representado por um dos homens do grupo. Com o passar do tempo tornou-se cada vez menor o número de jornalistas que comparecem às suas entrevistas coletivas. Na minúscula e abafada sala da West Flagler Street, Frómeta recebe a imprensa cercado por um "estado-maior" formado pela esposa, um filho dela, o cunhado e um amigo de infância, todos metidos em fardas de camuflagem. Nessas ocasiões ele costuma descrever "o último atentado da organização contra o tirano Castro" ou contra "os serviços de repressão da ditadura". Se algum repórter desavisado pede que apresente provas das ações anunciadas, ele responde que "um patriota não tem que dar explicações a ninguém".

Os traços caricatos não significam, entretanto, que o pequenino Frómeta seja um adversário inofensivo da Revolução Cubana. Em 1968 ele fugiu da Ilha saltando o alambrado que protege a base aeronaval de Guantánamo, tal como fizera José Basulto alguns anos antes. Permaneceu apenas um dia na unidade militar, de onde foi trasladado aos Estados Unidos num avião da

Rodolfo *El Jefe* Frómeta, dirigente da organização anticastrista Comandos F4: cinquenta anos de batalhas simuladas nos arredores de Miami, nas quais um Fidel Castro cenográfico sempre acaba preso ou morto.

Força Aérea americana. Fixou residência em Nova York, cidade em que foi recrutado pelo grupo terrorista Alpha 66. Em outubro de 1981, ao tentar sua primeira e única incursão clandestina em Cuba, foi preso e condenado pelas autoridades locais, sendo posto em liberdade nove anos depois, quando retornou aos Estados Unidos, dessa vez passando a residir em Miami. Em 1994 *El Jefe* foi detido pela polícia dos Estados Unidos quando planejava introduzir em Cuba um carregamento de armas. Ao ser libertado, no mesmo ano, rompeu com a Alpha 66, alegando que seu principal dirigente, Andrés Nazário Sargén, "falava muito e fazia pouco", e criou sua própria organização, os Comandos F4. Com planos de lançar o novo grupo com uma ação espetacular, encomendou a um traficante de armas da Flórida quatro lança-foguetes portáteis Stinger 92, pelos quais pagaria o total de 150 mil dólares. Segundo informações do fabricante, a Raytheon Systems, até então já haviam sido derrubadas nada menos que 270 aeronaves, em várias partes do mundo, com a utilização daquela arma. No dia marcado para entregar o dinheiro e receber a mercadoria, Frómeta foi preso pelo próprio vendedor, na verdade um agente do FBI disfarçado de traficante. Julgado e condenado, o cubano passou três anos e meio na cadeia, no fim dos quais foi posto em liberdade condicional, reintegrando-se às atividades armadas contra Cuba e voltando às suas pregações dominicais.

A algumas quadras da sede dos Comandos F4, distância que pode ser percorrida a pé em poucos minutos, reside a prova viva de que o burlesco Rodolfo Frómeta não personifica o sentimento de toda a comunidade cubana no exílio. Alojada no lado oeste da Little Havana, a Aliança Martiana, denominação originária do sobrenome de José Martí, o apóstolo da independência cubana, ocupa instalações tão modestas quanto as da organização dirigida por *El Jefe*. A Aliança Martiana opera como um guarda-chuva sob o qual se abrigam quatro grupos defensores do diálogo com o governo cubano — Associação José Martí, Aliança de Trabalhadores da Comunidade Cubana, Associação de Mulheres Cristãs em Defesa da Família e Brigada Antonio Maceo — e um denominado Círculo Bolivariano de Miami, que congrega imigrantes venezuelanos favoráveis ao presidente Hugo Chávez.

Quem dá visibilidade pública à Aliança Martiana é seu presidente, Max Lesnik, um homem de estatura física ainda menor que a de Frómeta e que, tendo passado dos oitenta anos, revela disposição e agilidade de um jovem. A comunidade hispânica da Flórida, sobretudo a cubana, já se habituou a ouvir diariamente sua voz forte e rouca pelas ondas da "rádio Miami". Apesar de ostentar esse nome, sempre acompanhado do slogan "uma tribuna aberta a serviço da verdade", a "rádio", na realidade, é um espaço de uma hora diária de duração alugado por Lesnik numa emissora local. Das quatro às cinco da tarde, de segunda a sexta-feira ele dirige e apresenta o que chama de "revista radiofônica". Fisicamente a rádio se resume a um espremido estúdio de quatro metros quadrados, montado nos fundos da sala da Aliança. É ali que Lesnik senta todos os dias à mesma hora, ajusta os fones de ouvido na cabeça, sobre a qual sobrevivem escassos fios de cabelo pintados de castanho avermelhado, e ocupa os microfones durante os vinte minutos finais da programação. Inequivocamente pró-Revolução Cubana, a "rádio Miami" se apresenta como uma alternativa aos meios de comunicação do sul da Flórida "que não oferecem uma informação verdadeira, objetiva do que acontece na América, em Cuba e no mundo", e costuma referir-se às organizações anticastristas como "os iracundos ultradireitistas do gueto". Outros três exilados cubanos auxiliam Lesnik: os sessentões Lorenzo Gonzalo e Ramón Coll, este levado para os Estados Unidos no bojo da *Operação Peter Pan*, e o jovem Sergio Montané, filho de Jesús Montané, um dos expedicionários do iate *Granma*, junto com Fidel e Che Guevara, e membro da direção do PC cubano até seu falecimento, em 1999. Gonzalo rompeu com a Revolução logo depois de apoiá-la, foi acusado de terrorismo e condenado a trinta anos de prisão, no fim dos quais se mudou para Miami.

Quatro anos mais novo que o líder cubano, Max Lesnik conheceu Fidel Castro no final dos anos 40, quando ambos estudavam direito na Universidade de Havana. Na época o futuro presidente não usava barba e andava sempre de gravata e jaquetão. O fato de pertencerem a tendências diferentes do Partido Ortodoxo — Lesnik nunca foi comunista e Fidel já se aproximava dos marxistas do movimento estudantil — não impediu que se tornassem amigos. Filho de um comerciante polonês que imigrara para Cuba no início do século, Lesnik era o único do grupo de jovens que tinha carro, um Pontiac azul-marinho, circunstância que o converteu em motorista do amigo que ainda não aderira ao comunismo. E foi no apartamento dos Lesnik, situado em frente ao antigo palácio presidencial, no centro da Havana Velha, que Fidel passou duas semanas escondido na primeira ocasião em que a polícia do ditador Fulgencio Batista esteve em seu encalço.

Terminada a universidade, cada um tomou seu rumo. Em 1953, enquanto Fidel liderava a frustrada tentativa de tomada do Quartel Moncada, ousadia que lhe custaria dois anos de prisão, Lesnik dava os primeiros passos no jornalismo, que viria a ser sua profissão para o resto da vida. Os dois só se reencontrariam em dezembro de 1955, quando, recém-casado com Miriam, Lesnik aproveitou a viagem de lua de mel no México para visitar o amigo. Já fazia alguns meses que Fidel, seu irmão, Raúl, Che Guevara, Jesús Montané e outros aprendiam nos arredores da capital mexicana os rudimentos da guerra de guerrilhas com o general da reserva Alberto Bayo, cubano que fizera parte das Brigadas Internacionais que haviam lutado na Guerra Civil Espanhola, entre 1936 e 1939. Entusiasmado com a determinação do grupo de derrubar a ditadura de Batista pela força das armas, ao retornar a seu país Lesnik se incorporou às células urbanas do Movimento 26 de Julho, que congregava diversas tendências envolvidas na guerrilha.

Quando a Revolução triunfa, no dia 1º de janeiro de 1959, Lesnik dá apoio integral ao novo regime, mas recusa convites para participar do governo e prefere continuar "refugiado no jornalismo". Os vínculos políticos e afetivos entre os dois velhos amigos sofreriam o primeiro abalo poucos meses depois da chegada dos barbudos ao poder. A instituição dos tribunais revolucionários e o fuzilamento de aliados do antigo regime, acusados de assassinatos e torturas, chocaram o jovem jornalista. "Os fuzilamentos me deixaram um sabor amargo", ele recordaria meio século mais tarde, em sua confortável casa em Coral Gables, ao sul de Miami. "Não era só uma questão de humanidade, eu achava que o *paredón* ia manchar a imagem da Revolução, o que de fato aconteceu." A gota d'água que provocou o rompimento definitivo com Fidel foi a aproximação cada vez maior de Cuba com a União Soviética. Lesnik, contudo, sabia que a radicalização revolucionária não admitia dissidências, mesmo vindas de alguém, como ele, que tinha relações de amizade com quase todos os membros da cúpula do governo e fora um ativo militante da luta contra Batista. Em dezembro de 1960 decidiu deixar o país. Instalou Miriam e as duas filhas do casal na casa dos sogros e nos primeiros dias de 1961 asilou-se na residência do embaixador brasileiro, Vasco Leitão da Cunha. Após curta permanência, ainda em janeiro tomou clandestinamente uma pequena lancha e partiu para uma perigosa viagem de dezenove horas de duração rumo aos Estados Unidos. Seus únicos companheiros de fuga eram Eloy Gutiérrez Menoyo e Andrés Nazário Sargén, que dois anos depois seriam os principais dirigentes do grupo Alpha 66. Passados dois meses, Miriam e as duas garotas desembarcavam em segurança em Miami.

Mesmo longe da pátria e dos amigos que ajudara a tomar o poder, Lesnik continuava se sentindo um deles. "Nunca deixei de ser revolucionário", repetia a quem quisesse ouvir, "mas, como sou um revolucionário que cultua a inteligência, não posso ser comunista." Apesar da profissão de fé anticomunista, a afirmação

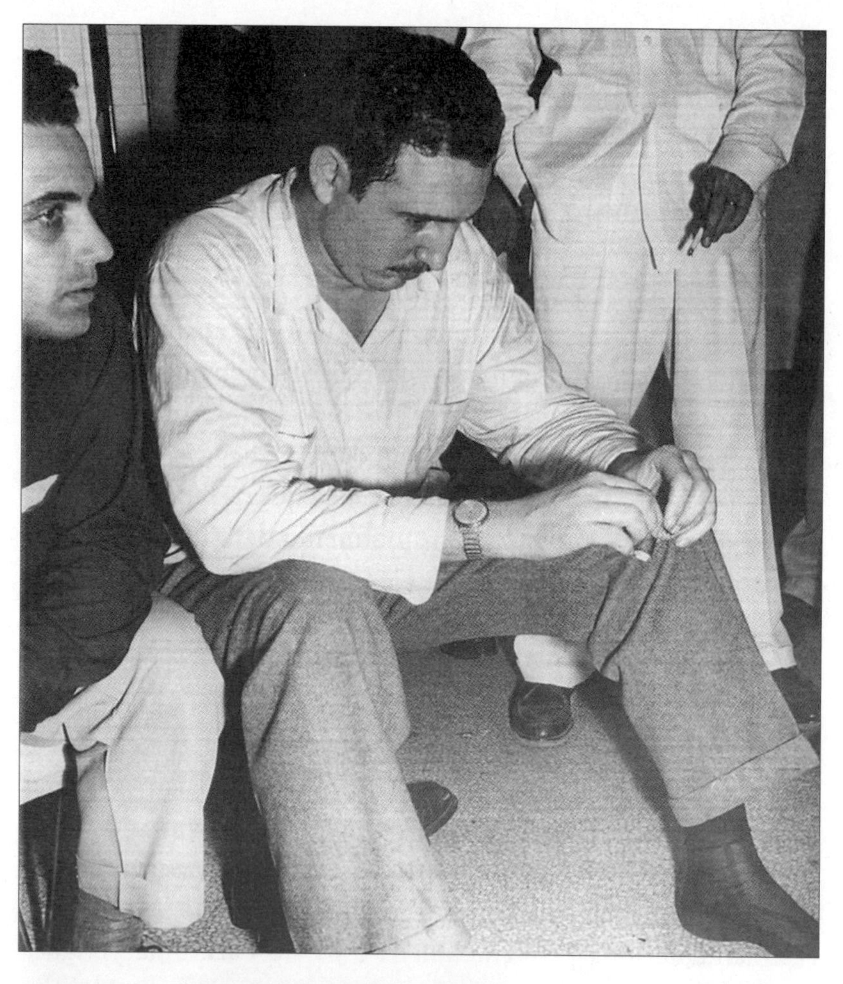

Acima, o jornalista cubano Max Lesnik (de perfil) esconde na sua casa o estudante Fidel Castro, ainda sem barba, perseguido pela polícia do ditador Fulgencio Batista. Ao lado, Max é recebido por Fidel, já presidente de Cuba, no Palácio da Revolução, em Havana.

bastou para que ele passasse a ser tachado de "traidor da pátria" e "espião a serviço de Fidel Castro" por setores da já numerosa comunidade cubana na Flórida. Indiferente ao que pensavam dele, mergulhou de cabeça na atividade em que se sentia um peixe na água, o jornalismo. O recomeço nos Estados Unidos foi discreto. Como voltaria a fazer tempos depois com a "rádio Miami", arrendou espaço numa emissora local, no qual transmitia um programa diário em espanhol. Em meados dos anos 60 Lesnik decide lançar o tabloide *Réplica*, destinado a enfrentar nas bancas o semanário *Pátria*, claramente anticastrista e financiado pelo deposto Fulgencio Batista, que desfrutava seu doce exílio na ilha da Madeira, sob a proteção do ditador português Antonio de Oliveira Salazar. Ao contrário de *Pátria*, uma publicação doutrinária, cujos textos pareciam discursos anticomunistas, *Réplica* apareceu nas bancas recheado de jornalismo pluralista, publicando opiniões emitidas dos dois lados do estreito da Flórida. A despeito da aparência gráfica indigente, perto da colorida *Pátria*, o jornal de Lesnik era distribuído gratuitamente, muitas vezes por ele próprio, nos cafés e pontos de encontro de cubanos na Little Havana.

A receita deu certo. Lançado com apenas oito páginas, em poucos meses *Réplica* circulava com dois cadernos de quarenta páginas, a metade delas ocupada por anúncios. Um ano depois da estreia o sucesso estimulou Lesnik a colocar na praça uma segunda publicação, com o mesmo nome mas em formato de revista e com a capa impressa em cores. O tabloide continuava circulando às terças-feiras, enquanto a revista chegava às bancas às quintas. A popularidade da revista seria ainda maior que a da versão original. Quando *Réplica* completou seu segundo ano de vida, em meados de 1968, já eram quatro os veículos editados por Max Lesnik: além do tabloide e da revista, ele lançara um guia de turismo que era distribuído gratuitamente em hotéis e aeroportos. Mas o maior sucesso de público e de faturamento caberia a uma revistinha intitulada *Guía de TV*, uma cópia em espanhol do célebre *TV Guide*, semanário americano de altíssimas tiragens que publicava a programação de todos os canais de televisão entremeada com notícias sobre os principais astros da TV.

Quando era dono apenas de *Réplica*, Lesnik não parecia preocupar os setores mais radicais da comunidade cubana exilada nos Estados Unidos. Mas a rápida transformação de uma publicação quase artesanal num pequeno império de comunicações acendeu o alerta vermelho dos anticastristas *verticales*. Às primeiras ameaças de morte, feitas por telefonemas anônimos, Lesnik respondeu discretamente, passando a levar sempre na cintura um revólver Colt calibre .38. Semanas depois uma bomba destruiu a fachada do prédio onde funcionava sua editora. Ao prestar queixa à polícia, o jornalista ouviu do delegado de plantão uma assustadora advertência:

— Vamos investigar o atentado, senhor Lesnik, mas, se pretende manter essa linha editorial, o senhor é um homem morto.

Ao longo dos meses seguintes onze bombas explodiram nas instalações da Réplica Editorial, mas, como o cubano cabeça-dura não entregava os pontos, os grupos de extrema direita passaram a atacar quem o apoiava. Os alvos agora eram as bancas de jornal e quiosques que vendiam ou distribuíam as publicações de Lesnik e, em seguida, os anunciantes. Um destes era a fábrica de charutos Padrón Cigars, de propriedade do milionário exilado cubano José Orlando Padrón, defensor do diálogo com o governo comunista de Havana. Além de manter anúncios em todos os periódicos de Lesnik, Padrón vendia ou distribuía em suas tabacarias as duas versões de *Réplica*, o guia turístico e a revista de TV — solidariedade punida com quatro atentados a bomba. A campanha terrorista acabaria dando resultado. Sem publicidade e sem distribuidores, um ano e meio depois da primeira ameaça telefônica Max Lesnik fechou as portas de sua editora. Sempre empenhado em distender as relações entre Cuba e os Estados Unidos, em meados dos anos 70 o jornalista retornaria pela primeira vez a Havana.

Ao ser recebido em audiência no Palácio da Revolução, Lesnik solenizou o reencontro com o amigo que escondera em sua casa vinte anos antes:

— Que tratamento o senhor prefere que eu use: comandante, presidente ou primeiro-ministro?

O líder cubano respondeu com um sorriso:

— Para você eu continuo sendo sempre Fidel.

A partir de então passou a fazer visitas frequentes a Cuba, nas quais era invariavelmente recebido por Castro. Por intermédio de outro exilado defensor do diálogo entre Cuba e os Estados Unidos, o multimilionário cubano Charles Dascal, dono do Continental Bank of Miami, aproximou-se do já ex-presidente americano Jimmy Carter. Durante um longo período o jornalista atuou como pombo-correio entre o dirigente cubano e Carter, que se tornaria um ativo defensor da normalização das relações entre os dois países. A iniciativa culminou com uma visita de Carter a Cuba, em maio de 2002, a primeira de um ex-presidente americano desde 1959, para a qual foi necessária uma autorização especial do presidente George W. Bush. A viagem se encerraria com uma cena inimaginável no auge da Guerra Fria: diante de uma plateia de 50 mil pessoas que lotavam o Estádio Latino-Americano, em Havana, Carter fez o arremesso inicial para que Fidel Castro rebatesse a primeira bola de uma partida de beisebol entre uma equipe cubana e uma americana.

Os perfis de Lesnik e de seu antípoda Rodolfo Frómeta, contudo, são insuficientes para produzir um retrato minimamente fiel da Miami cubana. A terceira ponta do triângulo, formado de um lado pela "rádio Miami" e de outro pelos Comandos F4, recai sobre um moderno edifício de apartamentos do Boulevard Ponce de León, em cuja cobertura vive o escritor Norberto Fuentes, de 68 anos. Avô de cinco netos e pai de quatro filhas nascidas de casamentos diferentes, ele não esconde a irritação ao saber que terá Lesnik e Frómeta como companheiros de capítulo deste livro. "Por favor, arranje outras companhias para mim", protesta. "Frómeta é uma figura caricata e Lesnik é um oportunista." Suas opiniões sobre o conjunto da comunidade cubana no exílio são igualmente ácidas. "A imigração cubana transformou Miami numa república independente, uma típica *banana republic*", desdenha, com uma gargalhada que desmente qualquer suspeita de rancor. "Isto aqui é uma merda." Quando lhe perguntam por que, então, decidiu viver entre compatriotas pelos quais parece ter tanto desprezo, responde que não mora em Miami, "mas nos Estados Unidos". De fato ninguém jamais viu o escritor em atos organizados pela Aliança Martiana e menos ainda em companhia de anticastristas *verticales*, dos quais nem quer ouvir falar:

— Fui e continuo sendo um revolucionário. Sou marxista, não vim para os Estados Unidos fazer contrarrevolução. Vim em busca da rebeldia e do espírito iconoclasta de William Faulkner, de Ernest Hemingway, do John Wayne do filme *Rio Bravo*.

Considerado até pelos inimigos que deixou na Ilha como um dos maiores escritores cubanos vivos, Fuentes tinha quinze anos quando Fidel Castro chegou ao poder. Se o destino caminhasse por linhas certas, o natural seria que ele tivesse saído do país nas primeiras ondas migratórias rumo aos Estados Unidos. Seu pai, o publicitário e advogado Norberto Fuentes, representava em Cuba os interesses de ninguém menos que Santo Trafficante, um dos mais célebres gângsteres americanos dos anos 50. De acordo com documentos liberados pela CIA em 2007, Trafficante, que era dono de dois cassinos, uma boate e quatro hotéis em Havana, entre os quais o Capri, entregava todas as noites a um enviado de Fulgencio Batista 10% da renda de seus estabelecimentos. Deposto o ditador, Trafficante foi preso e deportado para os Estados Unidos como "estrangeiro indesejável". O velho Fuentes preferiu permanecer em Cuba "fazendo os negócios que podia e os que não podia", segundo o filho, até 1978, quando morreu.

Educado no Candler College, tradicional escola metodista norte-americana instalada em Cuba, o futuro escritor cresceu ouvindo Elvis Presley e Cole Porter. Precocemente integrado à Revolução, aos dezessete anos passou a trabalhar numa revista editada pela Juventude Comunista, função em que percorreu todo o país realizando reportagens sobre as radicais mudanças implantadas pelo novo regime. Fuentes estreou como autor em 1968, quando tinha 23 anos, com *Condenados de Condado*, livro de contos inspirado pela cobertura que fizera da repressão a um foco de resistência armada à Revolução implantado na serra do Escambray. Apesar de ter sido premiado pela Casa de las Américas, a mais tradicional instituição cultural da Cuba pós-Batista, e de se converter num best-seller nacional, *Condenados* foi considerado uma "obra dissidente" pelo governo, provocando o que o escritor qualifica como "minha primeira trombada com a Revolução". Dirigentes das Forças Armadas Revolucionárias tinham se irritado com aquilo que o autor chama de "minha irreprimível, inalterável falta de respeito". Segundo Fuentes, ao terminar a leitura do livro, Fidel Castro atirou-o com tanta força contra a parede que espalhou "suas esquálidas 150 páginas" pelo chão da sala.

Em 1971, quando já se haviam "perdoado mutuamente" pelo episódio, o insubmisso Fuentes e a Revolução sofreriam uma nova e ruidosa colisão. O escritor Heberto Padilla fora preso e acusado de subversão pela publicação do livro *Provocaciones*. Diante da reação internacional, que incluiu manifestações de protesto de intelectuais como Jean-Paul Sartre, Simone de Beauvoir, Mario Vargas Llosa, Susan Sontag e Carlos Fuentes, entre outros, Padilla foi libertado, mas teve que purgar humilhante autocrítica pública. Ao fazê-la, incluiu em seu mea-culpa outros colegas que se encontravam presentes. Ao ouvir seu nome, Fuentes se levantou e protestou:

— Um momento, Heberto! Tire meu nome dessa lista! Além de repudiar autocríticas, não posso me arrepender de atividades contrarrevolucionárias que nunca pratiquei!

A ousadia custou caro. Embora não viesse a sofrer punições explícitas, Fuentes curtiu alguns anos de ostracismo, período em que se dedicou a preparar seu livro seguinte, *Hemingway em Cuba*. Prefaciada por Gabriel García Márquez, a obra foi publicada simultaneamente em Cuba e nos Estados Unidos e acabou funcionando como o instrumento de reaproximação do autor com a Revolução Cubana e seus principais dirigentes, entre eles Raúl e Fidel Castro. Consagrado pela repercussão de *Hemingway em Cuba*, Fuentes passou os anos seguintes frequentando a intimidade da cúpula revolucionária. Participou como jornalista e combatente na Guerra de Angola e chegou a fazer parte da delegação cubana que em 1988 negociou no Cairo os tratados de paz com representantes de Angola, África do Sul, Estados Unidos e União Soviética. Além de conquistar a medalha de Combatente Internacionalista de Primeira Classe, Norberto Fuentes construíra em Angola uma sólida amizade com Antonio *Tony* de la Guardia, coronel do Ministério do Interior com uma extensa folha de serviços militares prestados à Revolução não só na África mas também na guerra que levou a Frente Sandinista de Libertação Nacional ao poder na Nicarágua.

Na manhã de 14 de junho de 1989 a população cubana foi despertada por uma inacreditável notícia estampada na primeira página do jornal *Granma*: no dia anterior haviam sido presos o general Arnaldo Ochoa, que comandara as centenas de milhares de cubanos nas campanhas de Angola e da Etiópia, o coronel Tony de la Guardia, seu irmão gêmeo e também coronel Patrício de la Guardia e mais de uma dezena de oficiais. A acusação contra eles não podia ser mais grave: entre 1987 e 1989, o grupo teria utilizado aeronaves, embarcações e instalações militares cubanas para contrabandear seis toneladas de cocaína, operação que rendera comissões de mais de 3 milhões de dólares. A droga era adquirida do traficante colombiano Pablo Escobar, transportada até a praia de Varadero em aviões cubanos e reembarcada em lanchas rápidas para algumas das ilhotas do extremo sul da Flórida. Ao ler a notícia das prisões, Norberto procurou outro amigo poderoso, Carlos Aldana, titular da Secretaria de Ideologia do PC cubano, para fazer-lhe uma explosiva revelação: três meses antes, Tony de la Guardia lhe pedira que guardasse alguns sacos repletos de dólares, dinheiro que continuava escondido em sua casa. Na madrugada de 16 de junho um grupo de oficiais do Ministério do Interior apareceu no apartamento em que Norberto Fuentes vivia, no bairro Vedado, em Havana, e apreendeu sob sua cama meio milhão de dólares. Mais precisamente, conforme aparece no boletim de ocorrência lavrado na hora e assinado pelo escritor, "564 mil dólares separados em maços de diferentes valores, acondicionados em sacos Samsonite de náilon preto".

Quando Tony de la Guardia lhe pediu que guardasse aquela dinheirama em sua casa, Fuentes suspeitou que pudesse ser "*plata mal habida*", dinheiro de origem duvidosa, mas jamais poderia imaginar que seu amigo estivesse envolvido em corrupção e muito menos em tráfico de drogas. Afinal, tratava-se de um respeitado veterano de guerra que desde 1982 ocupava um posto de vital importância no Ministério do Interior, o departamento encarregado de todas as operações em dólares destinadas a montar joint ventures com empresas estrangeiras e driblar o bloqueio econômico imposto pelos Estados Unidos a Cuba. Embora as autoridades tivessem aceitado a declaração de inocência do escritor, que insistia em afirmar que desconhecia a procedência do dinheiro, a lua de mel dele com a alta hierarquia cubana chegara ao fim. Julgados por um tribunal militar composto de 45 generais, brigadeiros e almirantes, os catorze réus foram despojados de suas patentes, medalhas e condecorações, entre elas a de "Herói da República de Cuba", atribuída ao general Arnaldo Ochoa. O nome de Fuentes nem sequer aparece no processo. Segundo a sentença, publicada no dia 10 de julho, dez dos acusados receberam penas que variavam de dez a trinta anos de prisão. Ochoa, Tony de la

Guardia, o major Amado Padrón e o capitão Jorge Martínez foram condenados à morte e executados na madrugada do dia 13 de julho.

Interrogado algumas vezes em Villa Marista nas semanas que se seguiram ao chamado "caso Ochoa", Norberto Fuentes viveria quatro anos num limbo político e profissional. Continuou em liberdade, mas nunca voltaria a ser "o cronista da Revolução", como era chamado pela imprensa cubana. Passou o tempo trabalhando numa nova versão do best-seller *Hemingway em Cuba*, escreveu um livro sobre a guerra em Angola e organizou uma coletânea de suas melhores reportagens, mas nenhum editor cubano se interessou por seus manuscritos. Recebia convites para palestras e seminários no exterior, mas não conseguia o indispensável visto de saída do país. No segundo semestre de 1993 Fuentes decidiu fugir de Cuba pela única via disponível para alguém em suas circunstâncias: o mar.

Talvez por ter sido concebido por um escritor, o plano de fuga se assemelhava a um roteiro de thriller hollywoodiano. Com a ajuda de amigos residentes nos Estados Unidos, Fuentes ofereceu ao conservador *Washington Times*, publicado na capital americana, uma reportagem que ainda não existia mas já tinha título — "O balseiro" —, na qual descreveria a fuga que pretendia empreender rumo a Miami. A concretização do projeto, no entanto, dependia de um adiantamento de 10 mil dólares para as despesas da viagem. O jornal de propriedade do religioso coreano Sun Myung Moon aceitou a oferta sem pechinchar, e dias depois o valor pedido chegava às suas mãos em Havana. Fechado o negócio, Fuentes contratou os serviços de *Bumerangue*, apelido pelo qual era conhecido um marinheiro que já havia cruzado várias vezes o estreito da Flórida transportando exilados, razão por que passara algumas temporadas na prisão. Sempre operando na *bolsa negra*, como é chamado o comércio clandestino em Cuba, com o dinheiro do reverendo Moon o escritor comprou uma ve-

Acima, o escritor Norberto Fuentes, entre Raúl e Fidel Castro, no tempo em que era conhecido como "o cronista da Revolução". Ao lado, o escritor em sua casa em Miami, em 2010. Abaixo, o boletim de ocorrência da apreensão de parte dos 564 mil dólares deixados em sua casa pelo coronel Tony de la Guardia.

REPUBLICA DE CUBA

MINISTERIO DEL INTERIOR

DEPARTAMENTO DE SEGURIDAD DEL ESTADO

ACTA DE REGISTRO Y OCUPACION

Se tomaron fotos ( ) SI ( ) NO

Resultado del Registro practicado en el inmueble sito en:

N7 (Calle) 3413 (No.) 34 (entre) y 36 — 13-A (Apto.) 13 (Piso)

(Granja o Finca) — (Kms. Carretera) — Rdy. Playa. (Barrio Región o Municipio)

C. Habana. (Provincia) en el que residen: Norberto F. Fuentes Cobos. (Ocupante Principal)

se procedió a efectuar un registro en el lugar arriba señalado, ocupándose lo siguiente: -El Hace entrega de maletín negro de nilón, conteniendo aproximadamente la suma de $ 167 611.00. dólares, en paquete de diferentes denominaciones

los cuales se depositan en:

Testigo

lha lancha inflável, de fabricação soviética, com capacidade para doze passageiros e equipada com um motor Yamaha de 135 HP de potência. Para documentar a aventura, convidou o fotógrafo italiano Luca Marinelli, um assíduo frequentador da Ilha. Jovem, boêmio e aventureiro, Marinelli se celebrizara como repórter fotográfico um ano antes ao registrar a dramática execução de um soldado italiano por um rebelde na Somália.

O primeiro contratempo surgiu quando *Bumerangue* exigiu que fossem incluídos como passageiros da travessia seis desconhecidos, por cujo transporte o marinheiro seria remunerado a peso de ouro. Embora abominasse a ideia de participar de uma fuga coletiva, no meio de gente que nunca vira antes, o escritor não teve alternativa. Antes de marcar a data da partida, contudo, ele passou algumas semanas registrando em disquetes lembranças e informações que poderiam ser úteis se algum dia decidisse escrever sua atribulada história. No final do trabalho havia armazenado em dez disquetes catorze megabytes de anotações, o equivalente a 2 mil páginas de livro. Colocou os discos num saco plástico, dentro do qual enfiou uma barrinha de chumbo que usava como peso de papel. Caso acontecesse o pior — ser apanhado pela polícia —, sua primeira providência seria atirar no mar o saquinho contendo as preciosas memórias.

Na noite de 10 de outubro de 1993, um domingo, Fuentes e sua mulher, Niurka de la Torre, uma médica trinta anos mais jovem que ele, com quem estava casado fazia alguns anos, encontraram-se com o fotógrafo e juntos caminharam durante uma hora até a pequena e pedregosa praia de Jaimanitas, situada algumas quadras adiante dos hotéis gêmeos Tritón e Neptuno, em Miramar. Por volta das dez da noite *Bumerangue* apareceu na escuridão pilotando a lancha, a bordo da qual já se encontravam os seis passageiros da cota do barqueiro. Embora a perigosa viagem, numa embarcação modesta como aquela, pudesse durar mais de 24 horas, o trio levava como alimento apenas alguns sacos de bolachas guardados numa mochila, junto com o pacote de disquetes. O fotógrafo Marinelli, que parecia ter ingerido doses exageradas de rum, carregava somente duas modernas câmeras Nikon penduradas no pescoço e, no bolso de trás das calças jeans, o passaporte italiano e uma passagem aérea Miami-Cancún-Havana — terminada a aventura, seu plano era retomar as férias em Cuba.

Deu tudo errado. À uma hora da manhã, quando as luzes de Havana ainda eram visíveis do alto-mar, a lancha perdeu velocidade e passou a navegar em círculos. A trepidação tirara do lugar uma peça de madeira da popa, fazendo o motor emborcar dentro da água e, minutos depois, parar de funcionar. Marinheiro e passageiros permaneceram à deriva por quarenta longos e silenciosos minutos, no fim dos quais a lancha foi varrida por um facho de luz vindo de uma embarcação que se avizinhava. Ao identificar o barco-patrulha da Guarda Costeira cubana, *Bumerangue* pôs as mãos na cabeça. "Puta que pariu", praguejou, "vou passar mais uma noite de Ano-Novo no xadrez!" Fuentes enfiou disfarçadamente a mão na mochila, pegou o saquinho com os disquetes e atirou-o no mar, no que foi imediatamente imitado pelo fotógrafo, que não hesitou em jogar na água as duas câmeras que certamente valiam o mesmo que o escritor pagara pela lancha e pelo motor que os deixara na mão. O dia ainda não havia clareado e já estavam todos recolhidos às celas de Villa Marista.

Em menos de uma semana os seis clientes de *Bumerangue* já estavam na rua e o fotógrafo fora despachado para a Itália no primeiro voo disponível. Um mês mais tarde, Fuentes e Niurka foram soltos e o marinheiro, tal como previra, entrou em 1994 na cadeia. Na opinião do escritor, sua libertação se deveu ao temor do governo cubano de estar "criando um novo Soljenítsin no Caribe", uma referência ao escritor russo Alexander Soljenítsin, inimigo jurado da União Soviética. Depois de passar vários anos em prisões da antiga URSS, o autor de *Arquipélago Gulag* seria agraciado em 1970 com o Prêmio Nobel de Literatura. Fuentes passou os dez meses seguintes em liberdade. Sem que ele soubesse, contudo, uma operação estava em curso nos Estados Unidos para retirá-lo do país.

A trama começara a ser urdida em julho de 1994 na casa do escritor americano William Styron, em Martha's Vineyard, no mesmo jantar em que Gabriel García Márquez funcionara pela primeira vez como pombo-correio entre os presidentes Bill Clinton e Fidel Castro. Ignora-se de quem tenha sido a iniciativa, mas a certa altura do jantar o caso Norberto Fuentes foi colocado à mesa. Depois de muita confabulação, ficou decidido que um trio formado pelo Prêmio Nobel colombiano e pelos presidentes Clinton e Salinas de Gortari, do México, se poria em campo para tentar retirar Fuentes de Cuba o mais rápido possível. Além dos três e do escritor Carlos Fuentes, também presente ao jantar, só duas outras personalidades sabiam do plano: Felipe González, presidente da Espanha, e o escritor americano William Kennedy, então presidente do Pen Club Internacional. Sob o mais absoluto segredo, nas semanas seguintes *Gabo* fez três viagens a Cuba e Fidel Castro recebeu pelo menos quatro chamadas telefônicas de Salinas de Gortari, que sempre sublinhava estar falando em seu nome e no de Bill Clinton. Com padrinhos tão poderosos os resultados não tardaram. Na manhã do dia 24 de agosto de 1994 um jato com as insígnias da Presidência do México pintadas na fuselagem pousou no aeroporto de Havana levando apenas dois passageiros: García Márquez e um funcionário do gabinete do presidente Salinas de Gortari. Um passaporte em nome de Norberto Fuentes foi emitido às pressas e no dia 25 o escritor embarcou no aparelho com destino ao México, onde passou dez dias e partiu rumo a Miami, cidade em que viveria pelos anos seguintes.

E foi como solitário e silencioso observador que, passados alguns anos, Fuentes acompanhou o noticiário sobre a prisão dos agentes de inteligência cubanos em Miami — diferentemente de Max Lesnik e Rodolfo Frómeta, que lideravam ruidosos grupos de pressão à porta do tribunal, respectivamente a favor dos cubanos presos e contra eles. Os trinta anos de tumultuada relação com o castrismo tinham deixado cicatrizes profundas — "A Revolução Cubana foi muito, mas muito ingrata comigo", Fuentes não se cansa de repetir —, mas não o haviam transformado num típico cubano de Miami. Ao contrário, como ele próprio pôde observar dias depois de sua chegada à Flórida. Convidado a falar no Comitê Cubano de Direitos Humanos, o escritor decepcionou a plateia, que imaginava ouvir um libelo contra Fidel Castro. "Aquelas pessoas esperavam que eu fizesse ali o que me recusara a fazer no caso Padilla: uma autocrítica", relembra Fuentes, às gargalhadas. "Queriam que eu escrevesse uma versão de *Condenados de Condado* do exílio." O julgamento dos agentes cubanos iria colocá-lo mais uma vez contra a majoritária corrente da comunidade cubana da Flórida. "Pela primeira vez esta sociedade envenenada pela derrota teve oportunidade de aplicar um golpe contra a Revolução Cubana e contra Fidel", sustenta o escritor. "Desde o primeiro dia o julgamento foi induzido pela opinião pública e pelos meios de comunicação para que o resultado fosse um só, a condenação." Na opinião de Fuentes, esta não era uma opinião isolada:

— Estava claro que, se o julgamento fosse realizado em Miami, eles seriam condenados. Eu sabia disso, os cinco presos sabiam disso e Fidel também sabia.

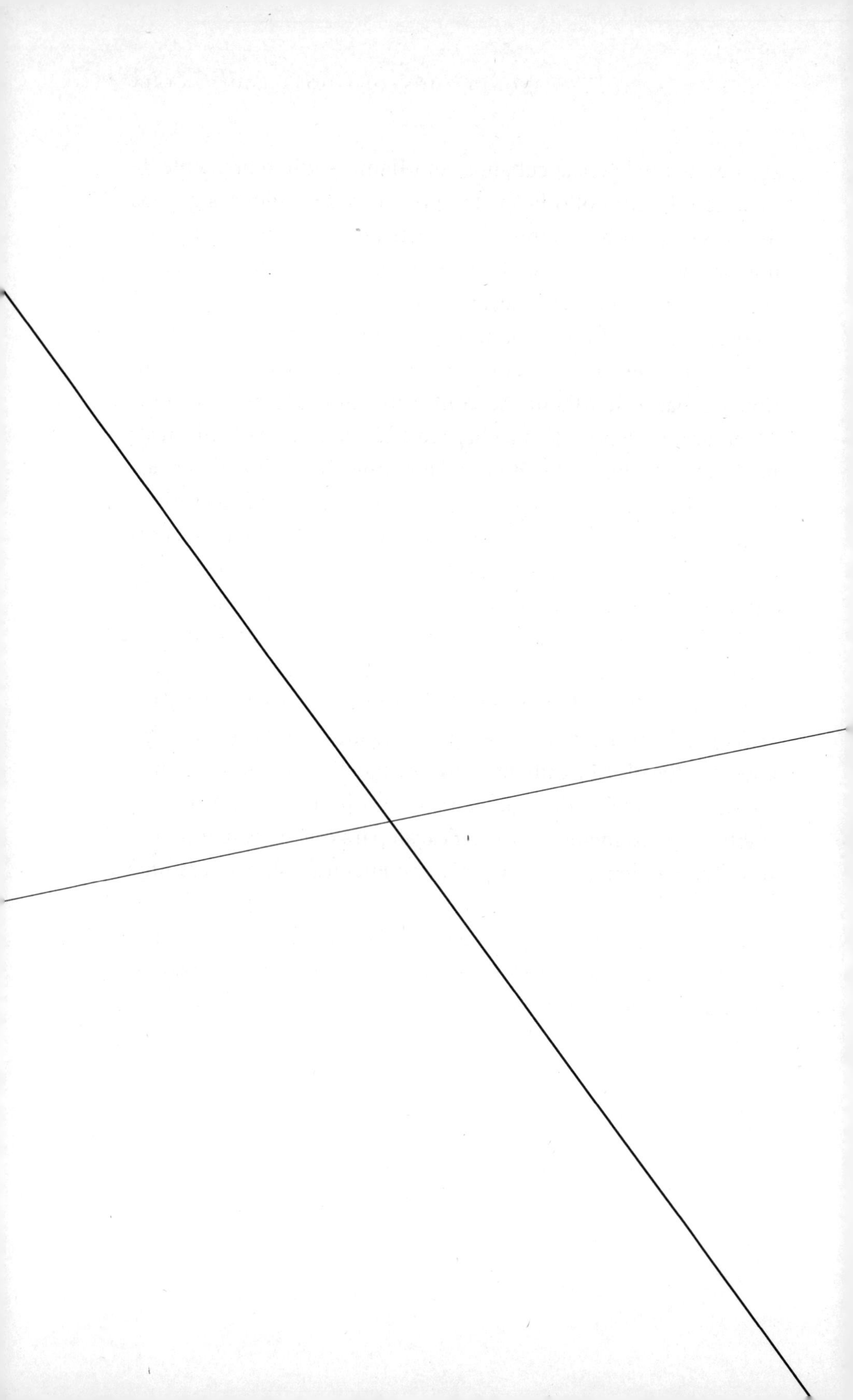

15

LEONARD WEINGLASS, ADVOGADO DE JANE FONDA, ANGELA DAVIS E DOS PANTERAS NEGRAS ENTRA NA DEFESA DOS CINCO CUBANOS, MAS A SORTE DELES JÁ ESTAVA LANÇADA

Os números da pesquisa de opinião pública acabariam por confirmar o juízo que Norberto Fuentes fazia da atmosfera reinante em Miami. Com a morosidade da Justiça, só em março de 2000, um ano e meio depois das prisões, foi apreciado pela juíza Lenard o resultado da enquete que pretendia medir o grau de animosidade da população da cidade com a Revolução Cubana e os cinco réus. Coordenado pelo demógrafo americano Gary Morán, professor da Universidade Internacional da Flórida, o trabalho revelou, por exemplo, que metade da comunidade cubana residente em Miami defendia um ataque militar dos Estados Unidos para derrubar o governo cubano e que 74% apoiavam as ações armadas promovidas contra Cuba por organizações anticastristas da Flórida. Repetida entre os cubano-americanos do condado de Broward, situado a apenas quarenta quilômetros de Miami, a pesquisa exibiu números opostos, segundo os quais dois terços dos entrevistados responderam ser contrários a qualquer ação violenta contra Cuba, tanto por parte do governo americano quanto de exilados da Flórida. E era exatamente para a cidade de Fort Lauderdale, sede do condado de Broward, que os advogados de defesa pretendiam transferir o julgamento. As estatísticas foram entregues à Justiça Federal acompanhadas de um parecer do antropólogo cubano-americano Lisandro Perez, professor da mesma universidade e que se exilara na Flórida em 1970. "Não importa que o corpo de jurados venha a ser totalmente integrado por não cubanos", assegurou o acadêmico. "É praticamente nula a possibilidade de selecionar doze cidadãos de Miami que possam ser imparciais num caso que inclui agentes confessos do governo de Cuba."

O estudo foi prontamente rechaçado pela acusação. Desconsiderando tanto a pesquisa quanto as opiniões dos professores, os promotores pediram à Justiça que rejeitasse a solicitação de mudança de sede. "No distrito de Miami vive uma comunidade heterogênea, não monolítica e extremamente diversificada do ponto de vista político", dizia a réplica. "Esta não é uma província, é uma cidade imune a qualquer influência que possa impedir a escolha de um júri imparcial." Os argumentos parecem ter sido suficientes para a juíza, que no dia 27 de julho arquivou o pedido de transferência do júri. Era a segunda derrota da defesa, e o julgamento ainda nem havia começado. Meses antes Lenard denegara um requerimento dos advogados solicitando arbitramento de fiança para que os réus pudessem permanecer em liberdade enquanto durasse o processo judicial. Novos requerimentos e objeções de parte a parte atrasaram mais alguns meses o início do julgamento, que acabou só acontecendo durante a segunda semana de novembro, mais de dois anos depois das prisões.

Os primeiros cinco dias de trabalho do tribunal foram consumidos pela monótona seleção dos doze jurados que iriam decidir a sorte dos agentes cubanos. Nas entrevistas iniciais, da lista de 72 nomes sorteados pela Justiça, trinta pediram dispensa alegando problemas de saúde, razões de natureza familiar ou profissional, ou por se considerarem suspeitos. Entre estes, dois afirmaram ter feito negócios com José Basulto, líder da Hermanos al Rescate, um tinha relações com a família do piloto Mario de la Peña, morto no ataque dos MiGs cubanos, e dois eram amigos de Silvia Iriondo, a militante anticastrista que se encontrava no avião de Basulto no momento da derrubada dos Cessnas. Outros dois foram dispensados porque conheciam o jornalista Hank Tester, da rede de televisão NBC, arrolado como testemunha de acusação e que participara de inúmeros voos do grupo Democracia, alguns dos quais pilotados pelo agora réu René González. Dos 42 candidatos remanescentes, dezessete foram vetados pela defesa e treze pela acusação, restando afinal os doze que iriam formar o corpo de jurados — seis homens e seis mulheres, sete dos quais eram norte-americanos e cinco de origem hispânica. Encerrado o processo de escolha, Lenard decretou recesso e convocou a todos para dali a duas semanas, quando seria aberto o julgamento.

Os termômetros marcavam dezoito graus, temperatura glacial para os padrões de Miami, quando foram abertas as portas do tribunal, na manhã de 27 de novembro de 2000. Apesar do frio, desde cedo grupos de manifestantes se aglomeravam diante do prédio carregando faixas e cartazes com palavras de ordem favoráveis e contrárias aos réus. Separados uns dos outros por *Marshals* uniformizados, de um lado ficavam militantes anticastristas e, sempre vestidos de luto, familiares dos quatro pilotos mortos em 1996. Do outro, em número menor mas igualmente barulhentos, ativistas da Aliança Martiana liderados pelo agitado Max Lesnik. Proibidos de registrar imagens internas do tribunal, fotógrafos e cinegrafistas entrevistavam manifestantes e se amontoavam em torno dos personagens mais conhecidos, como advogados, promotores e líderes de organizações anticastristas.

Às nove horas em ponto a plateia que lotava o salão do júri, no 12º andar do edifício, se pôs de pé para receber a juíza Joan Lenard. Os setenta lugares do auditório estavam ocupados, vinte deles por jornalistas. Vestida de toga negra, a juíza passou os primeiros quarenta minutos explicando como seria o calendário do julgamento. As sessões do tribunal seriam diárias, de segunda a sexta-feira, começariam às nove da manhã, com uma interrupção de quinze minutos para o café, e prosseguiriam até a uma. Após o horário de almoço os trabalhos seriam retomados às três da tarde e se encerrariam às seis. Ainda não eram dez horas quando Lenard declarou instalada a primeira sessão do processo denominado "Estados Unidos da América contra Rubén Campa e outros" ou simplesmente Caso 98CR721/Lenard. Sua primeira intervenção foi para ordenar a entrada dos doze jurados, logo instalados em duas fileiras de cadeiras dispostas perpendicularmente à mesa da juíza e ao auditório. Em seguida entraram os dez presos. A presença dos cinco cubanos que tinham feito acordo de delação premiada cumpria mera formalidade legal. Convertidos de réus em "testemunhas colaboradoras", eles já haviam sido condenados, sem a necessidade da opinião dos jurados, a penas mínimas. Deduzido o tempo passado na prisão, meses depois seriam perdoados e libertados e entrariam no programa de proteção a testemunhas da Justiça americana.

Tal como na primeira apresentação, dois anos e dois meses antes, os réus vestiam roupa de brim alaranjado e calçavam alpargatas de algodão. Por ordem da juíza os *Marshals* soltaram as algemas e correntes que prendiam as mãos e os pés deles. E também como em 1998, só havia familiares de dois dos acusados em meio ao público: Maggie Becker, companheira de Tony Guerrero, e Roberto González, irmão mais novo de René. Graças a sua cidadania norte-americana e à condição de advogado, Roberto transferiu-se de Havana, onde vivia, para Miami, e conseguiu inscrever-se como auxiliar não só de *Phil* Horowitz, o advogado de ofício de René, mas de todos os demais defensores. Dez anos depois, na capital cubana, Roberto se lembraria dos apertos que passou no começo do trabalho nos Estados Unidos. "Além de enfrentar um sistema jurídico com o qual eu não tinha nenhuma familiaridade, eu mal conseguia falar inglês", contaria o advogado, entre baforadas do fortíssimo cigarro *Populares*. "Com o passar do tempo, no entanto, eu tinha a mesma facilidade para ler textos de direito ou um cardápio de restaurante." Ainda assim, a primeira tarefa enfrentada por ele e pelos colegas americanos foi a leitura das quase 10 mil folhas da denúncia formulada pelos promotores. O caráter confidencial da maior parte da papelada levou Lenard a proibir que qualquer documento da acusação fosse retirado do tribunal, o que obrigava os advogados de defesa a trabalhar numa saleta do subsolo do prédio — considerada "lúgubre" por Paul McKenna, advogado de Gerardo — e sempre sob o olhar vigilante dos *Marshals*.

Logo após a abertura dos trabalhos, e antes mesmo que a denúncia fosse apresentada, a plateia assistiu a uma demonstração do ambiente de intolerância denunciado pela pesquisa de Gary Morán. Com a anuência da juíza, o advogado McKenna, um norte-americano que nunca estivera em Cuba, foi submetido por um dos promotores a um constrangedor auto de fé, sendo obrigado a declarar formalmente que não era comunista nem trabalhava secretamente para o governo de Fidel Castro. Feito o esclarecimento, a tribuna foi ocupada pelo promotor David Buckner, encarregado de formalizar a acusação aos cinco cubanos que haviam recusado a proposta de acordo de delação premiada. A intervenção de Buckner consumiu todo o tempo restante do turno da manhã, foi retomada após o recesso do almoço e só terminou no fim do dia. Ainda tratando Gerardo, Ramón e Fernando pelos codinomes, o promotor discorreu sobre as atividades de cada um dos acusados, ressaltando que o trabalho do FBI tinha "evitado a tempo que os réus pudessem obter informação secreta". Na carta-diário que passaria a redigir e enviar para Olga pelo correio — correspondência previamente censurada pelas autoridades carcerárias —, René reconheceu que Buckner não fizera "um mau trabalho", mas criticou o fato de que a denúncia "exagerava as atividades dos cinco e glorificava o trabalho do FBI" e acusou a promotoria de referir-se à Hermanos al Rescate e ao Movimento Democracia "como um asilo de caridade de madre Tereza de Calcutá". A grande e grave novidade fora guardada por Buckner para o final da exposição, quando ele adicionou uma nova incriminação às que haviam sido anunciadas pela juíza três dias depois das prisões. Dessa vez Gerardo era formalmente acusado de "conspiração para o assassinato" dos quatro pilotos cujos aviões foram abatidos pelos MiGs cubanos. Segundo Buckner, os papéis apreendidos pelo FBI nas casas dos cubanos comprovavam que Gerardo fora o responsável por transmitir a Cuba informações sobre os voos da Hermanos al Rescate que permitiram a derrubada dos Cessnas.

Salvo um breve recesso para as festas de fim de ano, o julgamento prosseguiu sem interrupções pelos meses seguintes. Ao longo desse tempo a estratégia da promotoria apontou na direção de três objetivos: demonstrar que os grupos anticastristas em que a Rede Vespa se infiltrou eram organizações de índole pacifista e humanitária; comprovar que os agentes cubanos tinham tentado buscar informações secretas ao penetrar em instalações militares americanas, como a base aeronaval de Boca Chica, onde Tony trabalhava como encanador, e incriminar Gerardo como o responsável pela morte dos quatro pilotos. Em seus contra-ataques a defesa argumentava que muitas das organizações de exilados ocultavam atividades terroristas contra Cuba e que os agentes cubanos jamais haviam posto as mãos ou os olhos em nenhum papel considerado confidencial, reservado ou secreto. Quanto à acusação contra Gerardo, Paul McKenna exibiu documentos capturados pelo FBI para provar que nos dias que antecederam a derrubada dos aviões, inclusive no dia 24 de fevereiro, quando se deram os ataques, o chefe da Rede Vespa nem se encontrava em Miami. Naquele dia *Giro* finalizava pessoalmente a *Operação Vedete*, acompanhando Juan Pablo Roque até as cidades de Fort Lauderdale e Tampa para que o piloto pudesse embarcar para Cancún e de lá para Cuba. O advogado sustentava também que Gerardo não podia ser acusado de enviar secretamente a Havana informações que desde a véspera eram do conhecimento de jornalistas e de pelo menos dois altos funcionários do governo americano, a diretora da Agência Federal de Aviação, Cecilia Capestany, e o subsecretário de Estado Richard Nuccio. Além disso, reiterou McKenna, fora o agente Oscar Montoto quem avisara Juan Pablo Roque para não voar no dia 24 de fevereiro "porque Cuba estava determinada a derrubar qualquer avião que invadisse seu espaço aéreo".

Metade da cota de 21 testemunhas a que a defesa tinha direito foi consumida com a indicação de funcionários do governo americano, num rol que ia de figurões como o subsecretário Nuccio até o operário Timothy Keric, colega de Tony na base de Boca Chica, passando pela diretora Capestany, pelo agente Yorks Kasinski, do Esquadrão Antiterrorismo do FBI, que durante anos monitorara os grupos radicais Alpha 66 e Omega-7, e por Dalila Borrego, a funcionária que sugerira a Tony tentar um emprego na base de Boca Chica. Também foram convocados como testemunhas de defesa dois generais, um almirante e um coronel das Forças Armadas dos Estados Unidos. Da lista dos advogados ainda faziam parte Rodolfo Frómeta e José Basulto. O dirigente da Hermanos al Rescate fora convocado na condição de "testemunha hostil" — figura jurídica da legislação americana pela qual a pessoa é obrigada a depor mesmo sendo contrária a quem indicou seu nome. Arrolado como testemunha e apontado pela defesa como "membro do aparelho militar clandestino da FNCA", o conhecido anticastrista Ángel Alemán negou-se a comparecer ao tribunal invocando o trecho da Quinta Emenda da Constituição americana, segundo o qual "ninguém poderá ser obrigado a depor contra si próprio em nenhum tribunal". As três últimas testemunhas propostas pela defesa eram funcionários do governo cubano: Fidel Arza, do Departamento de Aeronáutica Civil de Cuba, Percy Alvarado, oficial aposentado dos serviços de inteligência cubanos que nos anos 80 se infiltrara na Fundação Nacional Cubano-Americana, e o coronel Roberto Caballero, do Ministério do Interior, que comandara a prisão e os interrogatórios do mercenário Raúl Ernesto Cruz León. Para que eles fossem ouvidos, a juíza Lenard teve que autorizar o deslocamento para Havana dos nove membros da defesa e da acusação, acompanhados de intérpretes e dos técnicos de som encarregados de gravar as sessões de tomada dos depoimentos.

Na lista das testemunhas de acusação apresentada pelos promotores Heck Miller, Buckner, Lewis e Kastrenakes estavam nove agentes do FBI que haviam participado da operação de desmantelamento da Rede Vespa, três dirigentes de organizações anticastristas, o agente de inteligência cubano Joseph Santos, que fizera acordo com a promotoria, o oficial naval Bjorn Johansen e a capitã Linda Hutton, da Marinha americana, que comandava a estação aeronaval de Boca Chica durante o período em que Tony Guerrero trabalhou naquela unidade militar. Os depoimentos de pelo menos dois indicados redundaram num revés para a acusação. Extremamente nervoso, o arrependido Joseph Santos se confundiu tanto ao responder às perguntas da defesa, que a promotoria preferiu dispensá-lo poucos minutos após o início do interrogatório. E o testemunho de Linda Hutton jogou um balde de água fria nas acusações de espionagem que recaíam sobre Tony Guerrero. Depois de dizer que durante sua gestão as instalações da base ficavam abertas a visitas do público, a capitã afirmou que Tony jamais tivera acesso a informações que pudessem comprometer "a defesa, a segurança nacional e os interesses dos Estados Unidos".

O depoimento de Johansen levantou um tema que provocaria inflamados debates no tribunal: a divergência entre o governo dos Estados Unidos e o de Cuba e, por extensão, entre a promotoria e a defesa, a respeito do exato local onde os dois aviões da Hermanos haviam sido abatidos. Para os americanos, os Cessnas voavam sobre águas internacionais; os cubanos asseguravam que os dois aparelhos se encontravam dentro do limite de doze milhas do mar territorial e do espaço aéreo de Cuba — o que configurava uma invasão. Embora a discrepância entre uma e outra tese fosse de escassos metros, a discussão se arrastou por semanas. Uma das armas dos promotores para sustentar a tese da derrubada no espaço aéreo internacional foi o relatório de setembro de 1999 da Comissão de Direitos Humanos da OEA. Assinado pelo presidente do organismo, o americano Robert Goldman, e por seu vice-presidente, o brasileiro Hélio Bicudo, o documento afirmava que as aeronaves foram abatidas em espaço aéreo internacional e concluía responsabilizando Cuba pela morte dos pilotos Carlos Costa, Pablo Morales, Mario de la Peña e Armando Alejandre. A base da argumentação da

OEA era um informe da OACI, agência das Nações Unidas que regula normas de tráfego aéreo, segundo o qual a derrubada acontecera fora do espaço aéreo cubano. E a OACI, por sua vez, chegara a essa conclusão com base no diário de bordo do jovem Bjorn Johansen, oficial de convés do navio de passageiros *Majesty of the Seas*, que na tarde de 24 de fevereiro de 1996 navegava no estreito da Flórida.

Ao depor como testemunha de acusação, Johansen reconheceu que sua convicção a respeito do local do abate, segundo ele ocorrido em águas internacionais, decorria de observação visual e não do registro eletrônico da exata posição em que se encontrava o *Majesty*. Encurralado pelo advogado Paul McKenna, revelou que só no dia seguinte transferira para o diário de bordo os dados que anotara num pedaço de papel. Disse também que, entre o abate dos Cessnas e o registro no diário, fora interrogado por agentes do FBI. Protegidos por objeções da promotoria, aceitas pela juíza, o marinheiro e os donos do navio se recusaram a apresentar aos jurados tanto o diário quanto o rascunho rabiscado na hora da derrubada dos aviões.

Por um aparente cochilo da defesa, uma pergunta deixou de ser feita: quem eram os donos do navio? Uma pesquisa superficial nos arquivos de jornais e da FNCA, a Fundação Nacional Cubano-Americana, teria fornecido aos advogados — e especialmente a McKenna, defensor de Gerardo — uma informação relevante. De origem norueguesa e residente em Miami, Bjorn Johansen era funcionário da Royal Caribbean Cruises, grupo proprietário do *Majesty of the Seas*. E em fevereiro de 1996 o segundo homem da hierarquia da empresa era o norte-americano Peter G. Whelpton, um inimigo da Revolução Cubana que nunca fizera segredo de suas convicções. Ao contrário. Em seu currículo oficial o vice-presidente executivo da Royal Caribbean se apresentava como "membro do *board* da Fundação Nacional Cubano-Americana" e diretor da Fundação Blue Ribbon para a Reconstrução de Cuba. Na série de reportagens publicadas pelo *New York Times* em 1995, o presidente da Fundação, Francisco *Pepe* Hernández, revelara ao jornalista Larry Rohter que a Royal Caribbean Cruises era uma das quarenta empresas que haviam se cotizado para financiar a criação da FNCA — operação em que cada uma contribuíra com 25 mil dólares. Ouvido por Rohter, o patrão de Bjorn Johansen foi mais longe. "Queremos ajudar a comunidade cubana em seus esforços para derrubar Castro", afirmou o empresário, que esclareceu também ter escolhido a FNCA por considerá-la o grupo mais forte, "com o qual poderemos seguir adiante quando chegar o momento". Misteriosa e inexplicavelmente, no entanto, a implicação de Whelpton com o anticastrismo nem sequer foi apurada ou levantada pelos advogados de defesa dos cinco.

Por trás da mobilização e das pressões exercidas pela comunidade cubana sobre o tribunal, com amplo respaldo da imprensa local, havia um indisfarçado desejo de revanche, nascido de uma tragédia familiar ocorrida meses antes. Na manhã de 25 de novembro de 1999 a Guarda Costeira dos Estados Unidos recolhera um garoto de seis anos que boiava nas águas que banham Pompano Beach, na cidade de Fort Lauderdale. Elián González, era esse o nome do menino, embarcara três dias antes num bote em Cuba acompanhado da mãe, Elisabeth, e de mais doze pessoas. No meio da travessia a improvisada embarcação naufragou deixando apenas três sobreviventes, agarrados às duas únicas boias salva-vidas levadas pelo grupo. Numa delas segurou-se um jovem casal e na outra o garoto, cuja mãe morrera junto com os outros dez passageiros. Elián foi entregue pelas autoridades americanas a um tio-avô paterno, Lázaro González, que se exilara anos antes e vivia numa casa na Little Havana.

O caso tinha todos os ingredientes para terminar como um dado estatístico a mais na longa história das ondas migratórias cubanas — não fosse o fato de Juan Miguel, pai de Elián, que continuava vivendo em Havana, ter pedido ao governo cubano que requeresse aos Estados Unidos a extradição do filho. No dia 5 de janeiro de 2000 a ministra da Justiça e procuradora-geral dos Estados Unidos, Janet Reno, determinou a repatriação do menino.

A despeito da ordem federal, e insuflado por organizações anticastristas de Miami, Lázaro González decidiu que "não devolveria Elián ao tirano Fidel Castro". A partir de então a modesta casinha de madeira onde ele acolhera o sobrinho-neto passou a ser guardada dia e noite por piquetes e barricadas de militantes temerosos de que o governo recorresse à força para retirar o garoto, o que acabou acontecendo. No dia 22 de abril, por ordem da ministra Reno, policiais da SWAT armados de fuzis recolheram Elián sob os flashes e as luzes da televisão. Juan Miguel já havia embarcado rumo a Miami para receber o filho, mas Lázaro González, amparado por advogados contratados por organizações de exilados, conseguiu que a Corte Federal de Atlanta revogasse a ordem de extradição. Uma batalha urbana foi travada nas ruas da Little Havana por organizações anticastristas, contrárias à extradição, e pelos grupos ligados à Aliança Martiana de Max Lesnik, favoráveis a que o garoto voltasse para Cuba. Com ampla cobertura da imprensa internacional, a tensão provocada pelo caso levou o Departamento de Justiça a deixar pai e filho sob a proteção das Forças Armadas, instalando-os numa casa no interior da base aérea de Andrews, em Washington, até que a Justiça desse a palavra final. No dia 26 de junho a Suprema Corte manteve a decisão do governo e três dias depois Elián e seu pai eram recebidos no aeroporto de Havana pelo presidente cubano em pessoa. O sentimento generalizado em Miami era que a batalha dos exilados fora perdida para uma insólita aliança entre Fidel Castro e Bill Clinton.

Quando a Justiça da Flórida instalou o julgamento contra os membros da Rede Vespa, o caso Elián ainda era uma espinha atravessada na garganta dos grupos radicais da diáspora cubana. Dessa vez, contudo, a influente procuradora-geral estava do lado deles. Superiora hierárquica do FBI e do Serviço de Imigração, os dois principais organismos envolvidos tanto no episódio da repatriação do garoto quanto na prisão e na denúncia dos cinco, Janet Reno tinha, além das chamadas razões de ofício, interesses adicionais na condenação dos agentes cubanos. Nascida em Miami, ela pretendia se candidatar ao governo da Flórida em 2002 pelo Partido Democrata. Ser responsabilizada pela imposição de duas derrotas seguidas à comunidade cubana não era certamente o melhor caminho para ganhar uma eleição naquele estado. Todos esses ingredientes eram contabilizados com apreensão do outro lado do estreito. Preocupado com o rumo que o julgamento parecia tomar, e com a perspectiva de que Gerardo pudesse ser condenado por assassinato, em meados do primeiro semestre de 2001 o governo de Cuba resolveu reforçar a defesa dos cinco. Para que Havana pudesse entrar como parte no caso, porém, foi preciso primeiro que *Giro*, Ramón e Fernando se desfizessem das respectivas fachadas e revelassem ao tribunal suas verdadeiras identidades, segredo que, de resto, já não se justificava.

O escolhido foi o peso pesado Leonard Weinglass, conhecido personagem dos tribunais americanos. Titular de um caro e afamado escritório de advocacia de Nova York, *Lenny* Weinglass, então com 67 anos, se celebrizara como defensor em alguns dos mais polêmicos e controvertidos casos judiciais dos Estados Unidos. No seu carnê de clientes podiam-se ver a atriz Jane Fonda, processada pelo governo Nixon depois de realizar uma viagem de solidariedade ao Vietnã do Norte, o analista militar Daniel Ellsberg, responsável pela divulgação de documentos secretos dos EUA, os chamados Papéis do Pentágono, a ativista Angela Davis, os dirigentes do Exército Simbionês de Libertação, responsáveis pelo sequestro da milionária Patricia Hearst, e os Panteras Negras, partido revolucionário criado pelos líderes negros Huey Newton e Bobby Seale. A mais jovem de todos os seus clientes tinha apenas dezenove anos ao ser acusada — era Amy Carter, filha caçula do ex-presidente Jimmy Carter, processada em 1987 ao denunciar a CIA pelo recrutamento de agentes entre os alunos da Universidade de Massachusetts, onde ela estudava. Antes de responder ao convite de Cuba, Weinglass viajou para Miami e leu todo o processo, decidindo que participaria da defesa dos cinco. E informou a Havana que trabalharia *pro bono*, ou seja, sem cobrar honorários, tal como fizera, aliás, na maioria dos casos citados.

O julgamento se desenrolou pelos meses seguintes entremeando momentos de tedioso marasmo, quando até os réus costumavam cochilar, com acirradas pugnas verbais entre promotores e advogados, o que inúmeras vezes obrigava a juíza Lenard a decretar breves recessos e a convocar as partes para os *side bar*, interrupções para confabulações sem o testemunho dos jurados e do público. Quando a defesa descreveu a simplicidade com que viviam os agentes da Rede Vespa, até os jornais anticastristas pareceram se surpreender. "Decididamente a vida dos agentes de Fidel Castro em Miami nada tinha a ver com o glamouroso mundo de James Bond", escreveu um repórter do *Sun Sentinel*. "Nenhum deles era um desses superespiões que estamos acostumados a ver no cinema. Ao contrário dos coquetéis noturnos e dos carros de luxo, eles levavam vidas muito simples, com orçamentos apertados."

Os dois momentos mais tensos do julgamento, ambos envolvendo a derrubada dos aviões, não seriam provocados por testemunhas, mas por duas gravações de áudio. A primeira delas, apresentada pela promotora Caroline Heck Miller, reproduzia o diálogo entre a torre de Cuba e os caças que haviam abatido os Cessnas da Hermanos al Rescate. Transmitidas pelos alto-falantes, as vozes dos pilotos festejando com palavrões a derrubada dos dois aviões ecoaram pelo salão do júri. A expressão de espanto do público e dos jurados era o sinal mais visível de que a acusação tinha lavrado um tento sobre a defesa. O troco seria dado dias depois por Paul McKenna, advogado de Gerardo, ao exibir uma gravação de poucos segundos de duração mas que também causaria grande impacto no tribunal. Era a voz de José Basulto dando uma sonora gargalhada no instante em que via o avião tripulado por Armando Alejandre Jr. e Mario de la Peña ser pulverizado pelos mísseis do MiG. A risada era seguida por um grito. "Temos

O advogado norte-americano Leonard Weinglass, que já havia defendido Jane Fonda, Angela Davis, os Panteras Negras e Daniel Ellsberg, e que lutou até o fim pela libertação dos cinco agentes cubanos no tribunal de Miami.

que cair fora daqui, caralho!", exclamou Basulto para seus três acompanhantes, enquanto apontava o nariz do avião no rumo da Flórida. O áudio era mais uma das evidências com que McKenna pretendia apresentar o líder da Hermanos al Rescate como o verdadeiro responsável pela morte dos quatro pilotos. O advogado sustentava que, com o objetivo de provocar um incidente militar entre Cuba e os Estados Unidos, Basulto não hesitara em induzir os quatro jovens a um voo suicida, salvando a própria pele na hora em que os MiGs cubanos atacaram os Cessnas.

No final de maio de 2001, quando o julgamento se aproximava da centésima sessão, todas as testemunhas já tinham sido ouvidas e era grande a expectativa sobre a iminente decisão dos jurados. A cobertura da imprensa sem vínculos com a comunidade cubana refletia a ansiedade com que se esperava o resultado. "Meses de depoimentos, recessos e enfrentamentos verbais estenderam tediosamente o julgamento sem jogar luz sobre a questão central", dizia um despacho distribuído pela agência de notícias France-Presse, que concluía com uma pergunta: "Afinal, estamos diante de perigosos espiões que tentaram penetrar em instalações militares americanas ou de simples infiltrados em organizações anticastristas da Flórida?". A defesa alimentava a esperança de que o corpo de jurados escolhesse a segunda alternativa. "A promotoria não conseguiu provar sequer que os acusados haviam tentado ter acesso a documentos secretos dos Estados Unidos", diria anos depois o advogado de Fernando, Joaquín Méndez. "E nem apresentou evidências de qualquer implicação de Gerardo na derrubada dos aviões da Hermanos al Rescate."

Após uma semana de exposições finais de advogados e promotores, no dia 8 de junho, uma sexta-feira, a juíza Joan Lenard convocou ao tablado o biólogo David Bucker, representante dos doze jurados, para anunciar a conclusão a que haviam chegado. De paletó e gravata, o americano de meia-idade aproximou-se do microfone, tirou do bolso da calça um pedaço de papel e leu as categóricas palavras que iriam selar o destino dos agentes cubanos:

— Por unanimidade o corpo de jurados considerou os réus culpados de todos os crimes que lhes foram imputados.

Lenard teve que apertar a campainha e bater várias vezes com o martelo de madeira no tampo da mesa para exigir silêncio da metade do auditório ocupada por familiares dos quatro pilotos mortos e militantes anticastristas que festejavam aos gritos o veredicto do júri. Agora estava nas mãos da juíza estabelecer que penas seriam aplicadas aos condenados, mas a excitação que o caso despertara em Miami ainda iria durar muito tempo. Antes de encerrar a sessão, Lenard decretou um recesso de seis meses, no fim dos quais anunciaria sua decisão.

Levados de volta ao Centro de Detenção Federal, situado do outro lado da calçada do tribunal, os cinco cubanos decidiram dirigir um manifesto à opinião pública americana. No documento de três páginas, divulgado pelos advogados e intitulado "Mensagem ao povo dos Estados Unidos", os agentes relatavam as razões pelas quais se haviam infiltrado em organizações anticastristas da Flórida e rejeitavam as acusações de espionagem e de assassinato. "Não nos arrependemos do que fizemos para defender nosso país", concluíam, "e nos declaramos totalmente inocentes." Considerada uma infração disciplinar, a proclamação seria punida com severidade pela direção do Centro de Detenção. No dia 26 de junho os cinco foram conduzidos de volta ao Buraco, de onde só sairiam em dezembro, quando Lenard reconvocou o tribunal para o esperado anúncio das sentenças.

Às nove horas da manhã do dia 11 de dezembro a juíza declarou instalada a "sessão de sentenciamento". Uma tênue esperança ainda animava a defesa dos cinco. Exatos três meses antes, os Estados Unidos tinham sido vítimas dos ataques suicidas da Al Qaeda contra as torres gêmeas de Nova York. Mesmo tendo se queixado da severidade de Lenard, os advogados reconheciam que ela havia agido com dignidade durante todo o julgamento. E alimentavam a expectativa de que a juíza admitisse, como eles, que o trabalho realizado em Miami pela Rede Vespa era exatamente igual ao que agentes americanos faziam desde o dia 7 de outubro nas montanhas do Afeganistão: identificar terroristas e prevenir atentados.

Discussões entre a promotoria e a defesa sobre formalidades legais tomaram todo o período da manhã, sem que Lenard tivesse oportunidade de anunciar sua decisão. Além de Irmita, haviam conseguido vistos de entrada nos Estados Unidos e se encontravam no auditório as mães de Gerardo, René, Tony e Fernando. Quando os trabalhos foram reabertos, depois do almoço, a juíza determinou que Gerardo, o primeiro acusado, se pusesse de pé, e passou a ler a folha de papel que um meirinho colocara sob seus olhos:

— O réu Gerardo Hernández Nordelo, também conhecido pela alcunha de Manuel Viramóntez, foi declarado culpado pelo corpo de jurados do Tribunal de Justiça Federal da Flórida pelos crimes de conspiração para assassinato, conspiração para fraudar os Estados Unidos, coleta e fornecimento de informações de defesa, falsificação e uso de documentos de identidade, fraude e uso indevido de vistos e permissões de entrada nos Estados Unidos e por atuar como agente estrangeiro não registrado. Por todos esses delitos, este tribunal o condena a duas penas de prisão perpétua e mais quinze anos de reclusão.

Até então de pé, aguardando a sentença, a anciã Carmen Nordelo, mãe de *Giro*, teve que ser amparada para não desabar na cadeira, enquanto a juíza apertava a campainha e exigia silêncio dos grupos que, na outra ala do auditório, celebravam a condenação aos gritos de "Viva Cuba livre!". Encerrados por alguns minutos, os trabalhos foram reabertos para o anúncio da condenação de Ramón Labañino à pena de prisão perpétua mais dezoito anos. A liturgia se repetiu nas semanas seguintes para a proclamação das penas imputadas a René, condenado a quinze anos, a Fernando, dezenove anos, e a Tony, condenado à prisão perpétua. Chegava ao fim o mais longo e um dos mais polêmicos julgamentos realizados em Miami. Ao cabo de quatro décadas de guerra encarniçada, a comunidade cubana exilada na Flórida conseguira impor sua primeira derrota a Fidel Castro.

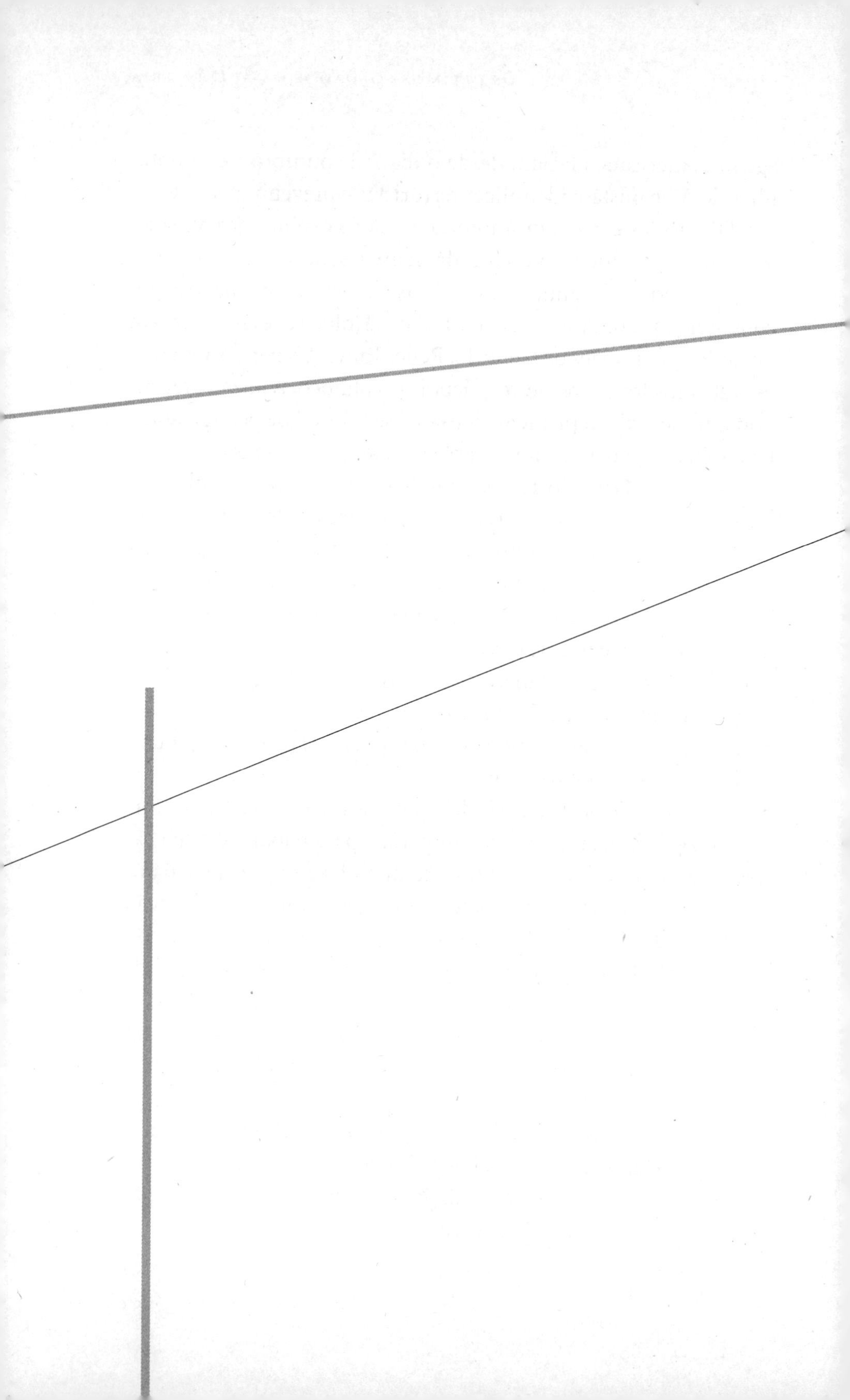

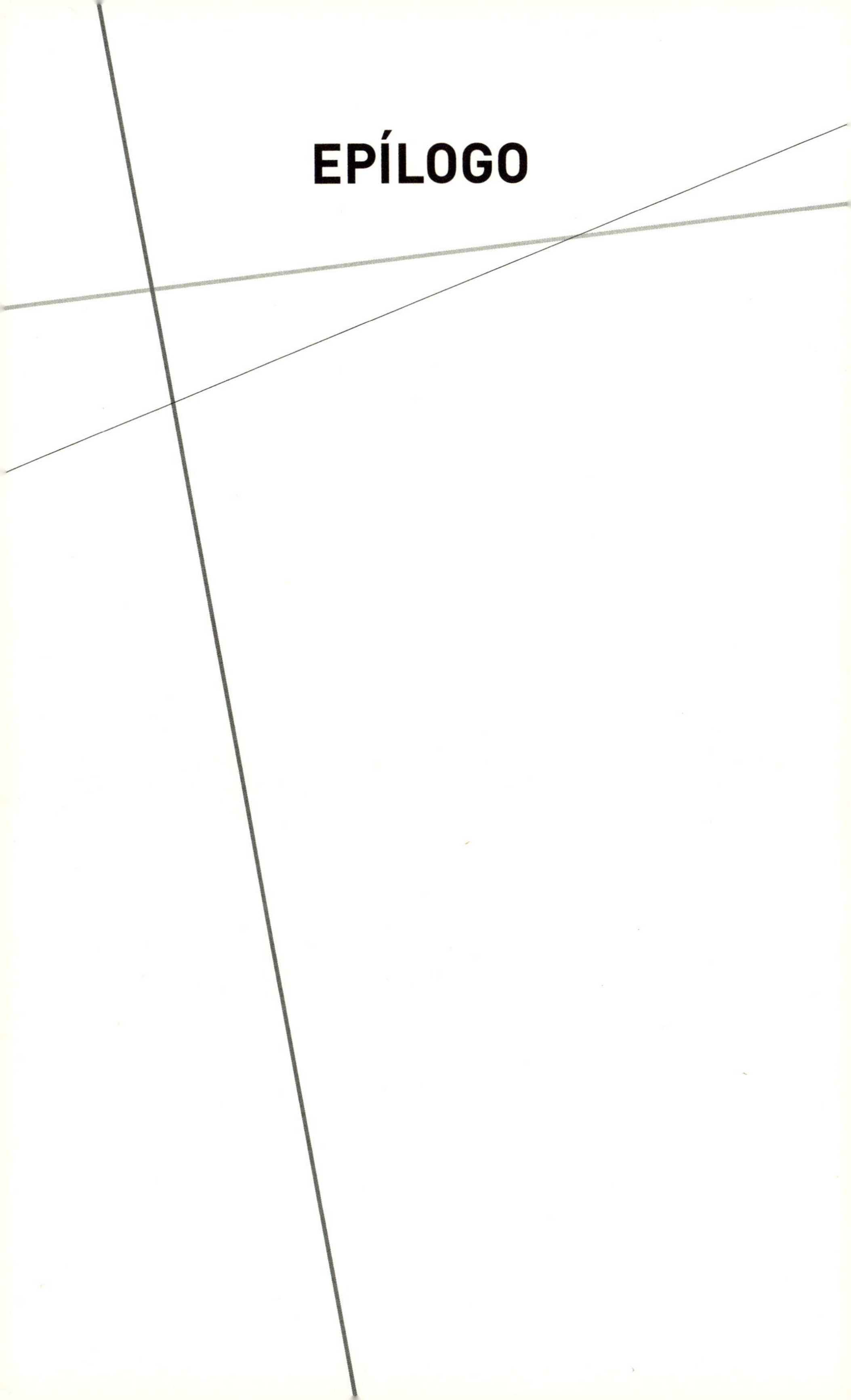

EPÍLOGO

Em 2009 o advogado Leonard Weinglass recorreu à Corte de Apelações de Atlanta apontando vícios materiais e processuais no julgamento. A Corte acatou parte dos argumentos da defesa e determinou a revisão das penas de Tony Guerrero, Fernando González e Ramón Labañino. Em dezembro daquele ano a juíza Joan Lenard revogou as prisões perpétuas dos três e converteu as condenações de Tony (reduzida para 21 anos de prisão), Fernando (dezessete anos e nove meses) e Ramón (trinta anos). As penas de Gerardo e René não foram revistas.

As condenações são cumpridas em cinco prisões federais de segurança. Gerardo está preso em Victorville, Califórnia, Tony em Florence, Colorado, Ramón em Jesup, Geórgia, René em Marianna, Flórida, e Fernando em Oxford, Wisconsin.

Desde que foram condenados, os presos vêm sendo submetidos a um castigo adicional: as dificuldades impostas pelo Departamento de Estado para a concessão de vistos de entrada nos Estados Unidos às mães, esposas e demais familiares dos cinco.

Embora a legislação carcerária dos Estados Unidos preveja visitas mensais, os familiares de Tony, Ramón e Fernando só puderam visitá-los uma vez por ano.

Nunca foram concedidos vistos solicitados a Olga e Adriana, que jamais puderam visitar os maridos René e Gerardo.

Os vistos de entrada nos Estados Unidos continuaram a ser

Já condenados, os cinco cubanos recebem visitas na prisão. Acima, Gerardo com o jornalista Saul Landau e o ator Danny Glover. Ao lado, René com as filhas, Irmita e Ivett. Abaixo, Ramón Labañino e Tony Guerrero com as esposas, Elisabeth e Maggie, e Fernando entre a mãe, Magaly, e a esposa, Rosa Aurora.

Acima, o mercenário salvadorenho Raúl Ernesto Cruz León: condenado à morte, ele teve a pena convertida para trinta anos de prisão. Abaixo, o piloto Juan Pablo Roque, já aposentado, em sua casa em Havana.

negados após pedidos e protestos dirigidos à Casa Branca pelo Conselho Mundial de Igrejas, Anistia Internacional, Parlamento Europeu, Câmara dos Comuns da Grã-Bretanha, por treze prefeitos de cidades norte-americanas e sindicatos de trabalhadores de nove países.

Em dezembro de 2001 o Parlamento cubano outorgou títulos de "Heróis da República de Cuba" aos cinco condenados e decidiu que 2002 seria o "Ano dos Heróis Prisioneiros do Império".

O piloto Juan Pablo Roque está aposentado e vive em Havana.

Em 2002 a ex-secretária da Justiça Janet Reno tentou candidatar-se a governadora da Flórida, mas foi derrotada por Bill McBride na convenção do Partido Democrata. O eleito, no entanto, seria o republicano Jeb Bush, irmão do já presidente George W. Bush.

Condenados à morte por tribunais cubanos, os mercenários salvadorenhos Raúl Ernesto Cruz León e Otto René Rodríguez Llerena tiveram as penas convertidas em trinta anos de prisão.

Um tribunal de Havana julgou e condenou os guatemaltecos Nader Kamal Musalam Barakat (vinte anos de prisão), Jazid Iván Fernández Mendoza (quinze anos) e María Elena González Meza de Fernández (trinta anos).

Vinte quilos mais magro, no dia 1º de julho de 2010 o salvadorenho Francisco Chávez Abarca, o *Barrigão*, foi preso ao tentar entrar na Venezuela com nome e passaporte falsos. Confessou que pretendia colocar bombas em partidos políticos e organizações de oposição para que os atentados fossem atribuídos aos partidários do presidente Hugo Chávez. Extraditado para Cuba, país que já havia solicitado sua captura à Interpol, Chávez Abarca foi julgado e condenado a trinta anos de prisão.

O advogado Leonard Weinglass morreu no dia 23 de março de 2011, aos 78 anos, quando lutava pela concessão de habeas corpus a Gerardo Hernández. Seu último cliente foi o australiano Julian Assange, criador do site WikiLeaks.

Em março de 2011 o Tribunal Federal de El Paso, no Texas, absolveu por unanimidade Luis Posada Carriles das acusações de fraude e perjúrio. Posada vive em liberdade em Miami.

Em visita a Cuba, em março de 2011, o ex-presidente americano Jimmy Carter defendeu a libertação dos cinco agentes cubanos. "Eles já cumpriram doze anos de prisão", disse Carter aos jornalistas. "Reconheço as limitações do sistema judicial dos Estados Unidos e espero que o presidente Barack Obama lhes conceda indulto e os ponha em liberdade."

Nunca mais se teve notícia de Alejandro *Franklin* Alonso e dos casais Linda-Nilo Hernández e Amarilys-Joseph Santos, os cinco agentes que fizeram acordo de delação premiada com o FBI

Preso em Caracas em julho de 2010, o
salvadorenho Francisco Chávez Abarca foi
extraditado para Cuba (acima),
numa operação de alta segurança.
Abaixo, Abarca em Havana, ao saber que havia
sido condenado a trinta anos de prisão.

e ingressaram no programa de proteção a testemunhas do Departamento de Justiça dos EUA.

Orlando Bosch morreu de causas naturais em Miami no dia 27 de abril de 2011, aos 84 anos.

ESTE LIVRO

O projeto de contar a história dos agentes de inteligência cubanos infiltrados em organizações anticastristas da Flórida nasceu em setembro de 1998, quando ouvi no rádio do carro a notícia de que eles tinham sido presos pelo FBI. Nos anos seguintes tentei, em vão, romper a barreira de silêncio que envolvia o assunto em Cuba. O sigilo que cercava tudo o que dissesse respeito à Rede Vespa era tal que a imprensa cubana noticiou o caso pela primeira vez em junho de 2001, quando eles foram condenados pela Justiça americana. Ainda assim o assunto permaneceu como segredo de Estado por vários anos.

Este livro só daria os primeiros passos numa noite de fevereiro de 2005, quando viajei para Cuba para participar da Bienal do Livro de Havana. Na véspera da minha volta ao Brasil, num jantar no histórico restaurante La Floridita, o presidente da Assembleia Nacional, Ricardo Alarcón, comunicou-me que finalmente seria liberada para mim a documentação dos serviços de inteligência da Ilha sobre a rede de agentes de inteligência que Cuba infiltrara no coração de organizações de extrema direita da Flórida. Envolvido com outro projeto profissional, tive que esperar mais três anos para iniciar, nos primeiros meses de 2008, o trabalho de campo que redundou neste livro.

Embora tudo o que está escrito aqui seja, claro, de minha exclusiva responsabilidade, não posso deixar de registrar sincera gratidão a tanta gente que me socorreu em Cuba, nos Estados Unidos e no Brasil. Na pessoa de Alarcón agradeço a todas as autoridades e funcionários cubanos, civis e militares, sem cuja paciência e boa vontade este livro não existiria. Jamais terei como retribuir o carinho do cientista político Miguel Álvarez Sánchez, que conseguiu que se abrissem sésamos lacrados desde a prisão dos cinco. Além disso, e talvez mais importante que isso, Miguelito e sua doce mulher, Merche Arce, abriram as portas de sua casa e de seus corações em momentos turvos da minha alma, durante o trabalho em Cuba.

Agradeço à Marina, minha mulher, pelo carinho com que me suportou nestes três anos de trabalho e pela implacável leitura de cada capítulo que eu escrevia.

Agradeço às jovens e talentosas jornalistas Leslie Salgado, em Cuba, Alejandra Chaparro, em Miami, e Daniella Cambaúva, no Brasil, pelo apoio profissional que me deram na realização de pesquisas, na organização de fichários e na transcrição das dezenas de entrevistas que realizei nos três países.

Agradeço também aos jornalistas Rui Ferreira, do diário espanhol *El Mundo*, e Kirk Nielsen, do *Miami New Times*, que vararam uma noite inteira me ajudando a selecionar informações da montanha de documentos confiscados pelo FBI nos computadores dos agentes cubanos.

Faltará algum nome, como sempre, mas agradeço, por fim, a todos os entrevistados e a Abel Prieto, Abelardo Blanco, Alquimia Peña, Ana Mayra Rodríguez Falera, Breno Altman, Camila Morais Cajaíba Garcez Marins, Carlinhos Cecconi, Carlos Parra, Claudio Julio Tognolli, Claudio Kahns, Eduardo dos Santos, Emir Sader, Eric Nepomuceno, Fabián Escalante, Firmeza Ribeiro dos Santos, Frei Betto, Juliana Horta, Lucas Figueiredo, Lucia Haddad, Luciana Bueno Netto, Lyra Neto, Mac Margolies, Marcello Veríssimo, Marcio Valente, Mariana Chirino, Marilia Morais Cajaíba, Max Altman, Maximilien Arvelaiz, Monica Kalil, Reinaldo Morais, Ricardo Schwab, Ricardo Setti, Rita Manso, Rita Morais, Roberto Koltun, Rodrigo Teixeira e Wilson Moherdaui.

Fernando Morais
Ilhabela, julho de 2011

ENTREVISTADOS

Cuba

Adriana Perez O'Connor
Elisabeth Palmiero Casado
Irma González Salanueva
Irma Teodora Sehwerert
Jesús Arboleya
Juan Pablo Roque
Magali Llort Ruiz
María Eugenia Guerrero
Michel Marín
Mirta Rodríguez Pérez
Nuris Pinero Sierra
Olga González Salanueva
Raúl Ernesto Cruz León
Ricardo Alarcón
Roberto González Sehwerert
Roberto Hernández Caballero
Rosa Aurora Freijanes Coca

Estados Unidos

Ana Margarita Martínez
Charles Dascal

Edmundo García
Francisco Aruca
Joaquín Méndez
Joe García
John H. Cabanas
José Basulto
Juan Manuel Salvat
Larry Rohter
Leonard Weinglass
Lorenzo Gonzalo
Margareth Becker
Max Lesnik
Norberto Fuentes
Rafael Anglada
Ramón Coll
René González Sehwerert
Tony Yansó
William *Billy* Schuss

México

Denise De Kalafe

BIBLIOGRAFIA

Livros, teses e documentos

ALFEROV, Zhores; CORRIGAN MAGUIRE, Máiread; FO, Darío; GORDIMER, Nadine; GRASS, Günther; MENCHÚ, Rigoberta; PEREZ ESQUIVEL, Adolfo; RAMOS-HORTA, José; SARAMAGO, José & SOYINKA, Wole. *Petición de revisión al Tribunal de Apelaciones del Onceno Circuito de los Estados Unidos — Tribunal Supremo de los Estados Unidos.* Havana, 2009.

ARBOLEYA, Jesús. *La revolución del otro mundo — Cuba y Estados Unidos en el horizonte del siglo XXI.* Bogotá: Quebecor World S.A., 2007.

_____. *La ultraderecha cubano-americana de Miami.* Havana: Editorial de Ciencias Sociales, 2000.

CLINTON, Bill. *Minha vida.* Rio de Janeiro: Globo, 2004.

DÁVALOS FERNÁNDEZ, Rodolfo. *Estados Unidos vs Cinco Héroes: un juicio silenciado.* Havana: Editorial Capitán San Luís, 2005.

ESCALANTE FONT, Fabián. *Nicaragua sandinista — Un conflicto de baja intensidad.* Havana: Editorial de Ciencias Sociales, 2009.

_____. *Operación Exterminio — 50 años de agresiones contra Cuba.* Havana: Editorial de Ciencias Sociales, 2008.

FUENTES, Norberto. *La autobiografia de Fidel Castro.* Barcelona: Ediciones Destino, 2004.

GONZÁLEZ, Ana Margarita & HOJAS, Rafael. *La historia que me ha tocado vivir.* Havana: Editora Política, 2011.

_____ GONZÁLES, Fernando; HERNÁNDEZ, Gerardo; LABAÑINO, Ramón; GONZÁLES, René. *Desde la soledad y la esperanza.* Havana: Editorial Capitán San Luís, 2007.

GUERRERO, Antonio. *Desde mi altura/From my altitud.* Havana: Editorial José Martí, 2001.

_____. *Firme y romántico.* Havana: Ediciones Logos, 2007.

_____. *Inseparables.* Havana: Editorial Letras Cubanas, 2005.

HART SANTAMARÍA, Celia. *Les debo verlos libres.* Havana: Ediciones Especiales, 2009.

LAMRANI, Salim. *Fidel Castro, Cuba y los Estados Unidos — Conversaciones con Ricardo Alarcón, presidente de la Asamblea Nacional del Poder Popular.* Havana: Editorial José Martí, 2007.

LAWRENCE, Matt & VAN HARE, Thomas. *Betrayal: Clinton, Castro & The Cuban Five.* Nova York: Universe, 2009.

LEMOINE, Maurice. *Cinq Cubains à Miami — Le roman de la guerre secrète entre Cuba et les États-Unis.* Paris: Don Quichotte Éditions, 2010.

MARTÍNEZ, Ana Margarita & MONTANÉ, Diana. *Estrecho de Traición — La historia de la fatídica unión entre Ana Margarita Martínez y Juan Pablo Roque.* Miami: Ediciones Universal, 1999.

ROQUE, Juan Pablo. *Desertor.* Washington: Cuban American Nacional Foundation, 1995.

ROS, Enrique. *La fuerza política del exilio cubano — Tomo I e Tomo II.* Miami: Ediciones Universal, 2007 e 2008.

SANTOS FERREIRA, Marcos Alan Fagner dos. "O impacto da política externa dos EUA nas relações entre Brasil e Cuba (1996-2004)". Dissertação de conclusão do mestrado em Relações Internacionais do Programa "San Tiago Dantas", convênio entre Unesp (Universidade Estadual Paulista Júlio de Mesquita Filho), Unicamp (Universidade de Campinas) e PUC-SP (Pontifícia Universidade Católica de São Paulo). São Paulo, 2006.

SCHUSS, William *Billy. Día tras día con los Hermanos al Rescate.* Miami: D'Fana Editions, 2007.

S. A. *Atlanta y el caso de los cinco: la larga marcha hacia la justicia.* Havana: Editora Política, 2005.

_____ *Causa 1/89 — Fin de la Conexión Cubana.* Havana: Editorial José Martí, 1989.

_____ *La tormenta perfecta.* Havana: Editora Política, 2005.

TORRES, Sonia. *Nosotros in USA: literatura, etnografia e geografias de resistência.* Rio de Janeiro: Jorge Zahar, 2001.

UBIETA GÓMEZ, Enrique. *Por la izquierda: veintidós testimonios a contracorriente.* Havana: Editorial José Martí, 2007.

VARGAS LLOSA, Álvaro. *El exílio indomable — Historia de la disidencia cubana en el destierro.* Madri: Editorial Espasa Calpe, 1998.

VÁZQUEZ MONTALBÁN, Manuel. *Y Dios entro en La Havana.* Madri: Ediciones El País, 1998.

WYDEN, Peter. *Bay of Pigs — The untold story.* Nova York: Simon and Schuster, 1979.

Jornais, revistas e periódicos

Bohemia, Cuba
Diário Las Américas, Estados Unidos
El Mundo, Espanha
El Nuevo Herald, Estados Unidos
El País, Espanha
Escambray, Cuba
Granma, Cuba
Juventud Rebelde, Cuba
La Jornada, México
Newsweek, Estados Unidos
Southermost Flyer, Estados Unidos
Sun Sentinel, Estados Unidos
The Miami Herald, Estados Unidos
The Miami New Times, Estados Unidos
The New York Times, Estados Unidos
The Washington Times, Estados Unidos
Trabajadores, Cuba

Filmes e documentários

Del otro lado del cristal. Guillermo Centeno, Manuel Pérez, Marina Ochoa e Mercedes Arce. Instituto Cubano de Artes y Industria Cinematográfica, Cuba.
El hombre de las dos Habanas. Vivien Lesnik Weisman. Estados Unidos.
El proceso — La historia no contada. Rolando Almirante. Cuba.
Fidel — A personal portrait of a political phenomenon. Saul Landau. Estados Unidos.
Rompiendo el silencio. Carlos Alberto García. Cuba.
Shoot down. Cristina Khuly. Estados Unidos.
The flight of Pedro Pan. Joe Cardona. Estados Unidos.
The specialist. Marc Brambilla. Estados Unidos.
They killed sister Dorothy. Daniel Junge e Martin Sheen. Estados Unidos.
Will the real terrorist please stand up? Saul Landau. Estados Unidos.

Sites

www.antiterroristas.cu — Cuba
www.cubadebate.cu — Cuba
www.foia.ucia.gov/ — Estados Unidos
www.freethefive.org — Estados Unidos
www.huffingtonpost.com/ — Estados Unidos
www.pedropan.org — Estados Unidos
www.thecuban5.org — Estados Unidos

CRÉDITOS DAS IMAGENS

pp. 14, 24, 27, 38, 41, 42, 49, 56, 67, 75, 109, 119, 120, 124, 129, 132, 134, 135, 138, 178, 193, 215, 219, 222, 244 (de cima para baixo, a primeira imagem), 258, 283, 294, 300, 311, 313, 322, 329 (de cima para baixo, a primeira imagem), 330 (de cima para baixo, a imagem do meio e a última), 335, 350, 359 (de cima para baixo, a primeira e a última imagem), 388 e 392: Acervo pessoal do autor

pp. 20, 238 e 325: *El Nuevo Herald*

p. 43: DR/ Michael Springer

p. 87: Hona Wise/ AFP/ Getty Images

pp. 96 e 278: DR/ Juan Pablo Roque

pp. 150, 229 e 244 (de cima para baixo, a segunda, terceira e quarta imagens): DR/ Laboratorio central criminalistica/ Jefatura/ Minint

pp. 294, 380 e 389: Fotos de Fernando Morais

pp. 325 (de cima para baixo, a primeira imagem), 329 (de cima para baixo, a imagem do meio) e 330 (de cima para baixo, a primeira imagem): Joe Raedle/ Getty Images

p. 329 (de cima para baixo, a última imagem): DR/ Roberto Meriño

p. 345: © Roberto Koltun

p. 359 (de cima para baixo, a imagem do meio): DR/ Mario García Joya

Muitas das fotografias do livro foram tiradas por máquinas não profissionais e nem sempre em circunstâncias ideais, razões pelas quais a reprodução das imagens por vezes não seguiu o rigor técnico praticado pela editora.

Todos os esforços foram feitos para determinar a origem das imagens deste livro. Nem sempre isso foi possível. Teremos prazer em creditar as fontes, caso se manifestem.

ÍNDICE ONOMÁSTICO

1ª EDIÇÃO [2011] 2 reimpressões

ESTA OBRA FOI COMPOSTA POR ACOMTE EM MINION
E IMPRESSA PELA RR DONNELLEY EM OFSETE SOBRE PAPEL
PÓLEN SOFT DA SUZANO PAPEL E CELULOSE PARA A
EDITORA SCHWARCZ EM NOVEMBRO DE 2011

OS
ÚLTIMOS
SOLDADOS
DA
GUERRA
FRIA